Goya

EN LAS COLECCIONES MADRILEÑAS

Esta exposición ha sido organizada
por la Fundación de
AMIGOS DEL MUSEO DEL PRADO

Esta exposición ha sido patrocinada por la
Compañia Coca-Cola de España, S.A.
y sus Concesionarios

Goya

EN LAS COLECCIONES MADRILEÑAS

SEGUNDA EDICION REVISADA

MUSEO DEL PRADO
Abril - Junio 1983

AMIGOS DEL MUSEO DEL PRADO

MARIANITO GOYA *(Detalle)*
Cat. 48

Índice

Palabras preliminares

ENRIQUE TIERNO GALVÁN
ALCALDE DE MADRID

Tendemos por lo común, tanto en cuanto a pintura se refiere como a cualquier otro sector de la realidad que contemplamos, a reducir el objeto de la contemplación según una idea general definidora. Este proceso totalizador simplifica el conocimiento y también la transmisión del saber. Así la cultura se convierte en fórmula que cristaliza en tópicos cuando la fórmula académica se divulga.

De este modo, los artistas quedan encasillados, con frecuencia, por una apreciación fraccionada de su obra, que aunque pueda ser la más sobresaliente no es sin embargo fundamento bastante sobre el que construir una descripción absoluta de la totalidad de la obra.

Velázquez no se agota en la expresión realismo, de la misma manera que Ribera no empieza y acaba en el tenebrismo. Algo semejante a esto que digo ocurre con la mayor parte de los grandes pintores de quienes solemos desconocer la complejidad y con frecuencia contradicción, tanto en la técnica como en la idea que su obra encierra.

Puédese aplicar esto sin esfuerzo a Goya, infinitamente contradictorio y ensayista permanente de nuevas expresiones plásticas, que se renueva con frecuencia e incluso en avanzada edad, como ocurre con su sorprendente obra del período de Burdeos.

De aquí que sea bueno, especialmente para el público común, que tenga la ocasión, que no suele ser frecuente, de comprobar cómo el pintor genial se aleja de la obra que a su genialidad se atribuye y pueda apreciar cómo la pintura de un gran pintor raras veces responde con seguridad al encasillamiento.

De aquí que exposiciones como esta que hoy se presenta, de obras maestras que están en las colecciones madrileñas, tengan un altísimo valor didáctico, no tanto por lo que enseñan como por el estímulo que suponen para empezar de nuevo una comprensión más verídica de lo que Goya sea como pintor.

El público culto, aunque no erudito, ante algunas de las obras poco conocidas que verá en esta exposición tendría que renovar muchos de los supuestos admitidos como incuestionables y permanentes.

La exposición es en este sentido un atrevimiento, pero un atrevimiento feliz y necesario que va a contribuir a la crítica más profunda y urgente, la que pone en tela de juicio los tópicos tradicionalmente admitidos, para opinar sobre su exactitud o inexactitud desde la propia experiencia de la obra del artista más allá de los estrechos límites de lo que usualmente se ve y los libros comunes reproducen.

El lector tiene una ocasión excepcional para repensar Goya, es decir, cultivar la cultura establecida. Merecen los Amigos del Museo del Prado una felicitación muy sincera por el acierto de la idea y la eficacia con que la han llevado a cabo.

Presentación

ALFONSO E. PÉREZ SÁNCHEZ
DIRECTOR DEL MUSEO DEL PRADO

Una Exposición de obras de Goya es siempre, sea cual sea su alcance, una experiencia enriquecedora pues pocos artistas resultan, aun en sus obras de menor empeño, tan sugestivos a nuestra sensibilidad, tan próximos a nuestra condición, tan varios y tan ricos en sus sugerencias e incluso en sus provocaciones.

Si lo que en ella se muestra es, además, un conjunto de piezas maestras en su mayor parte, y no fácilmente visibles de ordinario, por pertenecer a coleccionistas privados y a entidades que no suelen franquear abiertamente sus tesoros al público general, el hecho puede calificarse sin duda de acontecimiento.

La feliz iniciativa de la Fundación Amigos del Museo del Prado brinda así ocasión a esos otros —anónimos y no menos devotos— amigos del Prado, de Goya y de la pintura, que invaden cada día los ámbitos del Museo deseosos de ver y saber, la ocasión de conocer de cerca muchas obras importantes, quizás familiares por la reproducción, pero raras veces visibles en ocasiones públicas.

En Madrid se han celebrado, a lo largo de este siglo, varias exposiciones de la obra del gran maestro aragonés tan vinculado a su historia y a su espíritu. Desde la celebrada en 1900 en el Ministerio de Instrucción Pública y Bellas Artes a la del Casón del Buen Retiro de 1961, conmemorando el tercer Centenario de la Capitalidad de la Villa, pasando por la memorable del primer Centenario de la muerte del pintor, exhibida en el propio Prado en 1928, el público madrileño ha tenido ocasiones periódicas de reencontrarse con uno de sus mejores intérpretes, presente, además, en otras muchas exposiciones de carácter no exclusivamente monográfico, como la bien próxima de «El Arte europeo en la Corte de España durante el siglo XVIII», de 1980. Pero si se repasan los catálogos de las exposiciones más antiguas, no ya la de 1900 sino incluso la de 1928, es inevitable un sentimiento de amargura que desemboca necesariamente en sorda indignación. Muchísimas de las obras goyescas que en 1900 estaban en colecciones españolas, e incluso algunas de las que todavía en 1928 se expusieron, se hallan hoy fuera de España. El desdén o el egoísmo de sus propietarios, atentos sólo a cuanto podían representar en valor monetario, y la desatención administrativa, que no supo impedir adecuadamente la salida de obras que un recto entendimiento de la ley debiera considerar inexportables, ni procedió a sancionar con la debida energía algunos casos abiertamente delictivos, han privado al patrimonio de todos los españoles de algunas piezas capitales de su historia artística. Basta pensar que en los muros del Prado se exhibieron en 1928 la excepcional *Marquesa de Pontejos,* hoy en Washington, el *José Romero,* hoy en Filadelfia, la *Marquesa de Caballero,* hoy en paradero desconocido, pero fuera de España; la bellísima *Condesita de Haro,* hoy en Suiza, la *Rita Luna,* hoy en Fort Worth o las curiosísimas *Monja* y *Fraile,* hoy en Inglaterra, entre otras.

El doloroso expolio ha continuado y es tiempo ya de frenarlo definitivamente. Por fortuna una nueva conciencia de las responsabilidades sociales que implica la posesión de las obras de arte de importancia singular, se va generalizando. Una más cuidadosa atención legal, que sepa contemplar con equilibrio el innegable derecho de la propiedad y las necesarias atenciones al común disfrute, con sus lógicas compensaciones, habrán sin duda de configurarse en una adecuada ley del Patrimonio Artístico.

Mientras tanto es enormemente alentador que importantes colecciones madrileñas muestren algo de sus tesoros, haciéndolos así un poco de todos. Las paredes del Prado, muros amigos que a todos quieren acoger, serán por unas semanas soporte de estos lienzos goyescos que nunca —confiemos ardientemente en ello— habrán de abandonar su patria.

La Fundación Amigos del Museo del Prado puede estar orgullosa de la aportación de este año. Don Enrique Lafuente Ferrari, su presidente, que precisamente en esa fecha recordada de 1928 redactó el memorable catálogo, ha vuelto a mirar con ojos agudos, profundos y sensibles, estas obras magistrales del pintor a quien ha dedicado páginas brillantes que todos hemos estudiado con devoción y provecho.

A él, a los desinteresados colaboradores de la Fundación, y a los generosos prestadores de estas obras capitales, vaya el agradecimiento del Museo, que interpreta y resume el de tantos y tantos visitantes anónimos, verdaderos destinatarios de este riquísimo universo de poesía y de vida, de arrebatada y humanísima verdad, que el Goya más nuestro vuelca, desde esos lienzos, para goce y reflexión de todos.

Goya de nuevo

FEDERICO SOPEÑA
DE LA REAL ACADEMIA DE BELLAS ARTES DE SAN FERNANDO

Escribo esta breve nota cuando Lafuente Ferrari cumple, tan campante, ochenta y cinco años. Hace unos meses celebramos las Bodas de oro del matrimonio con una misa en la ermita de San Antonio de la Florida, rodeado de ese Goya que él ha estudiado tan a fondo en un libro que es también libro de amistad con el inolvidable Ramón Stolz. Coincidió esa gran celebración con el homenaje en el Museo del Prado, más tarde. Al fallecer Moreno Torroba, Lafuente Ferrari, decano de la Real Academia de Bellas Artes de San Fernando, nos presidió admirablemente durante tres meses y, con pena de todos, no quiso seguir. Pena, sí, pero alegría también, pues sabíamos que ganaba su tiempo para dedicarse de lleno a esta exposición. Nos ha enseñado tanto, que sus libros son, de verdad, «Universidad a distancia», bien distinta de la del título, lejanía que unos cuantos hemos convertido en lo contrario. Ya desde antes de la guerra civil su *Breve historia de la pintura española* fue la gran introducción universitaria. El mejor regalo para los visitantes ilustres del Prado es su libro sobre los dibujos de Goya.

Lo que yo siento personalmente ante esta exposición estoy seguro de no sentirlo sólo sino en compañía de los «Amigos del Museo»: que esta Exposición lleva implícito un respetuoso y entusiasta homenaje al maestro Lafuente Ferrari. Desde comienzo de siglo no ha habido historiador español del arte, no ha habido crítico ni escritor de campanillas —con recordar a Ortega en el año del centenario basta— sin trabajo propio sobre Goya. Ahora bien: a la cabeza por calidad y cantidad de estudios, por conseguir panorama completo de biografía y de obra, por prestigio internacional encarnado en traducciones, está Lafuente Ferrari.

Hay, además, preciosas etapas que ahora podemos resumir: bien joven redactó a toda prisa el catálogo de la exposición de 1928; cuatro años más tarde el largo, impresionante estudio con motivo de la exposición de «Amigos del Arte» titulada *Antecedentes, coincidencias e influencias en el arte de Goya*, trabajo bien actual por doctrina, planteamientos de problemas e incluso por sus interrogantes.

Todos o casi todos hemos escrito sobre Goya: como hay una llamada «música goyesca» he trabajado, creo que con fruto, las muy diversas aportaciones de los maestros, que Lafuente venera, desde la famosa teoría de la «veta brava» de Elías Tormo hasta la búsqueda de la música a través de la teoría de «los fondos de Goya» de Manuel Gómez Moreno. Lafuente sin dejar de proclamar su respetuosa admiración por esos maestros —a Tormo dedicó ese primer gran trabajo— rebatiendo con gracia excesos literarios, con polémica no sin sonrisa contra los ingeniosos excesos de d'Ors, es, desde hace años el gran maestro español en el estudio de Goya. En sus trabajos sobre el pintor llega a verdaderas cimas de expresión porque, sin retórica, le basta el acierto en la palabra para darnos el modelo de lo que debe ser la prosa del historiador y del crítico. Me apetece citar este ejemplo que sale como de paso al trabajar sobre pintura inglesa. Cuando Lafuente estudia la posible influencia de la pintura inglesa sobre Goya cincela así: «Quizá observó en tales obras de arte coincidencias con algo que él buscaba en su pintura y especialmente en sus retratos: esa desdeñosa distinción, esa elegancia sin dengue, esa sencillez orgullosa y altiva a que aspiraba su espíritu ambicioso y sutil bajo la ruda corteza de baturro y de plebeyo.» ¿Cabe mejor «retrato»? Una vez más le damos las gracias.

Estudios sobre Goya

Fig. 1   RETRATO DEL INFANTE D. LUIS, 1783
Oleo sobre lienzo-tabla
0,42 × 0,35 m.
Colección Sueca. Madrid

PIERRE GASSIER

Goya, pintor del Infante D. Luis de Borbón

Es inútil insistir sobre el hecho más que sabido de que Goya se convierte en un pintor importante y solicitado en Madrid entre 1780 y 1786. Estos dos años marcan hitos decisivos en su carrera oficial: 1780 por su ingreso en la Academia y 1786 por su nominación como Pintor del Rey. Hasta 1780 se le conocía principalmente por sus obras decorativas: pinturas religiosas ejecutadas en Zaragoza y alrededores, cartones de tapicerías para la Fábrica Real de Santa Bárbara. Pero cuando descubre a Velázquez en el Palacio Real, entre 1775 y 1778, su campo de visión se amplía a un universo pictórico infinitamente más profundo, frente al cual los ejemplos de Mengs y Bayeu se le aparecen bastante desvaídos. Los dibujos —de admirable sensibilidad— inspirados en los grandes retratos reales, las Meninas y los bufones, le habían familiarizado, si consideramos su grabación en cobre, con ese arte que su época parecía haber olvidado y que, para él, se convertiría en un modelo a lo largo de su vida, casi un antídoto.

Podemos afirmar que, desde esta perspectiva, el año 1783 marca un cambio decisivo en la obra de Goya con la aparición de unos ambiciosos retratos de gran tamaño. El primero y más conocido figura en esta exposición: *El Conde de Floridablanca,* sobre el que Goya había volcado todas sus esperanzas y que no le reportaría, de parte del ministro, más que un vago: «Goya, ya nos veremos más despacio» algunos meses después. No era mucho para empezar y resultaba decepcionante al joven académico de treinta y siete años, ansioso de introducirse en la Corte. Afortunadamente para él, este retrato —y probablemente su modelo— llamaron la atención del mecenas por excelencia del Reino, después del Rey, su hermano menor el Infante D. Luis de Borbón. A finales del verano de 1783 Goya fue llamado a su presencia, en Arenas de San Pedro, para realizar una serie de retratos de familia.

Cat. 3

Señalemos a este respecto que si la «recuperación española» que apunta con buen juicio Ives Bottineau, se había impuesto espectacularmente a partir de 1760-1770 en el ámbito de la decoración, como respuesta a las exigencias del vasto programa restaurador de residencias reales emprendido por Carlos III, dicha recuperación resultaba mucho menos evidente —menos necesaria incluso, en la inmediatez— en el género del retrato. En los años 80 la sucesión de los Houasse, Ranc, Van Loo, Amiconi, Mengs, no estaba en absoluto garantizada. Se contaba con Carnicero, Inza y Gregorio Ferro, pero el Infante D. Luis, hombre de gusto y conocedor sutil de la pintura, fijó su elección en Goya. Analicemos por qué.

El hijo menor de Isabel de Farnesio, el Infante D. Luis, había recibido, gracias a su madre, una espléndida formación artística, bajo la dirección de un pintor genovés aún poco conocido, Francesco Sasso (c. 1720-1776), que llegó a España en 1756 y se casó con la hija del pintor Domenico Sani, antiguo colaborador de Procaccini en La Granja. Más tarde llega a ser Pintor de Cámara del Infante D. Luis, para quien realiza un número considerable de pinturas. La lista de estas obras, sin duda incompleta, se sacó del inventario de los bienes del Infante aún inédito y elaborado en 1795, diez años después de su muerte. Encontramos trece lienzos —el número de obras más elevado después del de Teniers— de desigual valía, pero de considerable interés: doce escenas de género con temas populares y, sobre todo, un gran retrato ecuestre (383 × 292 cm.) del Infante D. Luis, valorado en 20.000 reales.

Más sorprendente nos parece, sin embargo, el retrato descrito justo antes de María Teresa de Vallabriga, también a caballo y de las mismas dimensiones que el Sasso, si bien realizado por Goya y valorado sólo en 10.000 reales. Hablaremos de esta obra más adelante.

Acudamos ahora a la correspondencia del pintor para aclarar sus relaciones con el Infante D. Luis. Hasta que no hubimos consultado la práctica totalidad de las cartas publicadas por Angel Canellas López en 1981, no teníamos establecida más que una sola estancia de Goya en Arenas de San Pedro, desde fines de agosto a fines de septiembre de 1783. Ahora bien, el *Diplomatario* nos revela un segundo viaje al año siguiente, también a fines de verano. Esta segunda estancia en Arenas era previsible según lo que nos cuenta el pintor en su primera carta: «...an sentido tanto que me aya hido que no se podian despedir del sentimiento, y con las condiciones que abia de bolber lo menos todos los años...». Goya viaja esta vez a Arenas con su mujer, a quien dice que sus Altezas harán los honores de Palacio. Entre las dos estancias, una carta fechada el 2 de julio de 1784 alude al retrato ecuestre de María Teresa de Vallabriga: «Estoy flaco y no trabajo mucho. Aún no he acabado el retrato a caballo de la Señora del Infante, pero le falta poco». A primera vista, el pintor parece referirse al encantador lienzo llegado hace algunos años al Museo de los Uffizi. Sin embargo, el inventario de bienes del Infante nos permite afirmar hoy que este boceto —«bosquejo» según el inventario del Palacio de Boadilla del Monte— no puede ser el que Goya alude. En 1784 Goya no puede referirse sino al gran retrato ecuestre que está a punto de concluir basándose en aquel primer bosquejo, realizado posiblemente durante su primera estancia en Arenas. La obra definitiva debió desaparecer entre 1795, en que se hace un inventario a raíz del fallecimiento del Infante, y 1826, en que deja de constar en el inventario del Palacio de Boadilla.

En Arenas de San Pedro el Infante llevaba una vida apacible en el seno familiar. Exiliado de la Corte a raíz de su matrimonio morganático con doña María Teresa Vallabriga; en 1776, se rodea de una pequeña corte sin protocolo, donde imperaba la música, gracias a Boccherini, vinculado al Infante desde 1770. Sus pintores preferidos, en cambio, ya no estaban allí: Sasso falleció en 1770; Mengs volvió definitivamente a Roma en enero de 1777 a pasar sus dos últimos años de vida. En cuanto a Paret, su protegido desde 1763, fue exiliado de la Corte acusado de fomentar los amores ilícitos del Infante.

Ahora bien, en la carta a Zapater, de vuelta de su primer viaje a Arenas, Goya hace alusión a los retratos que pintó para el Infante: «...he echo su retrato, el de su señora y niño y niña con un

Fig. 2   LA FAMILIA DE CARLOS IV, 1800-1801
Oleo sobre lienzo
2,80 × 3,36 m.
Museo del Prado. Madrid

aplauso inesperado por aber hido ya otros pintores y no aber acertado a esto...». Por otro lado, ahora que sabemos del segundo viaje de Goya a Arenas, un año después, por la carta en la que precisa: «El Infante me dio treinta mil reales de gratificación de los quadros que le he pintado...» parece que haya que atribuir a su primera estancia los cuatro retratos individuales, mientras que los dos lienzos que menciona en su última carta han de ser el gran retrato ecuestre, hoy perdido, y el retrato familiar (Parma, colección particular), pues la cantidad de 30.000 reales revela que se trataba de lienzos importantes.

Y cuando habla de otros pintores que habían ido a Arenas sin acertar en sus retratos, se refiere a su rival Gregorio Ferro. En efecto, en el inventario de bienes del Infante hallamos un boceto y un gran lienzo (207×121 cm.) representando «el Sor Ynfante D^n Luis, su S^ra Esposa e hijo de medias figuras», es decir, una primera composición de retrato de familia con un solo hijo, el primogénito, lo que permite fechar este lienzo entre 1777 y 1780, fechas de nacimiento de los dos primeros hijos del Infante.

Después de la caída de Ferro, el éxito de Goya en ambas estancias junto al Infante D. Luis parece haber sido completo. Recibió cada vez 45.000 reales y su mujer una bata bordada en oro y plata. Por lo demás, cada una de sus partidas fue recibida con pesar, mayor si cabe por la admiración que el pintor, excelente tirador, había provocado en el Infante en el curso de ciertas partidas de caza. Pero de todos los retratos que pintó en 1783 y 1784 —el Infante *[Fig. 1]*, su mujer y los dos hijos mayores, así como Ventura Rodríguez, su arquitecto preferido y autor entre otras obras de los planos de Boadilla del Monte— el más importante que conservamos es al tiempo el más desconocido, pues este gran *Retrato de Familia [Fig. 6]*, que abandona España en 1904, no ha sido expuesto jamás. Es, sin duda, la obra, más ambiciosa que concibió antes de *La Familia de Carlos IV [Fig. 2]*, escasamente mayor de tamaño (280 × 336 cm. frente a 248 × 330 cm.). Aunque no puede compararse el ambiente familiar de este apacible fin de velada con el resplandeciente desfile oficial del Prado, existe al menos un elemento común a las dos composiciones, que traiciona una intención arraigada en Goya desde 1783: la plasmación de su autorretrato ante la tela emprendida y en el margen izquierdo del lienzo, lo que evidentemente tiene su origen en Velázquez. *Las Meninas*, que intentó grabar en 1778, le han servido aquí, ya que no de modelo, al menos como acicate a su empresa.

La presencia en la obra de Goya del gran retrato ecuestre de María Teresa de Vallabriga, hoy desaparecido, refuerza espectacularmente esta orientación velazqueña de su arte a partir de 1783. El admirable boceto de los Uffizi, único testimonio conservado, basta para convencernos; en primer lugar por el fondo cerúleo del paisaje, que volvemos a encontrar en el retrato de la pequeña *María Teresa de Borbón* (Washington, National Gallery), realizado igualmente en Arenas; pero también por el caballo montado por la mujer del Infante, tomado textualmente del retrato de *Isabel de Borbón* por Velázquez (Museo del Prado), que grabara Goya. Finalmente, señalemos un factor nada desdeñable: el de la riqueza de las colecciones del Infante que pudiera admirar el pintor en dos estancias sucesivas de un mes de duración. ¿Qué pudo Goya ver exactamente en Arenas? Es difícil, si no imposible, precisarlo en vista de nuestros conocimientos actuales y de la disposición de obras de arte repartidas entre las diferentes residencias del Infante. Los múltiples inventarios hechos tras su muerte, así como los realizados con sus descendientes, indican la existencia de lienzos importantes de todas las escuelas de pintura. Un documento inédito, fechado en 1845, precisa incluso que el Infante había encargado a Mengs comprar en Italia obras de los grandes maestros del Renacimiento, en especial de Rafael, Leonardo y Miguel Angel. Varios Velázquez, o lienzos a él atribuídos, figuran en su colección junto a bocetos de retratos ecuestres de Felipe IV, del Conde Duque de Olivares y del Infante Baltasar Carlos. Podemos por ello corroborar la afirmación de Nigel Glendinning cuando dice que «el gusto del Infante y de su mujer impulsaron sin duda a Goya hacia la utilización en sus trabajos del lenguaje velazqueño...». Vemos pues que nos hallamos ante una fase capital en el desarrollo de su obra: La pequeña corte de D. Luis, mucho antes que los Osuna, Altamira, Medinaceli o Alba, le ofrece su primera gran oportunidad para adentrarse en la gran pintura de caballete. Desaparecidos Sasso y Mengs, alejado Paret, quedaba para Goya una plaza importante a ocupar como Pintor de Cámara del Infante. Y si no recibió oficialmente el título fue por la muerte de éste, su primer gran «patrón», el 7 de agosto de 1785; lo que puso brutal término a todos los sueños que pudiera acariciar. Se trataba en verdad de un sueño maravilloso: poder pintar al fin a su antojo para un gran personaje ilustrado y benévolo, pero también poder darse el gusto incomparable de cazar la codorniz y la perdiz en sus tierras, mientras escucha cómo su Alteza Serenísima le trata como «este pintamonas aún (es) más aficionado que yo».

Fig. 3   EL QUITASOL, 1777
Oleo sobre lienzo
1,04 × 1,52 m.
Museo del Prado. Madrid

NIGEL GLENDINNING

La fortuna de Goya

Algunos artistas llegan a ser célebres muy pronto en su vida, y nunca pierden su categoría. Otros se levantan cual cometas, brillan mucho, y dejan una estela bien visible detrás de ellos durante cierto tiempo, para luego declinar y desaparecer. Un tercer grupo suscita diversos pareceres entre sus contemporáneos, y su fama póstuma traza asimismo una línea zigzagueante. Un cuarto grupo despide luz a intervalos como un faro; tiene épocas de gran visibilidad y momentos de penumbra y hasta de profunda oscuridad. Ejemplo de la primera categoría en España sería Velázquez; Murillo, a menos que su centenario le rescate ahora, de la segunda; y El Greco, de la cuarta. Goya es el gran paradigma del tercer grupo.

El signo variable de Goya es en parte consecuencia de las muy diversas facetas de su obra, que han ido iluminándose de distintas maneras en diferentes tiempos. Los mismos medios que emplea son muy variados: fresco, pintura al óleo, aguafuerte, litografía y dibujo. Sus trabajos con estas técnicas tienen distinta fortuna. Luego es impresionante la multiplicidad de sus temas, incluso la diversidad de enfoque de un mismo tema en diferentes cuadros. Todo lo abarcaba: la religión, la mitología, los cuadros de historia, los retratos, los paisajes, los bodegones, las escenas decorativas, los cuadros de costumbres y las caricaturas. Si se quieren variaciones goyescas sobre el mismo tema de carácter muy distinto, ahí están *El quitasol* *[Fig. 3]*, cartón para tapiz que pintó en 1777, y la *Joven señorita leyendo una carta* *[Fig. 4]*, que se suele fechar entre 1812 y 1814. En los dos cuadros se representa a un criado que protege a su ama contra el calor del sol. En *El quitasol* el criado, que es un hombre joven, parece más o menos contento; la damisela sonríe, e incluso el perro faldero se muestra satisfecho de su situación. Se plasma en este cuadro un sentido de fácil bienestar y gozo, que se manifiesta en la placidez del ambiente lo mismo que en la expresión alegre de los personajes. Pero no es así en *La joven leyendo una carta*. En este último cuadro se pone de realce un contraste violento entre la satisfacción de la señorita burguesa, su sirvienta y su perro por una parte, y la muy distinta suerte de las mujeres del pueblo que se ven en el fondo. Estas están trabajando, lavando ropa, poniendo las sábanas a secar, expuestas a los rigores del tiempo y a las miserias de la vida sin que nadie las proteja. Enfoque, colorido, intención, sentido social, público: todo ha cambiado. No parecen cuadros del mismo artista.

Si la obra de Goya es proteica y cambia mucho, el conocimiento que el público y los críticos tienen de la obra varía enormemente también. Para sus coetáneos españoles Goya fue pintor de frescos religiosos y cuadros que se veían en las iglesias aragonesas, madrileñas, valencianas, gaditanas, vallisoletanas y sevillanas. Para los que frecuentaban los palacios y las casas de la alta burguesía era también diseñador de tapices, pintor de cuadros decorativos, retratista excelso, grabador de buenas copias de Velázquez y creador de las series de los *Caprichos* y la *Tauromaquia*. También el hombre de la calle se encontraría a veces con algún cuadro de Goya. En alguna fiesta se colgaban retratos de los reyes en los balcones de los palacios, pintados por Goya. Y así fue en 1789. Más adelante, durante la Guerra de la Independencia, según el Barón Taylor, se expuso un retrato de Fernando VII pintado por Goya en la fachada del Ayuntamiento de Madrid, para animar al pueblo. Es cierto, desde luego, que en agosto de 1808, con motivo de la proclamación de Fernando VII, Goya dirigió la decoración de la casa de su amigo limeño, Tadeo Bravo de Rivero, con raso color celeste y estrellas de plata y sus pinturas alegóricas ejecutadas por Asensio Juliá y José Ximeno. Los españoles que leían los periódicos y otras publicaciones sabrían algo más de su carrera. Se anunciaron en el *Diario de Madrid* o en la *Gaceta* los grabados velazqueños y las dos series originales mencionadas en 1778, 1799 y 1815. Se sabría por los mismos medios cuándo le tocó la lotería y cuánto lienzo donó para los soldados españoles durante la Guerra de la Independencia [1]. Los que iban a las exposiciones verían sus cuadros en algunas ocasiones en la Real Academia de San Fernando: allí se exhibieron, por ejemplo, los retratos de Don Andrés del Peral, de Doña Isabel Lobo de Porcel y el ecuestre del Duque de Wellington. Allí, también fue objeto de ataques y daños el retrato de Don Simón de Viegas, se supone que por razones políticas más que estéticas [2].

Los extranjeros, en cambio, conocieron a Goya en primer lugar como grabador. Algunos viajeros compraron sus grabados en España. Richard Cumberland, dramaturgo y diplomático inglés, parece haber comprado la serie velazqueña hacia 1780 [3]; el embajador austríaco Giusti envió aquella misma colección a sus superiores en Viena en 1778 cuando se estampó; el Duque de Wellington obtuvo los *Caprichos*, con el comentario manuscrito de letra del mismo pintor, no sabemos si por regalo o por compra hacia 1812 [4]; y después de la Guerra de la Independencia, el embajador sueco De la Gardie adquirió un ejemplar de los *Caprichos* en 1815. La misma obra se anunció en los catálogos de un librero londinense en 1814 y 1816, y varios ejemplares llegaron a colecciones inglesas por entonces. En París los *Caprichos* circulaban en la versión original en los años veinte del siglo pasado, y allí se hizo una edición litográfica de diez estampas de la serie en 1824. Al año siguiente las cuatro litografías goyescas de toros vieron la luz en la imprenta de M. Gaulon en Burdeos y la obra de Goya empezó a influir en la nueva generación de artistas franceses. Delacroix conocía e imitaba las sátiras de Goya en 1824, y en 1826 se vendieron cinco carpetas de «caricaturas españolas» (junto con la vida de un pícaro y juegos juveniles) en una venta de estampas [5]. Algo más de Goya que los diez Caprichos publicados en París litográficamente, tenía, a la fuerza, que incluírse en aquellos portafolios. Fue tanta la fortuna de estos aguafuertes en Francia que en lo sucesivo pudieron subastarse en París copias al óleo de todos los *Caprichos* [6].

Ni dentro ni fuera de España podían conocerse bien los *Desastres de la guerra* o los *Disparates* antes de las primeras ediciones (póstumas) hechas por la Real Academia de San Fernando en 1863. En cuanto a los cuadros de Goya salieron muy pocos de España y pocos llegaron a verlos durante la vida del autor. Los extranjeros retratados por Goya tendrían algo —el embajador francés Guillemardet, el general Guye y el Duque de Wellington—. Y se cree que Alois Wenzel Kaunitz compró *La aguadora* y *El afilador* hacia 1815-1816 [7]. Pero en los años treinta del siglo XIX, el hijo del pintor, Javier Goya, empezó a vender los cuadros que había heredado de su padre, y fue entonces cuando los extranjeros pudieron adquirirlos y fomentar un nuevo interés por Goya.

Por la misma época se empezaron a aumentar las colecciones de obras de Goya en los museos. En los años veinte no había más que tres Goyas en el recién abierto Museo del Prado. Algunos más se habían donado a la Academia de San Fernando entonces, y la cifra llegó hasta trece en 1839. Cuatro o seis cuadros se expondrían en el nuevo Museo de la Trinidad un poco más adelante, entre ellos las famosas *Majas al balcón* [Fig. 5], pertenecientes al Infante Don Sebastián y secuestradas con otras pinturas que tenía de Goya, por razones políticas. En cuanto al Prado, la colección de Goyas se incrementó en los años treinta con las pinturas del *2 y 3 de mayo de 1808;* y también había algún bodegón allí a mediados del siglo. Pero el gran aumento vino en las décadas de los sesenta y setenta con los cartones para tapices. En la quinta edición del *Catálogo,* en 1885, se podían contar con cincuenta y nueve cuadros de Goya en total.

En el extranjero sólo Francia pudo jactarse de tener pinturas del maestro aragonés en la primera mitad del siglo XIX en su principal museo. Después de la inauguración de la Galería Española de Luis Felipe en 1838, había once cuadros de Goya en el Louvre, aunque no todos ellos se expusieron al público. Ocho de ellos le habían costado 15.500 reales al Barón Taylor, encargado de la compra de cuadros españoles por parte del rey francés [8]. Todos ellos procedieron de Javier Goya, al parecer. Después de la revolución de 1848 Luis Felipe los llevó a Inglaterra y se subastaron allí en 1853.

El crecimiento paulatino del conocimiento de las obras de Goya y de los distintos aspectos de su arte puede rastrearse en los catálogos razonados de sus cuadros, y en las exposiciones que los dieron a conocer a los aficionados. Mathéron, en 1858, menciona unos 130; Charles Yriarte (1867), 229; el Conde de Viñaza (1887), 403; Von Loga (1903 y 1921), 605; August Mayer (1921), 732; y José Gudiol (1970), 768. En las exposiciones españolas más importantes se incluyeron doce Goyas en la del Liceo Artístico y Literario de Madrid en 1846; ciento cuarenta y seis en la Exposición Goya del Ministerio de la Educación y Bellas Artes en Madrid en 1900; y 92 cuadros y siete tapices en la Exposición de Pinturas en el Museo del Prado en 1928.

Fuera de España las exposiciones no tuvieron tanta importancia hasta nuestro siglo. Se exhibieron cuatro cuadros de *Niños jugando* en Manchester, Inglaterra, en 1857, once en la New Gallery de Regent's Street, Londres, en 1895, y diecisiete en la Guildhall de la capital inglesa en 1901. En Francia, en 1878, se expusieron las Pinturas Negras y algunos tapices en la Gran Exposición Internacional de París, y nueve años más tarde, en 1887, dos retratos femeninos, una corrida y la escena de un *Vendedor de marionetas* en las Galerías del Quai Malaquais [9]. En nuestro siglo vale destacar los veintidós Goyas en la Exposición de Pintura Moderna en París, en 1919; igual número de ellos en la Royal Academy, Londres, en 1920-21, y las cincuenta y cuatro obras de Goya en el Burlington Fine Arts Club de la capital inglesa, en 1928. Excepcional interés tuvo la Exposición de Obras Maestras del Prado en Ginebra

Fig. 4   JOVEN LEYENDO UNA CARTA, 1812-1814
Oleo sobre lienzo
1,81 × 1,22 m.
Musée des Beaux Arts. Lille

Fig. 5   MAJAS AL BALCON, 1805-1812
Oleo sobre lienzo
1,95 × 1,26 m.
Metropolitan Museum. New York

entre junio y agosto de 1939, ya que los treinta y ocho Goyas incluídos eran de primera categoría, y hay que señalar también los ochenta y cuatro cuadros que se expusieron en la Royal Academy de Londres en el invierno de 1963-64. Huelga decir que la fama de Goya no fue favorecida siempre por tales exposiciones. Los cuadros no eran todos auténticos, y si bien los impresionistas se conmovieron con las Pinturas Negras en 1878, los críticos las encontraban deleznables. Juan F. Riaño, por ejemplo, excelente conocedor por otra parte de la artesanía española, dijo que eran «ingeniosos, pero sin duda de los más desagradables ejemplares» del estilo de Goya [10]. Lo mismo ocurrió, claro está, con los Goyas de la Galería Española de Luis Felipe. Impresionó mucho a Jules Michelet el retrato de la Duquesa de Alba —el que está actualmente en la Hispanic Society de América en Nueva York—. Un crítico anónimo, en cambio, lo despreciaba. Goya era un artista muy mediocre a su ver. No debiera de haberse gastado tanto dinero en la compra de sus obras [11].

La variable fortuna de Goya algo debe, desde luego, a estas perspectivas. Pero sin duda influyeron también las actitudes encontradas frente a su arte que se formaron durante su vida, ya que éstas continuaron después de su muerte. Pasemos ahora a examinarlas.

Lo primero que atrajo admiradores a Goya fue su capacidad para captar la realidad, tanto en sus retratos como en sus cuadros de género o de costumbres. El mismo Goya aseveró que procuraba «observar la naturaleza usando de todas las partes del arte para mejor desempeño» en 1784 [12]. En su «naturalismo» —término que se empleaba por entonces— parecía heredero de Velázquez, y su valor como conocedor de los cuadros del gran maestro fue reconocido por su amigo y protector Jovellanos. El rastro de Velázquez en sus retratos se habrá apreciado en seguida, tanto por razones estéticas como naturalistas. Los fuertes contrastes de luz y sombra en los retratos tempranos (especialmente notable en *El Conde de Floridablanca*) son típicamente velazqueños. Delatan el mismo antecedente por otra parte los elementos que ponen de relieve el sentido del tiempo: el momento vivo captado por el pintor, signo constante de los retratos de Velázquez, y de sus demás cuadros también. El retrato de Floridablanca puede servirnos de modelo a este respecto nuevamente. El reloj que marca la hora; los papeles por el suelo; el ejemplar del *Museo Pictórico* de Palomino a los pies del Conde, con un librito dentro para señalar una referencia importante (verosímilmente la sección que se refiere precisamente a la vida de Velázquez); la postura del mismo Conde y de Goya que parecen a punto de moverse; todo esto es muy de Velázquez. Y los contemporáneos de Goya tenían motivos nacionalistas y no sólo estéticos para admirar y fomentar esta veta en el pintor aragonés. Vuelve Goya a lucir las mismas técnicas en el retrato de la *Familia del Infante Don Luis*. *[Fig. 6]*. Se subrayan los movimientos suspendidos aquí también. El Infante juega a las cartas mientras que un peluquero está peinando a su esposa; Goya, a la izquierda, agachándose ante su lienzo para quitarse importancia social, se vuelve para fijarse mejor en la escena y en lo que pasa. No cabe duda que gustó mucho este cuadro. Al parecer, alguno de los protectores del pintor quiso que repitiese el tema. El Duque de Osuna, precisamente, que también hizo que Goya le retratase con su esposa y sus hijos en un grupo, pidió al artista que sacara retratos de él y de algunos amigos en plena caza, pensando en la *Familia del Infante Don Luis* y su representación de acciones. Con este propósito llevó a Goya consigo en enero de 1792, y Pedro González de

Fig. 6   BOCETO PARA «LA FAMILIA DEL INFANTE D. LUIS», 1783
Oleo sobre lienzo
0,97 × 1,24 m.
Colección Sueca. Madrid

Sepúlveda lo hizo constar en su *Diario:* «Fue en 17 (de enero) Goya con Peñafiel (título que tenía el primogénito de los Duques de Osuna) y otros Señores a una cacería o montería con destino a pintar después las acciones más particulares y poner un cuadro de retratos, pintado a imitación de lo que hizo con el Infante Don Luis» [13].

De los retratos de una sola persona hechos por Goya, sabemos que los de la Reina María Luisa gustaron en palacio, y es evidente que el gran aragonés la supo sacar más guapa que alguno de sus coetáneos, como Carnicero por ejemplo [14]. Fama tuvo su retrato del arquitecto Ventura Rodríguez, en el que parece que el retratado está explicando alguno de sus proyectos. El cuadro se escogió como tema para el premio de grabado en uno de los concursos de la Real Academia de San Fernando [15]. Igual suerte corrió en Zaragoza el retrato de medio cuerpo de Don Ramón Pignatelli, tema para los premios de la Academia de San Luis en 1801. La gente se hacía lenguas de la exactitud con que Goya había hecho este retrato. Agustín Alcayde, en un discurso leído en la Academia zaragozana decía que «El que llega a ver el retrato de nuestro amado bienhechor, prorrumpe sin detenerse: *Ese es Pignatelli*» [16]. También despertó entusiasmo el retrato de Andrés del Peral por Goya, que se expuso en la Academia de San Fernando en 1798, siendo alabado entonces en un artículo anónimo por su «exacto diseño, el gusto del colorido, la franqueza y la inteligencia de claro y oscuro».

Otro aspecto de la obra de Goya que pronto gustó fueron sus grabados. Las copias de Velázquez, ya en 1778, tuvieron muy buena acogida, y los *Caprichos* en 1799 dieron a conocer a un público algo más amplio la capacidad imaginativa de Goya, manifiesta antes en algunos de sus cuadros. Los elementos caricaturescos le permitieron desarrollar su imaginación, y los extranjeros, lo mismo que sus paisanos, admiraron su habilidad en este campo. Goya solía entretenerse haciendo dibujos satíricos de Godoy, al parecer, en la arena que hacía las veces de papel secante entonces en los escritorios. Hacia 1808 un anónimo francés afirmó que «Goya hace caricaturas desde hace más de veinte años, y su índole maliciosa y exuberante junto con su especial talento de artista, le hace idóneo para este tipo de trabajo» [17]. La Condesa de Merlín aseveraba que Goya hacía caricaturas con frecuencia en su casa en Madrid. «Ce peintre spirituel», decía, «joignait à son beau talent l'agrément de faire d'excellentes caricatures, et souvent notre table était le théâtre sur lequel s'exerçait sa malice» [18]. Otro admirador de su destreza en esta línea —uno que supo apreciar también los *Caprichos,* fue el embajador sueco, Conde De la Gardie. El Conde apuntó en su *Diario* el 2 de julio de 1815 que las caricaturas de Goya «son sobresalientes»—. Ni siquiera su mala salud por entonces «le estorba su vena satírica».

Esta capacidad imaginativa y el sentido satírico se le desarrollan a Goya tras la grave enfermedad que padeció en el invierno de 1792-93. Según el mismo Goya dijo en una carta a Bernardo de Iriarte, escrita a principios de enero de 1794, hizo entonces una serie de cuadros «para ocupar la imaginación mortificada en la consideración de mis males». En estos cuadros hizo «observaciones a que regularmente no dan lugar las obras encargadas» [19]. Tales observaciones venían de sus recuerdos y de su fantasía más que de la realidad tal como la veía entonces. Lo que le interesaba era pintar obras en que «el capricho y la imaginación» tenían ensanches [20].

En primer lugar le parecía, sin duda, que sería difícil vender estas obras imaginativas, aunque consta que gustaban a los académicos [21]. La esperanza de que el Marqués de Villaverde y su hija compraran algunas le falló. Pero no tardó demasiado tiempo en gustar este tipo de obra, y pronto los Duques de Osuna adquirieron un grupo de pinturas de brujas y aquelarres, con dos escenas teatrales además. Algunos coleccionistas de la burguesía apreciaban igualmente tales obras. Sabemos, por ejemplo, que Sebastián Martínez tuvo cuadros de este tipo (llamados «caprichos») en su casa de Cádiz, donde acogió a Goya durante su enfermedad para que le cuidaran los famosos médicos de la ciudad, Canibell y Salvareza. Entre tales «caprichos» es posible que se hallara aquel delicioso cuadro de *Una joven dormida* [Fig. 7], joya actualmente de la Galería Nacional de Irlanda en Dublín. Andrés del Peral, dorador del palacio, cuyo retrato pintado por Goya se admiraba mucho como ya hemos visto, le compró cuadros de costumbres, también quizá algunos de los pintados en 1793-94, como el *Ataque a la diligencia*, el *Vendedor de marionetas*, el *Corral de locos* [Fig. 8], o alguna Corrida de la misma época. No cabe duda de que tenía una pintura de un sacerdote celebrando misa, y es probable que tuviese alguna de las Corridas pintadas por Goya en los años noventa [22]. Más adelante, Manuel García de la Prada, rico comerciante de Madrid y Corregidor bajo el régimen francés durante la Guerra de la Independencia, compró el grupo tardío de cuadros que se encuentran ahora en la Real Academia de San Fernando: el *Tribunal de la Inquisición*, la *Procesión de disciplinantes*, la *Casa de locos* y el *Entierro de la sardina*. No sabemos cuándo los adquirió, y es posible que Javier Goya se los haya vendido después de la muerte del artista. Pero, dado el caso de que Goya pintó su retrato entre 1805 y 1810, y el de su pariente Francisco del Mazo un poco más tarde, no sería inverosímil que García de la Prada comprara estos cuadros al mismo Goya.

La imaginación de Goya, junto con su estilo innovador, pronto le valió el título de «pintor original». Pero no gustaron a todos los productos de su fantasía ni sus caricaturas, e incluso sus amigos y allegados opinaban que desbarraba a veces. Pedro González de Sepúlveda, que vio en casa de un amigo «el libro de las brujas y las sátiras de Goya» (o sea, los *Caprichos*) en febrero de 1799, estuvo muy lejos de admirar esta obra. «No me gustó —dijo en su *Diario*—, está muy libertino» [23]. En cuanto a su habilidad como retratista, no todos los que iban a posar para el maestro se fiaban mucho de ella. Vargas Ponce pidió a Ceán Bermúdez que intercediera con Goya cuando se trataba de pintarle su retrato como Director de la Academia de la Historia, para que lo desempeñase bien y no hiciera «una carantoña de munición», como a veces solía. El mismo González de Sepúlveda criticaba asimismo los retratos y otras pinturas. Cuando vio la *Maja desnuda* en la colección de Godoy en 1800, encontró que se había hecho «sin dibujo ni gracia en el colorido». En otra ocasión dijo que los retratos de los Marqueses de Santiago, a pesar de ser «excelentes en todas aquellas partes que congenian con el artista» resultaban «muy malas» en la «corrección del dibujo, en particular de las manos» [24]. Resumió muy bien estas críticas y el mérito de Goya en otros aspectos el editor anónimo de las *Poesías* del padre Boggiero en 1817. Comparando al poeta con Goya, dijo: «Boggiero con la pluma en la mano era lo que el célebre Goya con el pincel. Invención, imaginación, expresión feliz, novedad, singularidad y aquel no sé qué por el cual los talentos originales no se parecen sino a sí mismos: he aquí lo que ofrecen desde luego los escritos del primero, y los lienzos del segundo. Inercia o flojedad, o poca flema para limar sus obras; he aquí en lo que se asemejan también Goya y Boggiero» [25].

Cat. 16

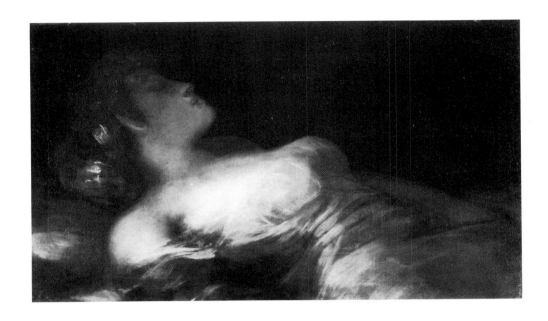

Fig. 7   JOVEN DORMIDA, 1798-1808
Oleo sobre lienzo
0,45 × 0,77 m.
National Gallery of Ireland. Dublín

Fig. 8   CORRAL DE LOCOS, 1794
Oleo sobre hojalata
0,44 × 0,32 m.
Meadows Museum. Dallas

Tales opiniones no le molestarían mucho a Goya en la época en que se sentía suficientemente seguro de sí como para despreciarlas. Pero en algún momento la crítica y la incomprensión de sus coetáneos llegaron a afectarle seriamente. Ejemplo de esto es lo que le pasó en Zaragoza cuando sus frescos *[Fig. 10]* provocaron oposición, y su cuñado Francisco Bayeu se unió con la Junta de la Fábrica de la iglesia metropolitana del Pilar para hacerle corregir la obra. Parece que la rápida técnica impresionista y el colorido empleados por Goya les disgustaron. Los frescos de Goya hacían muy buen efecto vistos desde lejos, pero su cuñado quería que fueran coherentes mirados desde cerca igualmente. Quizás el cielo, tal como lo pintaba Goya, con nubes poco vaporosas, y con una luz que fluía desde varios focos con poca naturalidad, les chocase. Pero lo cierto es que mucha gente encontraba defectos en la obra. Algún amigo zaragozano en Madrid defendió el honor de Goya en un manuscrito difundido en la capital aragonesa. Más otro cuñado de Goya, Fray Manuel Bayeu, pudo decir con sorna de esta defensa lo siguiente:

«Si la obra por la que los zaragozanos han tratado mal a nuestro Goya, estuviera en las Filipinas, pudiera menos mal este ingenioso escritor esmerarse en hacer creer a sus paisanos que son ignorantes e injustos, por no haber dado a Goya el trato que deseaba y tanto solicitó [...] Pero estando en Zaragoza [...] la misma obra es la más certificada prueba de la censura que nuestros patricios han hecho de ella» [26].

Algunos amigos de Goya, como Zapater y Goicoechea, trataron de animarle en este trance. Pero pasaron varios años antes de que Goya pudiera sentirse reivindicado, y se dedicara a trabajar de nuevo con confianza. La discordia entre Goya y sus cuñados duró muchos años más.

Otro conflicto de pareceres surgió más adelante cuando Goya pintó el cuadro de *Santa Justa y Santa Rufina* para la catedral de Sevilla en 1817. Ceán Bermúdez, que elogió este cuadro en un artículo impreso, y se jactó de habérselo hecho preparar con todo cuidado a Goya, inspirándole «el decoro, modestia, devoción, respetable acción, digna y sencilla composición necesarios» [27], se refiere a la oposición que estalló en la ciudad en una carta. Allí explica a un amigo que «los defectos que ahí [en Sevilla] le ponen [al cuadro de Goya] son hijos de la ignorancia, y tal vez de la envidia de los miserables pintorcillos que dicen aspiraron a ejecutarle, no siendo más que unos serviles copistas, sin estilo, sin dibujo ni colorido propio» [28]. Estos argumentos en favor de la originalidad de Goya, sin embargo, no arredraron a los críticos más persistentes y menos ignorantes. En Madrid el Conde Brunetti, el embajador toscano, habló muy despectivamente de Goya por entonces, criticándole precisamente por el estilo abocetado y la falta de dibujo en sus obras. Brunetti no encontró ningún artista de valor en la Academia de San Fernando, pero le parecían peores que nadie Goya y sus partidarios. Así lo afirma en una carta a una amiga: «Hay otra secta de pintores aquí —dice— que estima que todo tiene que sacrificarse al efecto. Así, cayendo en los excesos opuestos a los de Aparicio y Madrazo, se limitan a esbozar un cuadro, sin tomarse el trabajo debido con los miembros y la cabeza, y creen que ya es una obra acabada. Llaman libertad a la temeridad, y consideran que la negligencia es audacia. No puedo describiros ningún ejemplo de la obra que produce esta escuela. La cabeza de la misma es un hombre llamado Goya. Podría ser un gran pintor, porque posee la habilidad innata para ello, sobre todo cuando pinta escenas de la vida ordinaria, si tuviera tanto gusto y juicio como imaginación» [29].

Fig. 9   FRESCOS DE LA CUPULA DE NTRA. SRA. DEL PILAR. ZARAGOZA *(detalle)*. 1780-1781

Fig. 10   CUPULA DE LA BASILICA
DE NTRA. SRA. DEL PILAR.
ZARAGOZA

Fig. 11   FRESCOS DE LA CUPULA *(detalle)*

Fig. 12   DUENDECITOS *(Capricho núm. 49)*
Aguafuerte y aguatinta
0,22 × 0,15 m.

Duendecitos.

En los años siguientes a la muerte de Goya estas reservas se callaban, por lo menos en España, y aumentó el renombre del artista bajo el signo del Romanticismo. Los seguidores de Goya seguían imitándole. En Francia, Delacroix y Musset copiaron algunos de los *Caprichos*, y Víctor Hugo apreciaba la misma obra, sin duda porque era una manifestación del estilo grotesco, tan apreciado por el autor del *Prefacio de Cromwell*. Para los franceses entonces fue Callot sobre todo el máximo exponente de este estilo, y no tardó Gautier en señalar el parecido entre este artista y Goya.

En España, lo mismo que en Francia, el estilo caricaturesco de los *Caprichos* encantó a muchos en los años treinta del siglo pasado. Alenza se dedicó a imitarlo por entonces, y copió también algunos de los cuadros de Goya, como *Las majas al balcón* *[Fig. 5]*, por ejemplo —copia que perteneció más adelante al Marqués de Salamanca— [30], tan gracioso en su claroscuro, tan simétrico en su composición y tan sugestivo en la siniestra presencia de los majos en el fondo. Mesonero Romanos en 1832 y Larra en 1834 recordaban en sus artículos los elementos grotescos de los *Caprichos*. Carderera los elogió asimismo en los dos importantes ensayos que escribió en 1835 y 1838. Carderera hizo constar, además, la influencia de los *Duendecitos* *[Fig. 12]* de Goya y sus alguaciles en Francia, y destacó también otras obras en las que la poderosa imaginación del artista se había explayado: las escenas de brujas y bandidos, por ejemplo. Admiró Carderera igualmente la veta naturalista y velazqueña en Goya, mas siempre ponía de relieve la audacia de sus toques y su manera abocetada de tratar los pasajes subsidiarios: nota antiacadémica de acuerdo con los criterios románticos. Entre los cuadros que se podían llamar de costumbres, Carderera subraya el gusto de Goya por la vida del pueblo y su espíritu democrático —tímido asomo de política al parecer—. En los *Caprichos* observa el mismo temperamento, muy opuesto a las jerarquías y a los de arriba. Sobre todo resalta el importante papel de la imaginación en la obra de Goya, lo mismo en los cuadros que en los grabados. Destaca su capacidad para identificarse con los personajes que pinta y también su visión de la maldad humana. Este último aspecto de su obra influyó, por cierto, en los artistas españoles que seguían sus huellas. Lucas, por ejemplo, imitó sus escenas de la Inquisición, su hombre agarrotado, y aquella pintura negra en la que un desfile sigue a un ciego que canta, al volver a Madrid de la romería de San Isidro [31]. El gusto por este tipo de cuadro goyesco, violento y sombrío, parece consecuencia muy natural del Romanticismo, y sin duda hizo que tales cuadros se compraran. ¿Habrá sido por entonces, o antes, en los años inmediatos a la Guerra de la Independencia, cuando el gran coleccionista mallorquín, Don Juan de Salas, adquirió un grupo muy importante de nueve cuadros en los que el claroscuro acentuaba el ambiente de degradación y brutalidad humanas? [32]. Pasaron luego estos cuadros a los Marqueses de la Romana. Producen un profundo desasosiego, como una serie de pesadillas. Representan por una parte una tendencia a la violencia y la violación (las víctimas son, sobre todo, mujeres jóvenes); por otra, una tranquilidad ambigua.

Otro aspecto de Goya que los románticos admiraron fueron los lances más briosos de su vida. No sabemos hasta qué punto sean aquellos lances invención de los románticos, sin trasfondo histórico. El Goya que por poco llegó a las manos con el Duque de Wellington, ofendido por algún comentario desfavorable de este último; el Goya que trepaba a las torres y a las cúpulas de las iglesias de Roma para allí grabar su nombre y el Goya que asiste a las corridas vestido de torero empiezan con Carderera y Somoza, y se extienden luego en España con Antonio de Trueba (1878) e Ildefonso Antonio Bermejo (1886). La leyenda de la vida de Goya creció aún más en Francia. Se trata de una jaca romántica que Gautier espoleaba, y que corrió desbocada con Mathéron y Charles Yriarte. Pero, antes de condenar a tales escritores, hay que confesar que es posible que el mismo Goya les haya inspirado (o hasta soplado) algunos de los milagros que se cuentan de su vida. ¿No fue él quien dijo a Leandro Fernández de Moratín que «había toreado en su tiempo, y que con la espada en la mano nada teme»? Y ¿sería realidad, en efecto, esto, o se trata de una ficción urdida por Goya o inventada por Moratín? Sea esto lo que fuere, el casamiento de Goya le llevó, desde luego, a una familia de locos aficionados taurinos: los Bayeu. Mucho más fácil es, en realidad, documentar la afición de Francisco Bayeu —que conocía muy bien a los toreros, e incluso anduvo de intermediario en sus contratos— que confirmar la de Goya [33]. He aquí, quizás, el fundamento del mito del Goya torero. Y éste, con los demás mitos, fundados o no, refuerza el renombre del artista en una época en que se quería fundir el arte con la vida. Aun para nosotros los cuadros dan color a los mitos.

Gautier y el Barón Taylor fueron los primeros pregoneros del Goya imaginativo y original en Francia. Hizo este último hincapié en alguno de los episodios más dramáticos de la vida del artista también al referirse a sus amores con la Duquesa de Alba. A Gautier le entusiasmó sobre todo el carácter sombrío de los cuadros y grabados de Goya: una atmósfera que le olía a Rembrandt. Realza los elementos fantásticos y grotescos de los *Caprichos*, las «sombras misteriosas y colores fantásticos» de la *Tauromaquia*, y el tono exagerado de los *Desastres de la guerra*, sin publicar en ediciones venales entonces, y sólo conocidos en parte por Gautier [34]. El poder emotivo y el carácter lúgubre de algunas obras le satisfacen hondamente, y se explaya con deleite sobre la atrevida manera de pintar del artista. Los coetáneos de Goya no habían mirado con buenos ojos la bravura de su técnica, excepción hecha de algún artista joven. Francisco y Fray Manuel Bayeu no lo aprobaban, Vargas Ponce temía sus consecuencias, y hasta Ceán Bermúdez, que le admiraba mucho, lamentaba el verle pintar con los dedos o con la punta del cuchillo. «Mejor hubiese sido que pintase [la obra] con pinceles», dijo [35]. Gautier, en cambio, se deleitaba con las técnicas improvisadas. El método de Goya era, a su ver, «tan excéntrico como su talento». Según Gautier, sacaba Goya los colores de cubos, aplicándolos «con esponjas, cepillos, trapos, o cualquier cosa que le viniera a la mano». Hasta afirmó el antiacadémico poeta del chaleco rojo que Goya pintó *Los fusilamientos del 3 de mayo* con una cuchara.

Los franceses, por lo tanto, lo mismo que los españoles, admiraban el papel de la imaginación en las obras de Goya. De los cuadros goyescos de la Galería Española de Luis Felipe, Michelet anotó no sólo el retrato de la Duquesa de Alba —reina y coqueta a la vez a su parecer— sino también una escena de un monje en una cueva, ahora perdido, que es de suponer tenía el fuerte claroscuro y el aire misterioso que tanto pasmaban a Gautier. Otro motivo de aprecio entre los románticos franceses, que es menos evidente entre los españoles, es la sátira antijerárquica y anticlerical de los *Caprichos*, y cierto escepticismo que se vislumbra en algunos grabados. El número 69 de los Desastres fue sometido más de una vez a este tipo de análisis. Gautier lo encontró horroroso y misterioso a la vez, y no quiso explicar su misterio. Menos prudente anduvo Mathéron más adelante, elaborando una teoría acerca de un Goya descreído o agnóstico, basándose en este grabado, y añadiendo una anécdota inventada para apoyar su interpretación.

Los primeros tres libros sobre Goya, todos ellos escritos por franceses —Laurent Mathéron (1858), Gustave Brunet (1865) y Charles Yriarte (1867)— reafirman las cualidades ya señaladas. Contaban los franceses también con una luminosa explicación del atractivo de los *Caprichos* y su carácter trascendental, debida a la pluma del poeta Baudelaire, que salió primero en octubre de 1857 y se volvió a publicar en 1858 y 1869. A lo ya dicho Yriarte añadió alguna perspectiva nueva. Encontró en Goya un lado filosófico, enraizado en el pensamiento de la Ilustración. Yriarte también subrayó la fineza y el carácter acabado de algunos cuadros de Goya, una capacidad de delinear bien, que otros críticos pasaban por alto o echaban de menos.

Estas últimas obse[...]te preparaban al aficionado para un nuevo Goya: más consciente de lo que [...] No extraña el que este Goya surgiese precisamente en el momento [...] a imperar con las obras de Emile Zola. Los retratos, por [...]ás, y el precio de los cuadros de Goya (o atribuídos [...]ses [36]. El precio promedio para los retratos de G[...]cos; mas entre 1864 y 1873 asciende el promedi[...], y sigue más o menos lo mismo en el deceni[...]s para otros temas de Goya en la misma época, [...] francos; 1874-83, 1.170 francos; y 1884-93, 946 fra[...]ancos entre 1853 y 1863, pero suben hasta once m[...] nuevo después a dos o tres mil, pero esta cifra no [...] el promedio de los años cincuenta.

En [...] sus libros, el influjo de Goya (y de Velázquez también) [...]ranceses. Se trata de la primera ola de los impresionistas con [...]n Baudelaire, pocos franceses apreciaban la belleza de Goya. Mas pr[...] de los pintores, respaldados por la crítica en pro de los impresionistas y en favor de Goya publicada por Zola y otros, el público se iría acostumbrando a una nueva estética que le estimulaba a revalorizar al pintor español. Los cuadros de Manet, en los años sesenta, recogen ideas y técnicas de Goya de una manera muy evidente. Su retrato de *Mademoiselle Victorine vestida de espada* (1862) trae recuerdos de la *Tauromaquia* de Goya, y, en especial, del número 5 de la serie, en el fondo; su cuadro del *Fusilamiento del emperador Maximiliano* (1867) se hace eco del *3 de mayo de 1808;* y su *Balcón* (1868) [Fig. 13] se inspira directamente en las *Majas al balcón* [Fig. 5] de Goya, tanto en el contraste entre las mujeres y los hombres del fondo, como también en la simetría impuesta por la reja del balcón [37]. Ya que el cuadro de Goya, en la versión puesta a la venta en París en 1867 con la Galería del Marqués de Salamanca, se titulaba *Retratos de mujeres,* no sorprende que Manet haya basado su variante sobre el mismo tema seductor del *Balcón* en un grupo de retratos de amigos y amigas [38].

Lo que a los impresionistas les entusiasmó en Goya fueron los colores brillantes, los toques sepa-

Fig. 13
BALCON. *Eduard Manet,* 1868
Oleo sobre lienzo
1,70 × 1,25 m.
Museo del Louvre (Jeu de Paume). París

Fig. 14
LA AZOTAINA. *Alenza.*
Oleo
0,33 × 0,25 m.
Casón del Buen Retiro. Madrid

Fig. 15
CORRIDA. *Lucas,* c. 1861
Oleo sobre lienzo
0,74 × 1,10 m.
Colección Oskar Reinhart

rados y rápidos del pincel, y el trabajo de cuchillo. Pasando de la técnica a los temas, les gustaban sobremanera la acción, el movimiento y la sensación de vida que hay en sus cuadros, y las escenas al aire libre. Los toros de Goya —las litografías hechas en Burdeos, y varias Corridas como, por ejemplo, la de la *Plaza partida* que se encuentra actualmente en el Metropolitan Museum of Art de Nueva York— les fascinaron. Esta última obra se vendió en una almoneda en 1867 por 3.600 francos, y ocho años más tarde alcanzó el doble (7.500 francos) al volverse a subastar [39]. Bajó un poco su valor en los años ochenta, pero a pesar de ello vendióse ventajosamente en 1889, a 6.100 francos. Todos estos precios resultan muy altos en comparación con los promedios de cuadros de Goya vendidos en aquel período.

Ya por entonces la demanda de obras de Goya excedió a la oferta, y algunos imitadores se aprovecharon del mercado. En España las copias de obras de Goya por Eugenio Lucas y Alenza *[Fig. 14]* no siempre se distinguían de los originales y se cotizaban. Entre 1867 y 1870 la familia Marcial Torres Adalid invitó a Lucas a Orense a pintar cuadros a la manera de Goya y Teniers. En Murcia, en aquella época, Don José María D'Estoup poseía muchos cuadros atribuídos a Goya, ninguno de los cuales parece haberse tenido por auténtico más adelante. En algún caso pinturas que no tuvieron pretensiones entonces las han adquirido después. Es probable, por ejemplo, que las copias de las Pinturas Negras que pertenecieron a Charles Yriarte y que se vendieron como tales en 1898, son las que actualmente se toman por bocetos preliminares originales [40].

Lo cierto es que la obra goyesca que suscitó el más cumplido elogio impresionista ya no se considera auténtica. Se trata de una *Corrida [Fig. 15]* que se incluyó en la Exposición en favor de las víctimas de las inundaciones del sur de Francia en 1887. Pertenecía entonces a Henri Rochefort y se encuentra ahora en la colección de Oskar Reinhart en Winterthur, Suiza [41]. Actualmente se atribuye con bastante fundamento a Eugenio Lucas, y es un cuadro pintado sobre todo con la punta del cuchillo, y con tonos rojos, beige y negros y algunos toques de azul, que no son típicos de Goya. A juzgar por las fotografías, sin embargo, tenía en su tiempo una firma, lo cual explica la confianza con que el cuadro se atribuía a Goya en el siglo pasado.

Hay más de una mención elogiosa de este cuadro en las reseñas de la exposición de 1887. Y las que conocemos coinciden en hallar características del impresionismo en esta *Corrida*. La crítica de Maurice Hamel que salió en la *Gazette des Beaux-Arts* afirmaba que el pintor «se atreve a yuxtaponer los tonos vivos de una manera sorprendente». Según este autor, el cuadro está hecho a base de «indicaciones someras». Resumiendo sus ideas afirma que «la impresión es rápida y exactísima» [42].

Más conocido es el comentario sobre este cuadro del novelista belga Joris-Karl Huysmans, que se recogió con otros ensayos suyos sobre las primeras campañas del impresionismo en un libro titulado *Certains* en 1889. Notó Huysmans que hay que alejarse del cuadro para comprender los toques. Desde cerca las enérgicas pinceladas no tenían sentido. En una serie de metáforas describía los toques del artista como si fueran puntos y comas y otras señales de puntuación imposibles de interpretar cuando el cuadro se miraba desde cerca. Desde lejos, en cambio, se entendía perfectamente lo que representaba: la animación del público en el ruedo y la violencia de la lucha en primer término entre el toro

Fig. 16
EL CABALLO RAPTOR *(Disparate núm. 10)*
Aguafuerte y aguatinta
0,25 × 0,35 m.

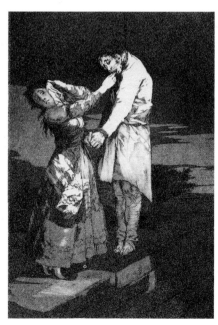

Fig. 17
EL SUEÑO DE LA RAZON
PRODUCE MONSTRUOS *(Capricho núm. 43)*
Aguafuerte y aguatinta
0,22 × 0,15 m.

Fig. 18
A CAZA DE DIENTES *(Capricho núm. 12)*
Aguafuerte y aguatinta
0,22 × 0,15 m.

y los toreros que le acosaban. Huysmans admiró el brillante colorido, las pinceladas, y sobre todo, el movimiento y la agitación de esta *Corrida*. No dudaba ante tales características que se trataba de una obra auténtica de Goya. Pero le interesaban también otras obras de Goya y otras cualidades. Y sus escritos sobre Goya no sólo nos proporcionan un prototipo de la admiración impresionista, sino también manifiestan un nuevo aprecio del sombrío misterio de algunos grabados.

Huysmans, en realidad, desbroza el camino hacia un Goya más moderno que el Goya impresionista, dando un nuevo valor a las obras más enigmáticas. Para Gautier el misterio de Goya estaba sobre todo en el fondo de los grabados. Baudelaire lo trajo al primer término, pero apreciaba los monstruos del artista, porque resultaban verosímiles y «profundamente humanos». Huysmans, en cambio, desdeñaba las imágenes concretas, y sólo valoraba las formas indeterminadas y los perfiles que el espectador tenía que desarrollar por sí mismo, enriqueciéndolos con sus propios detalles imaginativos. La señorita que arrancaba dientes a un ahorcado en el Capricho número 12 *[Fig. 18]*, por ejemplo, le pareció una visión macabra, sin más valor. Tampoco le gustaban las brujas y los demonios de los *Proverbios* o *Disparates,* publicados unos veinte años antes. Lo que realmente le impresionó fue un detalle de uno de los grabados: «un ser con la quijada hendida, y un ojo enorme en la frente, capaz de hacernos soñar».

Sin duda pensaba Huysmans en las formas perrunas al fondo del *Caballo raptor* (Disparate número 10) *[Fig. 16]*. A no ser así, se refería al hombre con la vara, o especie de picador, en el *Disparate cruel* (número 6), o en alguna de las figuras al fondo del *Disparate ridículo* (número 4). Más que nada, es evidente que buscaba en Goya algo que pudiese compararse con las litografías de su coetáneo Odilon Redon (1840-1916). Su interés por la imagen de un solo ojo en Goya se deriva precisamente de Redon, en cuyas litografías aparece obsesivamente este ojo en las primeras tres series: *Dans le Rêve* (1879); *A Edgar Poe* (1882); y *Les Origines* (1883) [43].

En Huysmans y en Odilon Redon, cuyo *Homenaje a Goya* se publicó en 1885, se da paso a una nueva fase de la fortuna de Goya en la que imperaría el mundo misterioso de los *Disparates*. La serie de litografías que Redon dedicó a Goya nos esclarece este nuevo concepto de su arte. Redon nos lleva al mundo de la pesadilla, y a visiones aún más extrañas que las de Goya, con sus embriones, su flor con la forma de una cara humana, y su loco solitario. Es posible que su primera imagen —la de una cara que mira hacia arriba pensativamente— haya sido inspirada precisamente por el número 43 de los Caprichos *(El sueño de la razón produce monstruos) [Fig. 17]*. Redon la da el epígrafe siguiente: «En mis sueños vi una cara de misterio en el cielo». Pero los sueños de Redon son muy distintos a los de los *Caprichos*. No son sueños morales, como los de Quevedo, Torres Villarroel y Goya, sino más bien sueños personales, imágenes obsesivas que expresan una angustia personal. Por esto, quizás, se pueden comparar con los *Disparates* de Goya, para los que no se ha podido encontrar ninguna clave política ni explicación moralizante. Con Redon y Huysmans, Goya viene a ser para los franceses primero, y para los alemanes después, un artista expresionista.

Fuera de España y Francia la fortuna de Goya no hacía tantos progresos. En Alemania se tenían algunas nociones de su obra ya desde 1806 por una publicación compendiosa sobre el arte del siglo XVIII. Lo escribió J. D. Fiorillo, basándose para lo que concernía a España sobre el *Diccionario histórico de los más ilustres profesores de Bellas Artes en España* de Ceán Bermúdez (1800). Lo que dijo Ceán de Goya en aquella obra lo repitió Fiorillo en la suya. Más adelante penetra la estampa romántica de Goya en Alemania, y la visión francesa de su arte se recoge en el ensayo sobre Velázquez y Goya de Hermann Lücke en 1880. En esta misma década de los ochenta el aprecio del realismo de Goya, su facultad emotiva y su espíritu nacional llega a Rusia. Redacta un ensayo sobre él V. V. Stasov (1884). Por la misma época una artista rusa —Marie Bashkirtsev— que estuvo en Madrid en 1881 y que vivió sobre todo en París, siente por Goya algo del entusiasmo que le despertaba también Velázquez. Más adelante el Goya impresionista tendría admiradores rusos. Gran coleccionista de los cuadros de este tipo en Goya fue Ivan Stchoukine amigo de Zuloaga y hermano del famoso Serge que coleccionó cuadros impresionistas franceses y fundó el Museo Pushkin.

En Inglaterra se sabía algo de la habilidad de Goya como naturalista gracias a Sir Edmund Head y Sir William Stirling-Maxwell. Sus respectivas publicaciones sobre el arte en España, que salieron en 1848, reflejaban el mismo interés por la originalidad y la imaginación de Goya que encontramos en autores españoles y franceses. Stirling-Maxwell fue coleccionista además de historiador de arte. Tenía muchos grabados de Goya, entre ellos un ejemplar de los *Desastres de la guerra* de excepcional interés que se encuentra en la actualidad en el Museo de Bellas Artes de Boston [44]. Tenía también cuatro cuadros de *Niños jugando* y miniaturas sobre marfil obra de Goya; tenía menos cuadros en realidad que otros ingleses. Por la misma época algún pintor británico, como Hércules Brabazon Brabazon, admiraba la obra de Goya y la copiaba. Pero la gran ola de interés en Inglaterra vino después. J. S. Sargent fue, más adelante, entusiasta de los frescos de San Antonio de la Florida, y compartía su entusiasmo Sir William Rothenstein. Este último difundió la imagen de un Goya impresionista (y también decadente) en el primer libro en inglés dedicado completamente a nuestro artista, que se publicó en 1900.

Todos estos indicios de un creciente interés por Goya necesitan ponerse en perspectiva. ¿Aún se trata de una afición minoritaria? O ¿se puede hablar ya de un artista realmente popular, en todo el sentido de la palabra?

Lo más probable es que siguiera siendo Goya, durante la mayor parte del siglo pasado, un gusto exclusivo, un genio apreciado por un número bastante reducido de aficionados. En la época romántica en España, por ejemplo, sería del gusto de los lectores más o menos avanzados de *El artista* y del *Semanario pintoresco español,* para los que publicaron sus artículos Somoza y Carderera. Gil y Carrasco celebró para los lectores conservadores [45] la inspiración religiosa de Goya en los frescos de San Antonio de la Florida en el *Correo Nacional.* Un público aún más reducido apreciaría los *Caprichos* entonces. Ya hemos mencionado el dictamen de González de Sepúlveda, durante la vida del autor, que los encontró demasiado libertinos. Y la obra contaba con oposición asimismo por razones políticas y no sólo religiosas. En Rusia, en 1808, Joseph de Maistre se escandalizó de que se pudiera criticar tan abiertamente en España a los monarcas y al clero. No sorprende, por lo tanto, que la admiración de los *Caprichos* sea en España sobre todo un fenómeno liberal. Se vendieron ejemplares de la obra en Cádiz, durante la Guerra de la Independencia, y por entonces lo elogiaba en el *Semanario patriótico* Gregorio González Azaola, erudito ilustrado de ideas avanzadas. También por entonces se apreciaba la crítica encubierta de la Inquisición en los Caprichos números 23 y 24, crítica con la que los liberales de las Cortes de Cádiz podían declararse solidarios. Más adelante los comentarios contemporáneos sobre los Caprichos anticlericales y antijerárquicos llegarían a los lectores liberales del extraño libro de «J. J. Zeper Demicasa» titulado *El asno ilustrado* (1837 y 1868) [46]; y políticos liberales, como Emilio Castelar y Adelardo López de Ayala, tenían evidente interés en Goya [47].

En contraste con los liberales, dispuestos ideológicamente a emitir juicios favorables sobre Goya, los de derechas tendían o a rechazarle o a defenderle. Rechazaban a veces sus obras por razones morales. *La maja desnuda,* por ejemplo, se guardaba en una sala oscura y cerrada en la Real Academia de San Fernando, y sólo se exclaustró después de la revolución de 1868. En cuanto a sus defensas, ilustra muy bien su postura el caso de Francisco Zapater y Gómez, sobrino de uno de los amigos zaragozanos del pintor y autor de un librito titulado *Goya. Noticias biográficas* (1868). Zapater y Gómez quiso refutar las afirmaciones de Gautier, Mathéron e Yriarte sobre las actitudes religiosas (o más bien anti-religiosas) y morales de Goya. Trató de hacer de Goya un buen burgués, marido ejemplar, respetuoso ante los reyes y católico ortodoxo. Apoyó su tesis en extractos de cartas sacadas de la nutrida correspondencia entre el artista y su amigo Manuel Zapater. Pero cita con frecuencia extractos sin explicar el contexto en que se encontraban. La técnica da lugar, inevitablemente, a la tergiversación.

En Francia, muchos críticos lamentaban la posición estética de Goya. Próspero Mérimée en 1869 se quejó de la falta de corrección de Goya con respecto al dibujo, y fustigaba sus desatinados colores. En Inglaterra, el esteta por antonomasia, John Ruskin, aconsejó a su amigo F. S. Ellis (editor de los aguafuertes de Whistler) [48] que quemara un ejemplar de los *Caprichos* para así eliminar una obra estéticamente repugnante; y P. G. Hamerton consideraba los aguafuertes de Goya como el producto de un desconsiderado y audaz diletantismo. En cuanto al colorido de los cuadros de Goya, le parecía a Hamerton «asqueroso y sucio en alto grado» [49]. Para este último la fama de Goya era consecuencia de sus ideas políticas más bien que de su genio artístico, y le disgustaba la supuesta inmoralidad de la vida de Goya, que le quitaba el derecho de criticar a los demás. Antes de esto, un francés, Gustave Deville, había encontrado el arte de Goya «moralmente degradante» (1849). Y en Alemania, J. D. Passavant había expresado su repugnancia ante la mezcla de sensualismo y religiosidad de las pinturas sobre temas sagrados de Goya.

Este último punto de vista, motivo de crítica para algunos, llegó a ser móvil de entusiasmo para otros. Con el auge de los decadentes, al final del siglo, algunos europeos quedaban encantados con las líneas sinuosas y las abundantes carnes de los ángeles de San Antonio de la Florida. Los luminares de esta nueva secta del culto a Goya eran Lucien Solvay, crítico belga, Sir William Rothenstein, pintor y crítico inglés, y Richard Muther, historiador de arte alemán.

Datan de la misma época varios «pot-pourris» de temas de Goya, preparados por otros artistas. Goya y lo popular es el signo dominante de todos ellos. Dos del mismo artista, José Llovera (o Llobera), salieron el mismo año, en 1885. Para las ilustraciones de la edición de *Sainetes de D. Ramón de la Cruz* hecha en Barcelona por Daniel Cortezo, con prólogo de José Feliú, es evidente que Llovera se inspiró en Goya abundantemente. Pero la primera página de *La duda satisfecha* lleva un grabado que entreteje varias obras del mismo Goya. En el centro de la composición está la *Maja vestida;* encima de ella contra un fondo negro vuelan hombres-pájaros sacados del Capricho número 19 *(Todos caerán);* y en la parte de abajo Llovera pone un grupo de cabezas de hombres del pueblo de un cuadro que se atribuía por entonces a Goya, y que estuvo en la colección de los Duques de Montpensier en el palacio de San Telmo en Sevilla. Más rico en referencias es un dibujo de Llovera, titulado *Goya y su tiempo* que se reprodujo en *La Ilustración Española y Americana,* también en 1885. El diseño se desarrolla en torno a un retrato de Goya, inspirado sin duda en el de Vicente López. Llovera parece haber querido dar un doble enfoque al arte de Goya en esta obra: por una parte la gente del pueblo, con sus gozos y sus tormentos, su orgullo y sus supersticiones; y por otra, los personajes de la corte retratados por Goya, con los mismo reyes en primer término según parece, presenciando el espectáculo. Dominan el dibujo las imágenes de los Caprichos, y se incluyen caras o figuras de los números 22, 50, 67 y 68. Del Capricho número 43 —*El sueño de la razón*— se derivan más detalles. Aparte de éstos, los ángeles (más bien femeninos) de San Antonio de la Florida aparecen en grupos, y «alguna» toca el pandero. La iglesia de San Antonio se destaca en el fondo, y la silueta de un hombre agarrotado también se recorta contra el cielo. A la izquierda están *Los fusilamientos del 3 de mayo* y, de nuevo, la *Maja vestida;* a la derecha, las *Majas al balcón [Fig. 5]* y *El entierro de la sardina.* Posterior a estos dibujos será un techo goyesco pintado por Eugenio Lucas Villamil (hijo de Eugenio Lucas y Padilla) para el palacio Parque-Florido de Don José Lázaro Galdiano, ahora su Museo, en la calle Serrano. Se trata del techo de la Sala XIV, que es verosímil haya sido dedicada en un principio a los cuadros de Goya que el gran coleccionista tenía. En el diseño de Villamil se incluyen a Carlos IV y María Luisa, con su hijo más pequeño a horcajadas sobre una balaustrada de piedra, a imitación del niño en el antepecho del balcón en el fresco de la Cúpula de San Antonio. Varias imágenes de estos frescos son copiadas por Villamil; la *Maja vestida* se reclina entre las nubes; las *Majas al balcón* están a la mira, en el centro; y el mismo Goya (copiado de Vicente López aun más claramente que en el caso de Llovera) se adelanta a la derecha, con La Tirana detrás de él. La idea del artista como pintor sobre todo de la vida popular vuelve a destacarse aquí.

En los últimos decenios del siglo XIX, Goya empezó decididamente a captar un público más amplio. En España un Goya solidario con el pueblo se imponía cada vez más en la época de la revolución de 1868. En 1869 aparece Goya en el *Calendario civil... formado con los santos mártires defensores de la independencia y libertad de España,* y en los años setenta Antonio Pérez Rubio le pinta entre majos y majas y toreros (1871 y 1878) [50]. Se empieza a difundir el nombre de Goya en novelas que gustaban a las clases más modestas. Castelar le había mencionado ya en su *Ernesto* (1855), y su entusiasmo por los toros se recoge en el *Ricardo* del mismo autor (1874) y en *Las glorias del toreo* de Manuel Fernández y González (1879). Goya aparece pintando *La maja desnuda* (que había salido ya de su sala reservada) en *La corte de Carlos IV* de Galdós (1873), y en las «novelas contemporáneas» del mismo hay una referencia a la admirable calidad de un cuadro en que Goya representa los progresos de un desfile bajo la lluvia *(¿El huracán?)* en la segunda parte de *Gloria* (1877). Es evidente que se ensancha nuevamente el interés por Goya de esta manera. Alcanza ya a un público menos especialista. Por la misma época se hacen nuevas ediciones de sus grabados, para corresponder a la nueva demanda: tres ediciones de los *Caprichos* salieron en 1868, 1878 y 1881-1886; hubo dos ediciones de los *Disparates* y una de la *Tauromaquia* y *Los desastres de la guerra* en el último cuarto del siglo.

En este período más gente pudo conocer las obras de Goya mejor (aunque indirectamente) gracias a las reproducciones fotográficas. El libro de Brunet (1865) fue el primero en explotar las nuevas técnicas, aunque William Stirling incluyó unos talbotipos de grabados de Goya («copiados por el sol») con veinticinco ejemplares de sus *Annals of the Artists of Spain* en 1848. Se seguían haciendo muchas reproducciones con el sistema de grabados de madera para libros y revistas, y las copias de cuadros hechas así o por otros métodos litográficos se vendían bastante. Uno de los primeros fotógrafos en hacer fotografías de obras de Goya en España fue J. Laurent. Hizo una importante serie de las Pinturas Negras, antes de que se quitaran de las paredes de la Quinta del Sordo[51], y sacó fotografías en algunas colecciones particulares y también, claro está, en los principales museos. Residía Laurent en Madrid a partir de los años sesenta, pero tenía agentes en otras ciudades europeas. Anunciaba bastantes fotografías de cuadros de Goya en sus catálogos, y tenía negativos de muchas más.

En el siglo XX nuevos tipos de reproducción, no sólo en blanco y negro sino a todo color, han asegurado a las obras de Goya una circulación cada vez más grande. Existen formas de reproducción que alcanzan al público quiera o no. Hacia 1916 aparecían reproducciones de los grabados de Goya en las tarjetas que se incluían en los paquetes de cigarrillos en España. Y tanto en España como en otros países Goya llega frecuentemente a las casas por correo, en los sellos, o aún más disfrazado, en la propaganda publicitaria. Más gente, en nuestro siglo ha tragado a Goya, y sobre todo su vida, en películas, novelas y obras de teatro: modo de difusión más democrático, por cierto, que el de los poemas sobre Goya que se escribieron y se publicaron durante la vida del artista y en el siglo XIX. Nada de esto garantiza por sí mismo una reacción seria por parte del público. Pero algunas novelas han querido profundizar en la interpretación de la vida del artista, su obra, y la sociedad de su tiempo, y no sólo divertir o excitar[52]. En España Goya pudo contar alguna vez con los buenos efectos de una campaña educativa. Esta hizo que las gentes del pueblo le conociesen y apreciasen a través de las misiones pedagógicas de los años treinta bajo la Segunda República[53]. Fueron precisamente los cuadros de Goya en el Museo Circulante de Arte los que despertaban más interés en las poblaciones aisladas de las provincias españolas. Así, gente que no leía muchos libros ni podía visitar museos en las grandes capitales llegaba a conocer las obras de Goya. En forma de reproducciones vieron sus *Fusilamientos, El pelele* [Fig. 19] y algunos grabados de los Caprichos, Desastres de la guerra y Disparates.

¿Qué nuevas direcciones hay que señalar en nuestras ideas sobre Goya en el siglo XX? La dirección dominante ha sido, desde luego, la de la interpretación expresionista de su obra. La importancia de este enfoque se debe, en parte, al entusiasmo de pintores por esta visión de Goya. Pensamos en la línea que va desde Edvard Munch, que estudiaba la obra de Goya en París en 1889, pasando por Paul Klee, que profundizó sus conocimientos de los grabados de Goya en Munich en 1904, y de los cuadros en París en 1912, hasta llegar a Antonio Saura, cuyos retratos imaginarios de Goya, basados en obras

Fig. 19   EL PELELE, 1792
Oleo sobre lienzo
2,67 × 1,60 m.
Museo del Prado. Madrid

Fig. 20   LA LECHERA DE BURDEOS, 1827
Oleo sobre lienzo
0,74 × 0,68 m.
Museo del Prado. Madrid

suyas, datan de hacia 1969. Ya había señalado esta dirección antes Odilon Redon, como hemos visto, pero se intensificó la tendencia sobre todo en Alemania, como el gusto por El Greco. Los críticos que aprendieron la interpretación expresionista de los pintores empezaron con A. L. Mayer, en un artículo de 1919 y de nuevo en su libro sobre Goya en 1921, y llegaron a su apogeo con el libro *Saturne. Essai sur Goya*, de André Malraux (1950). Malraux vio en el arte de Goya un reflejo de las hondas inquietudes personales del artista que eran a su vez inquietudes que todos los humanos compartíamos, más que un espejo de superficial realidad externa. Recientemente, el libro de Fred Licht, *Goya. The origins of the Modern Temper in Art* (1981), ha continuado la misma línea, subrayando las diferencias entre el arte de Goya y el de otros pintores, estableciendo relaciones entre su arte y el de nuestros días, y examinando con todo detalle las técnicas que le permiten expresar sus emociones y sus ansias.

A esta perspectiva expresionista se unió la surrealista. Los artistas en torno a André Breton en los años veinte creían que el surrealismo había existido siempre, y en todos los países. Se encontraba la veta en Uccello, el Bosco, Blake, Breughel y El Greco lo mismo que en Goya. Una selección de los Caprichos se incluyó en la Exposición Internacional Surrealista en Nueva York en 1936, para probar la vigencia de Goya bajo este nuevo signo. Varios españoles relacionados con el movimiento —Alberti, Lorca y Buñuel, desde luego, aunque no Salvador Dalí hasta mucho después— se inspiraban en sus obras. Fuera de España se puede encontrar el rastro de Goya en Max Ernst, pero el único cuadro hondamente influído por Goya en su surrealismo es el *Hommage à Goya* de Pierre Roy en el Museo Goya de Castres (1948). En cuanto a la crítica de Goya hecha con plena conciencia de estas posibilidades, hay que destacar la importancia del libro de Ramón Gómez de la Serna sobre Goya (1928, con nuevas ediciones y aumentos en 1930, 1937 y 1943). Es interesante, sobre todo, lo que Gómez de la Serna ve en los *Disparates*. Algunas precisiones más sobre imágenes de tipo surrealista, y susceptibles de interpretación como tal, salieron en 1946 de la sabia y sensible pluma de Juan Antonio Gaya Nuño.

Dado el interés que hubo por el expresionismo y el surrealismo en Goya, era natural que se explorara la psique del artista, aplicándole las teorías al uso, ya de Freud, ya de Jung o Adler. Goya y su obra han sido en más de una ocasión objeto de investigaciones psicoanalíticas y patológicas. A decir verdad, las conclusiones de este tipo de estudio esclarecen más bien el temperamento y la historia médica del artista que su obra. Con los médicos —españoles, franceses, ingleses y norteamericanos— hemos progresado del Goya sordo al Goya sifilítico, y después al Goya del síndrome Vogt-Koyangi, relacionado con la enfermedad de Menière. El diagnóstico más reciente es que fue víctima de una intoxicación de plomo, consecuencia de los pigmentos que empleaba, y de su manera violenta de llevarlos al lienzo. En cuanto a las hipótesis de tipo psíquico, predomina el diagnóstico maniático-depresivo.

No por todo esto se han dejado de seguir las pistas ya establecidas en el siglo pasado con respecto a Goya. Algunos de sus admiradores han encontrado nuevos elementos impresionistas en su obra, justificando un creciente interés por la modernidad de Goya, ya que el Impresionismo sólo ha llegado a ser un estilo universalmente apreciado en los últimos cuarenta años. Aureliano de Beruete (1876-1922), crítico que fue hijo del pintor Beruete —impresionista español si los había, y uno de los mejores— contribuyó más que nadie a la definición de las características impresionistas de la pintura de Goya.

Encontró, sobre todo en los retratos de la última época, como María Martínez de Puga o Juan de Muguiro *[Fig. 26]* una especie de técnica puntillista. Juan de la Encina hallaría luego recursos que se podían comparar con el estilo de Renoir en la *Lechera de Burdeos [Fig. 20].*

Otro signo decimonónico, bajo el cual se ha explorado a Goya bastante recientemente, es el de la política. Tanto en nuestro siglo como en el pasado han predominado en Goya las perspectivas de izquierdas, continuación lógica de las antiguas posturas liberales. Datan de los años treinta las interpretaciones más convincentes e interesantes, que son las de Francis Klingender, empezando con su artículo sobre realismo y fantasía en los *Caprichos* de Goya (1938), y culminando, después de la Segunda Guerra Mundial, en su excelente libro *Goya y la tradición democrática* (1948). Pocos marxistas posteriores han tenido la fina sensibilidad artística y el rigor histórico de Klingender, al establecer una relación entre la circunstancia de Goya y la dirección de su arte, hacia el pueblo y hacia el realismo. Y, sin embargo, dado lo proteico que es el arte de Goya, ha sufrido interpretaciones de derechas también. Tanto estos enfoques como aquéllos tienden a concentrarse en determinadas obras. Y si los marxistas prefieren los cuadros de trabajadores y de fiestas populares, los conservadores se extasían ante las obras que, a su parecer, confirman una línea nacionalista y tradicional, como, por ejemplo, los cartones para tapices y las pinturas y grabados de la Guerra de la Independencia.

Esta faceta política del arte de Goya —y es evidente que hay política realmente en el arte de Goya y no sólo en sus interpretaciones [54]—, ha tenido su propia influencia. Los vigorosos diseños de Goya se prestan naturalmente a la imitación en pinturas y propaganda políticas.

En España, durante la Guerra de la Independencia, se imprimió una caricatura anónima titulada *Napoleón y Godoy,* cuyas figuras se basaban en los Caprichos números 9 y 43. Luego, en Francia, se calcó un grabado político titulado *El sueño de Luis Felipe,* en el fondo del cual surgen imágenes de revolución, sobre el Capricho número 43. Una caricatura del periódico *Gedeón,* publicado en Madrid el 3 de mayo de 1908, recordó el famoso cuadro de los *Fusilamientos,* colocando a Don Antonio Maura y La Cierva en el pelotón de ejecución, listos a fusilar el pueblo español. En la pintura de Picasso, *Masacre en Corea* (1951), se hace eco del mismo cuadro de Goya. Picasso emplea la misma técnica que Goya para contrastar los militares insensibles con la gente del pueblo que sufre, y subraya el contraste usando mujeres con sus críos como víctimas. Por fin en Irlanda, hace pocos años, Robert Ballagh hizo una versión «hard-edge» del *3 de mayo de 1808* para poner de relieve la inhumanidad del conflicto entre militares ingleses y el pueblo de Irlanda del Norte, bajo un enfoque republicano.

Si tantos motivos se dan para asegurar la vigencia de Goya, ¿qué diremos de la oposición, y de los que se niegan a entregarse ante sus obras? Tampoco ha desaparecido esta resistencia. A principios del siglo, Julius Meier-Graefe se apartó cada vez más de Goya para acercarse a El Greco. Y sus acerbos comentarios sobre obras de Goya reiteran los puntos de vista de los críticos decimonónicos, en cuanto al supuestamente flojo dibujo del artista español y su supuesta falta de conciencia de lo que hacía. No muy lejos de la posición de Meier-Graefe se encuentra la de Jean-Paul Sartre con respecto a los *Desastres de la guerra.* El filósofo francés creía que la obra de Goya carecía de distancia estética en comparación con el *Guernica* de Picasso. Pensaba que la potencialidad emotiva del arte dependía de esta distancia. No la hallaba en Goya y creía que los *Desastres* conmueven menos que la obra de Picasso a consecuencia de ello. Tampoco encontraba el compromiso filosófico o político en Goya: compromiso que es fundamental en la obra del propio Sartre.

A veces el indicio de la resistencia a Goya en nuestro siglo, se halla más bien en la táctica de no mencionarle que en la de criticarle, manifestando una oposición abierta. Hay movimientos artísticos, por ejemplo, que se callan frente a la obra de Goya, en vez de tomarle como ilustre antecedente suyo, o espíritu acorde. Es cierto que los realistas e impresionistas de un lado, y los expresionistas y surrealistas por otro, han proclamado su nombre. Lo aclaman momentáneamente, los futuristas también[55], seducidos sin duda por el sentido de movimiento en Goya, ya valorado por los impresionistas. Era natural para estos grupos pensar que el arte moderno (o sea «su» arte) empezaba con Goya, como lo venían afirmando también los críticos, desde fines del siglo pasado por lo menos. Los propugnadores del arte abstracto, en cambio, no le mencionan. Siendo su preocupación la trascendencia de la forma, y no la emoción de la realidad circundante, ni las inquietudes interiores, no suelen poner a Goya en sus altares. O le aprecian poco o no le han valorado en absoluto. Para estos pintores —y para el arte abstracto en general— el gran maestro es Cézanne, y el arte moderno comienza con el *Mont Saint-Victoire*. El hecho de que el mismo Cézanne admirara a Goya y le imitara más de una vez ha pasado desapercibido para estos artistas. La biblia de su movimiento sería, sin duda, *Los cimientos del arte moderno* del pintor Ozenfant (primera edición, 1928, con ediciones inglesas en 1931 y 1952). En este libro Goya no sirve como piedra angular, y no se construye el arte moderno sobre él. La única vez que se le menciona se encuentra en una cita del crítico francés Elie Faure[56].

Esto no quiere decir, sin embargo, que no se puedan sacar lecciones formales de Goya. Lo demostró Manet ya en el siglo pasado y Emil Nolde en el nuestro[57], para no citar sino a artistas de primera categoría. Se seguirá aprendiendo de él. «Aún aprendemos» lo que es Goya, como podríamos decir con él. Las generaciones venideras le mirarán bajo un nuevo signo sin duda. Sus propias preocupaciones encontrarán su eco en Goya, y llegarán a comprenderle más (aunque no necesariamente mejor) gracias a sus perspectivas personales. Porque Goya es un artista que nos convoca y nos provoca. Y así son los realmente grandes en todas las artes.

Fig. 21   MANOLITO OSORIO, 1788
Oleo sobre lienzo
1,27 × 1,06 m.
Metropolitan Museum. New York

JULIÁN GÁLLEGO

Los retratos de Goya

Los retratos de Goya nos cogen siempre de sorpresa. Nos topamos con ellos y, al instante, una chispa de connivencia ha saltado de sus ojos a los nuestros y quedamos aturdidos, casi hipnotizados, ante tan desusada franqueza. Otros buenos pintores, como sus contemporáneos Antón Rafael Mengs o Vicente López (antecesor y sucesor en las tareas áulicas de Madrid), nos informan por lo pronto de la calidad social del personaje, a través de insignias, ropajes y decorados: antes de mirar, a distancia conveniente y con el debido respeto, sus facciones o su figura, sabemos que no es un ser cualquiera, sino alguien que exige miramientos y cuyo fuero interno sería de mal gusto y hasta delictivo avizorar. El retratado por Goya, sea rey o sea Roque, se franquea con el observador, a través de las distancias de clases y de épocas, con sinceridad casi impúdica. Al momento sentimos por él simpatía o antipatía (como el propio pintor), sin que en ese sentimiento pesen demasiado unas galas abocetadas. Goya «no pinta sus retratos para que vivan un rato más —escribe Ramón Gómez de la Serna [1]—, sino para que vivan eternamente, dando, no el parecido del que retrata, sino aquello en que se diferencia su fisonomía de todas las fisonomías, el brillo propio que tiene cada una... Si se fija uno un poco bien en sus cuadros, toda la apariencia es gasa pictórica, una especie de carnación atenuada por el espíritu. Esa iluminación que produce la vida y el espíritu en la carne viviente no había sido recogida con tanta sencillez...» Y otro gran intuitivo, José Ortega y Gasset, señala que, en los retratos posteriores a 1790, la pintura se ha hecho *plana*, de voluminosa que antes era: «Si antes se buscaba fingir en dos dimensiones, tres, aquí se procura lo inverso: embeber la tercera dimensión en las otras dos, suplantarla mediante valores de lo plano. No es sino decir lo mismo con otras palabras, hacer notar que se prescinde de cuanto en el objeto proviene de experiencia táctil. Se toma de él sólo sus componentes visuales. Y como lo que es puramente visual es un fantasma, una aparición, eso serán los retratos de Goya...» «Goya tiende a darnos de la figura real lo que ésta es en el momento de aparecernos...» «El buen retrato español, puro fantasma lumínico, contiene un poder dramático que es el más elemental: el drama consiste en pasar algo de su ausencia a su presencia, el dramatismo casi místico del 'aparecer'...» [2]. Los personajes de Mengs o de López están ahí, residen en sus marcos, en sus salones y galerías, esperando apaciblemente, aunque con no pocas pretensiones, a que alguien pase y prefiera mirarlos a mirar un tibor chinesco o una lámpara de Bohemia. Los personajes de Goya tienen siempre (incluso los más acompasados, como el Duque de San Carlos) caracteres de intrusos, de malos actores, que ignoran la Paradoja del Cómico, que consiste en guardar la sangre fría y el sosiego para conmover dignamente al público en la representación: son mediocres representantes, porque se nos confiesan a destiempo y no acaban de convencernos de que sean monarcas, obispos o duquesas. A veces, como en *La Familia de Carlos IV* [Fig. 2], ni siquiera han tenido tiempo de componerse, de agruparse, de 'posar': el indiscreto los ha sorprendido cuando no esperaban que se alzase el telón. Ello da a ese lienzo, como a casi todos los de retratos goyescos, un apasionante interés, casi pirandelliano: ya nos parece escuchar las confidencias inauditas de esa familia real, reveladas en un gesto dominante o apocado, en una apostura vacía, en unos pares de miradas que ni siquiera tienen que mirarnos (en el truco fácil de la pupila que sigue al espectador) para comunicarnos aquello que, según protocolo, debieran callarse. Comparemos ese cuadro con otros dos del mismo Museo del Prado: la *Visita de Carlos IV a la Universidad de Valencia* (Casón del Buen Retiro) que abrió a su autor, Vicente López, un amplio porvenir cortesano, en el que todos los personajes, reales o alegóricos, están representando su papel (no siempre bien, como en el caso de la Reina; pero eso es culpa suya y no del retratista), sin que la escena, casi trivial en su origen, tenga ya nada que ver con la realidad que la inspiró; o, mejor aún, ese monumental alarde de afectación que es *La Familia de Felipe V,* por Louis-Michel van Loo, con catorce actores, grandes y chicos, que han recibido las lecciones del Teatro Francés y que, si tuvieran que hablar, lo harían en alejandrinos. El parecido real de los sorprendidos fantasmas de Goya con sus almas nos resultará (como diría Lady Holland) 'indecente' (3).

Y no vayamos a creer en una supuesta sinceridad propia a toda la escuela española. El más grande pintor de cámara de la Corte de Madrid, maestro de Goya, a quien éste plagia sin escrúpulos en sus primeros retratos regios *(Carlos III, de cazador,* Madrid, Duquesa del Arco, Banco Exterior de España y Museo del Prado, más otras colecciones), se libra muy mucho de tomarse excesivas confianzas. Su *Familia de Felipe IV* (más conocida como *Las Meninas,* también del Prado) es una composición meditadísima, como todas las del flemático sevillano, en la que «el primor —como decía Ustarroz— consiste en pocas pinceladas, obrar mucho» (4) y en la cual, bajo esas apariencias paradójicas de improvisación (olvidamos, por un momento, esos contenidos alegóricos, indudables, aunque dudosos, que a veces amenazan asfixiarla), cada personaje está representando su papel, incluso la liliputiense futura Emperatriz Margarita, sin dirigir miradas indiscretas al pintor, sino, en general, reverenciales al Rey. Si comparamos el citado retrato de Carlos III con sus modelos venatorios, que Velázquez pintó de Felipe IV, de su hermano don Fernando o de su hijo don Baltasar-Carlos, nos percatamos de que éstos son conscientes de que están desempeñando una actividad regia, la caza, «viva imagen de la guerra» según la expresión del ballestero del rey, Alonso Martínez de Espinar (5), y que se dejan contemplar por súbditos con el sosiego y distancia debidos, mientras que Carlos III, cuando caza, no se está preparando para futuras hazañas bélicas, sino que se está divirtiendo, como un Juan particular: como su hermano don Luis que, en su ameno destierro de Arenas de San Pedro, se va de caza con Goya: «He salido dos veces a cazar con su Alteza y tira muy bien y la última tarde me dijo, sobre tirar a un conejo: Este pintamonas aún es más aficionado que yo...» (Carta a M. Zapater de 20-IX-1783) (6). Cuando Felipe IV apuñala a un jabalí (ver el cuadro de Peter Snayers, número 1.736 del catálogo del Museo del Prado) se prepara (al menos, en la idea...) a acabar con los enemigos del reino. Pero «tirar a un conejo» no es acción de consecuencias, salvo para el conejo. Pintado por Goya, un regio cazador, pese a la postura, al can y al paisaje velazqueños, ya no es más que un señor particular, un «honnête homme» que se distrae de sus ocupaciones serias, un hombre sin gallardía a quien sólo falta el zurrón para escapar de su papel de soberano y que nos mira con cierta timidez, pidiendo comprensión. Y no es poco mérito de ese rey, sus hijos y sus nietos, el haber sabido reconocer el talento de un retratista que los representaba, no como tenían que ser, sino como eran.

Se establece, así, un coloquio sincero entre el retratado y quien lo contempla. Pocas veces había sucedido tal cosa en la historia de la Pintura, si exceptuamos los últimos Frans Hals y unos cuantos Rembrandt, el otro gran maestro de Goya. En especial, el siglo XVIII ha impuesto, como barreras a la sinceridad del retratista, a su apertura hacia el comentario del espectador, las reglas de la buena educación. No es de buen gusto entrometerse en la vida de los demás, tratar de averiguar lo que hay detrás de la fachada. Actor e intérprete de un papel en el Gran Teatro del Mundo se funden en la inmensa mayoría de las efigies del Setecientos. Y como los papeles son, irremediablemente, *de época,* todos los retratados se parecen, en cada lugar y momento. Incluso cuando el pintor retrata a actores y actrices, como hace Hogarth con desparpajo, no puede evitar cierta monotonía. Las princesas de Nattier son *intercambiables,* y en cuanto nos descuidamos confundimos a una Leczinska con una Adelaïde. Ni siquiera hace falta que parezcan inteligentes: la sangre azul colorea sus mejillas de porcelana y eso basta. La inteligencia, a fin de cuentas, está al alcance de cualquier advenedizo; la prosapia, no. Las condesas de Reynolds, que imitan a las condesas de Van Dyck, son condesas hasta cuando abrazan a sus hijitos: se nota que están acostumbradas a vivir a la vista de la servidumbre, en cuya masa nos incluye el pintor. Las elegantes y frágiles «ladies» de Gainsborough vagan por las frondas de Saint James's Park como hamadríadas, no porque tengan que esconder sus excesivos sentimientos, sino porque está de moda darse una vuelta por el Mall, cada mañana: representando su papel de aristócrata sensitiva, como María Antonieta juega a ser lechera en Versalles. El ingenio que hace curvar levemente las comisuras de los labios a las madamas de Maurice-Quentin de la Tour, no pasa de «esprit», que antes impone distancias que las borra, como el seco saludo de los convecinos en una escalera de París. Y estamos recordando algunos de los mayores retratistas del siglo de Goya. Imposible que sus modelos nos hagan la menor confidencia ni, todavía menos, que escuchen las que nosotros les hagamos. Y hemos de recordar que toda obra de arte *vivo,* y no arqueológico, exige un coloquio entre observador y artista. «¡Rembrandt me quiere!», exclama Marc Chagall tras haber observado largamente la *Betsabé* (la Hendrikje Stoffels) del Louvre [7].

El autorretrato, gran tema en Rembrandt y en Goya y al que los pintores españoles no suelen manifestar gran afición, impone, por lo pronto, un íntimo coloquio entre el medio ser que pinta y el otro medio, que posa. No parece nuestro país terreno fértil para el auto-análisis, como no conduzca al desengaño, de donde lanzarse a la santidad: hay pocos diarios, pocas memorias íntimas, escasos autorretratos. Los pocos que nos han legado los grandes pintores españoles, más que una confesión, son una afirmación de la personalidad oficial. Si Velázquez en su mejor y más indiscutible autorretrato

—de *Las Meninas*— se nos presenta como el paradigma del artista pensante, en el «disegno interno» de su imaginación creadora, que lo pone al nivel de los más altos poetas, filósofos o príncipes, poco nos deja traslucir de su vida particular, como marido de Juana, que acaso conoció a su Venus en Italia, país donde quizá hubiera muerto de no impedirlo sus deberes para con el rey. Cuando Murillo se autorretrata (Galería Nacional de Londres) se pinta un cuadro oficial, con los símbolos de su oficio, y en el que el «trompe-l'oeil» del marco en el que apoya la mano no es sino un juego erudito para mostrar su habilidad. Quizá la única manera de sincerarse ante el público sea el retrato «a lo divino», como dicen que se pintaron Ribalta o Zurbarán, personificando a San Lucas (Museos de Valencia y del Prado), y en los que el «Nosce Te Ipsum» es un proceso de redención. En cambio Goya, desde el primer momento, se planta frente al caballete y al espejo con curiosidad absorbente: «¿Quién es ése?» y «¿Ese soy yo?». El pintor es el único en poder medir la distancia que hay entre su esencia y su apariencia; del choque entre las dos surge un soliloquio que es un diálogo (como todos los soliloquios) entre el que pinta y el que se deja pintar.

Al considerar especialmente los autorretratos de Goya [8] me pareció oportuno distinguir entre las tres especies del género cultivadas por la pintura europea. Es la primera la del RETRATO-FIGURANTE, en la que el artista se introduce, con mayor o menor disimulo, en una escena de la que no es personaje primordial, como llegó a ser costumbre en la Florencia del siglo XV: Massaccio, Botticelli, los Lippi, Gozzoli, otros más se colaron de rondón, imitando a sus donantes y clientes, en escenas del Antiguo y del Nuevo Testamento. (Con mayor sutileza, Van Eyck asiste como testigo al matrimonio de los Arnolfini, reflejado en un espejo del fondo de su retrato). Así nos aparece Goya en la escena de *San Bernardino de Siena predicando al Rey Alonso V*, entre los nobles aragoneses del séquito del monarca; o acaso en algunos cartones de tapiz (como *La novillada* o *La vendimia)*; o, sin duda, en un papel secundario y casi de parásito, en el *Retrato de Floridablanca* (Banco Urquijo, Madrid), donde le vemos presentar humildemente un cuadrito al arrogante e indiferente Moñino; o, con mayor consideración en *La familia del Infante don Luis* (herederos Rúspoli), compañero de cacerías, en su pequeña corte de Arenas. *La familia de Carlos IV* [Fig. 2] es el caso más célebre de esta manera de autorretratarse, inspirada por Velázquez.

Como en el sevillano, nos es difícil saber si estamos ante casos de modestia o de orgullo. Aunque no me atreva a poner a la desconcertada «troupe» real pintada por Goya bajo el signo de la alegoría (como me lo permitirían agudos estudios de E. W. Palm sobre el cuadro del fondo, que daría, como los de *Las Meninas*, un sentido a la escena del primer término) [9], no es dudoso que el pintor se coloca a su nivel, lo que jamás hubiera osado en la vida real.

El segundo tipo de autorretratos son aquellos en que (como el de Murillo, recordado) el autor se presenta con los instrumentos de su arte, ora ejerciéndolo o, sencillamente, meditando. Los dos últimos citados del catálogo goyesco pueden entrar en esta agrupación de RETRATO-ACTUANTE, además de en la de figurantes. Pero son más abiertos los casos en que el pintor es el único personaje de la obra. Tenemos un ejemplar excepcional, el *Autorretrato de cuerpo entero* de la antigua colección del Conde de Villagonzalo (que acaba de enriquecer el patrimonio nacional), en que el modelo-ejecutante aparece

Cat. 3

Cat. 22

JULIÁN GÁLLEGO

Fig. 22   AUTORRETRATO, 1824
Dibujo a pluma con tinta sepia
0,07 × 0,08 m.
Museo del Prado. Madrid

Fig. 23   LA LEOCADIA, 1821-1823
Oleo sobre lienzo
1,47 × 1,32 m.
Museo del Prado. Madrid

tocado con un curioso sombrero de copa alta, provisto de unas agarraderas de alambre en las que, según tradición, sujetaba candelas para pintar de noche; hay también una media figura del Museo de Agen, y una casi miniatura, antaño en la colección Pidal, en la que la cabeza de Goya asoma tras su caballete, con ese aire beethoveniano que le dan la moda y la sordera.

En la tercera categoría, que llamaríamos de RETRATO-CONFIDENTE, se incluyen aquellos en que el pintor se limita a ofrecer su fisonomía, sin justificar su presencia por la actividad suya o de los demás. Es, simplemente, un ser humano contemplado por un ser humano. Aquí aparecen los restantes autorretratos de Goya, pintados, grabados y dibujados, como ese de gorrilla *[Fig. 22]* (Museo del Prado) tan desconcertantemente 'moderno': éste es el adjetivo narcisista que solemos colocar a aquello que sentimos plenamente. Goya, en ese aspecto, suele ser siempre 'moderno', sin exigir, como otros, previos conocimientos de historia arqueológica para hacerse apreciar. Lo es desde su primer autorretrato, el de la Marquesa de Zurgena, hasta los ya maduros del Prado y Academia de San Fernando. En todos se nos impone un doble coloquio: del pintor con su modelo, que es él mismo; y del pintor (o el modelo, o el producto de la unión de ambos) con el espectador. Goya, en estos casos, acaso porque el espejo así lo exige, planta sus ojos en sus ojos, o sea en los nuestros. Nosotros buscamos en los suyos la razón de su genio, de su colosal humanidad.

Hay también un cuadro indescriptible, en el que Goya rompe con todas las categorías posibles, para acercarse al «ex-voto»: aquél en que se nos presenta en cama, sudoroso y febril, arrugando con manos de moribundo las sábanas, con la mirada perdida en la otra orilla. Un médico, el doctor Arrieta, lo sostiene para que beba el remedio en un vaso de cristal. Al fondo, en la tiniebla, se adivinan tres mujeres o tres Parcas. En un largo letrero escrito al pie, Goya manifiesta su gratitud al médico que le salvó la vida en esa gravísima enfermedad: «Lo pintó en 1820». (Instituto de Arte de Minneápolis). Es un autorretrato a la vez figurante (si es que el doctor es protagonista), actuante y confidente: Goya se ha visto desde fuera, en el momento en que su cuerpo iniciaba el viaje subterráneo que quizás nos ha contado en sus sucesivas «pinturas negras», entre las que figura esa enigmática manola que en el antiguo inventario que Brugada hizo de los cuadros de Goya se denominaba *La Leocadia* *[Fig. 23]:* una maja apoyada en la tumba de su querido, acaso la tumba a la que el pintor se veía ya arrastrado cuando lo salvó Arrieta. Aquí el coloquio es más complejo: del médico y el enfermo, de ambos con el pintor, con el espectador. Y no olvidemos aquella frase clarividente que leemos en la *Judith* de Hebbel: «Nos convertimos en aquello que miramos» [10]. Ahora nos convertimos en Goya.

Y nos vamos convirtiendo en los modelos de los retratos de Goya. Es innegable que los hay más seductores o más atractivos. Mujeres, niños y amigos gozan en sus pinceles de consideraciones especiales. Esa atracción de lo bello es ley de vida. En un muro de la Galería Nacional de Londres nos esperan el Doctor Peral y doña Isabel Corbo (o Cobos) de Porcel; es posible que, en sus puros valores pictóricos, incluso históricos, el retrato del doctor, representante financiero de España en el París de fines del siglo XVIII, sea superior al de la señora, algo monótono en su factura y colorido, y de escaso interés como esposa de un consejero de Castilla [11]. Pero ¿quién podría permanecer indiferente ante la gracia y el encanto de una de las deliciosas majas-señoras pintadas por el aragonés? Como en la realidad, la belleza física pintada es un privilegio ante el que se abren puertas que se cierran obstinadas ante la fealdad. Esto no significa que los modelos feos no interesen al pintor. En lo que Lafuente Ferrari llamaba la «estética de la salvación del individuo», la fealdad, como la hermosura, son obras de Dios, tan inexplicables para el ingenio humano la una como la otra [12].

Como buen romántico, Goya no ignora la seducción de la fealdad, que es como la seducción del mal. Algunos de sus retratos de Fernando VII (en especial el de Santander, 1814) o de su detestada madre, nos hechizan precisamente por su fealdad triunfante, avasalladora. En el desconcertante retrato del Museo de Bilbao (que, ni parece de Goya, ni de alguien que no sea Goya), María Luisa aparece majestuosa como una Reina de la Noche, pero envuelta en las deslumbrantes claridades de un traje celestial, que envidiarían las «ángelas» de la Florida, y que realza el terror voluptuoso que su fisonomía nos inspira. Es el misterio del mal, encarnado en una soberana que admiraba a Goya, que fue su protectora desde el primer momento, de inteligencia y cultura superiores al resto de la real familia, y cuyas cartas son pruebas de garbo y llaneza [13]; pero a la que su pintor de cámara desacreditó para siempre. ¡Otra imagen nos dejara, de haber imitado, en la elección de retratistas, a su abuelo Luis XV de Francia! Tendríamos una Adelaïde más, en lugar de esta bruja shakespeariana, por la que sentimos (yo, al menos) una secreta simpatía.

Simpatía, una vez más, basada en la franqueza, o más exactamente, en la inhabilidad de Goya para representar la afectación mundana. Uno de sus pocos ejemplos de dignidad aristocrática lo da la Duquesa de Osuna en el precioso retrato en que aparece vestida a la francesa (colección March), pero en una postura natural y sin tratar de enmendar con afeites o crenchas la noble fealdad de su rostro alargado. Pero en cuanto un (o una) modelo trata de parecer atrayente, o caemos en la apocada cursilería de petimetra de la Marquesita de Pontejos *[Fig. 24]*, cuñada de Floridablanca (Galería Nacional de Washington), que parece temerosa de descomponer los perifollos de su traje, o, más bien, en la chulería desgarrada del majismo, en cuyo tema no quiero reincidir [14]. Hacia ese descaro se acerca la reina, luciendo el esplendor de sus brazos, irguiendo la cabeza sin poder disimular esos hoyos que la falta de dientes excava en sus mejillas, triunfante, no como Diana, Venus o Juno, sino como Hécate o Proserpina. Hasta cuando la contemplamos alzada, como gallarda amazona, en el caballo «Marcial», regalo de Godoy, en el mejor retrato ecuestre del pintor (Museo del Prado), vemos a la mujer, antes que a la Reina o a la Coronela de los Guardias de Corps.

La «pose» alambicada perjudica a Goya; en cambio, le favorece la postura, el ademán naturales. Algunos de sus más memorables retratos (el de don Sebastián Martínez *[Fig. 25]*, vestido con elegancia, pero sentado en una silla de anea, Museo Metropolitano de Nueva York; el de don Ramón Satué, despechugado, en el Rijksmuseum de Amsterdam; el de Tiburcio Pérez Cuervo, en mangas de camisa, también en Nueva York; el de Juan Bautista de Muguiro *[Fig. 26]*, sentado simplemente ante su escritorio, Museo del Prado), lo son, en buena parte, por su sencillez. Ella facilita esa inmediata e íntima comunicación con quien los mira, que es su mayor atractivo, su más honda originalidad.

Se crea así una galería de personajes que nos parece conocer, acaso más que a quienes nos rodean

Cat. 4

[55]

Fig. 24   LA MARQUESA DE PONTEJOS, 1786
Oleo sobre lienzo
2,12 × 1,26 m.
National Gallery. Washington

Fig. 25   D. SEBASTIAN MARTINEZ, 1792
Oleo sobre lienzo
0,93 × 0,68 m.
Metropolitan Museum. New York

Fig. 26   D. JUAN BAUTISTA DE MUGUIRO, 1827
Oleo sobre lienzo
1,03 × 0,85 m.
Museo del Prado. Madrid

en el trabajo o en la sociedad, porque están reducidos a su expresividad más intensa. Es difícil evocar, con la vista de la imaginación (como diría San Ignacio)[15] a personas ausentes: cuando vemos la nariz se nos escapa la frente, si logramos recrear un parpadeo, se nos va la mueca de los labios: Picasso o Bacon han pintado, en nuestro siglo, algunos de esos picadillos de facciones huidizas. Goya nos da lo fundamental, esquemáticamente, para que jamás lo olvidemos. Si cierro mis ojos puedo ver los de la señora Porcel, de Paquita Sabasa, de la famosa librera de la calle de Carretas, de la incomparable Duquesa de Alba, que reaparecen, negros y límpidos, en los cielos de San Antonio de la Florida.

El total de retratos pintados por Goya, algo más de doscientos, no pasa de la tercera parte de su obra. Y sin embargo, y pese a su genio al pintar el Cielo, el Infierno, la Vida y la Muerte, en insuperables composiciones, se nos presenta, primordialmente, como un retratista. Los académicos a la antigua valoraban los cuadros según su género: primero, las composiciones con muchos personajes, mejor las sacras que las profanas y las antiguas que las modernas; luego, paisajes y retratos, que no exigen invención, sino habilidad en la copia del natural; por fin, floreros y bodegones, que se están quietos hasta que el pintor termina de representarlos[16]. Pero con Goya se invierten los términos: el retrato se convierte en un arte creativo. Es difícil saber si sus efigies son fieles: ya se ha señalado antes el carácter de autorretrato que tiene toda imagen pintada, que en Goya toma aspectos de confesión. «Yo soy Emma Bovary», se cuenta que exclamó Flaubert cuando, al terminar de escribir su obra maestra, notaba en la garganta y estómago los efectos del veneno que acababa de ingerir su heroína. Goya pudiera decirlo de los personajes de todos y cada uno de sus retratos. Por eso son tan originales y variados como sus composiciones, si no más.

Como posición intermedia entre la composición o escena y el retrato hemos de destacar los retratos de familia (Familia de los Duques de Osuna [Fig. 28], Museo del Prado; Familia de los Condes de Fernán-Núñez, colección Duquesa de Fernán-Núñez, obra discutida, pero muy bella a juzgar por las fotografías; Familia de Carlos IV [Fig. 2], Museo del Prado; Familia del Infante don Luis, herederos de Rúspoli, Roma) poco numerosos. El más curioso, si no el mejor, es el del infante don Luis, el mayor de una serie de cuadros pintados en Arenas de San Pedro en 1783 que dieron al joven pintor aragonés pasaporte hacia la fama en la corte de Madrid. Representa un curioso intento, muy raro en España, de lo que los ingleses llaman «Conversation piece», pieza de conversación, que puso de moda en la corte de Saint James, siguiendo el ejemplo de Hogarth, el alemán Johann Zoffany: tratar de pintar a los modelos, no posando para el retratista, sino dedicados a una actividad habitual, como si el artista los sorprendiera en la intimidad de sus costumbres. Siendo un género más artificioso todavía que el del retrato puro y simple, sus efectos —por algo de la aludida Paradoja del Comediante— son de mayor naturalidad. En *La familia del Infante don Luis* [Fig. 6] Goya retrata al hermano de Carlos III como si se entretuviera haciendo un solitario mientras, sentada a la misma mesa, su esposa, la zaragozana María Teresa Vallabriga, se deja peinar por su peluquero; su hijo primogénito, Luis, atiende a lo que hablan los mayores; su hermana María Teresa (futura Condesa de Chinchón) se entretiene mirando trabajar a Goya, que aparece sentado ante un lienzo, de espaldas al espectador, en el rincón inferior izquierdo de la composición; y la hija menor, María Josefa, parece ensimismada contemplando la llamita de una vela que basta para iluminar, de modo efectista, todo ese conjunto, en el que figuran, además de los citados, tres azafatas y cuatro servidores, todos ellos en pie, como corresponde a su clase.

Saliéndose ya de todas las categorías, con el carácter excepcional que hemos subrayado en el *Autorretrato con el médico Arrieta,* tenemos un retrato colectivo, conocido por *La Junta de Filipinas»* [Fig. 27], aunque no haya prueba fehaciente de que represente a ese estamento, y que es joya del museo de Castres que lleva el nombre de nuestro pintor. Se trata de un enorme (3,27 por 4,15 metros) retrato colectivo, que representa una sesión de una sociedad cuya presidencia ostenta Fernando VII, pintado hacia 1815. Arrinconado en un desván madrileño durante largos años, lo adquirió en Madrid, en 1881, el francés Marcel Bringiboul por 35.000 reales a cuatro propietarios indivisos, por lo que alguien supuso que se trataba de una «tenida» de Logia Masónica, lo que desmiente la presencia del rey. Viñaza creyó que era la Junta de los Cinco Gremios Mayores; el hecho de que a ambos lados del monarca se haya creído reconocer a Lardizábal, ministro de Indias, y a Munárriz, presidente de la Compañía de Filipinas en 1815, al que Goya había retratado poco antes, hicieron pensar que se tratase de esta última. Es un cuadro fantasmagórico (distinto y superior a su pretendido boceto de Berlín) en el que los accionistas dan señales demasiado evidentes de aburrimiento a la lectura de la memoria correspondiente por un caricaturesco secretario: Un retrato colectivo bien diferente de aquellos que tanto abundaron en el Siglo de Oro de la pintura holandesa, en los que la pertenencia a un gremio o cofradía era sinónimo de satisfacción orgullosa. Como he señalado en otra ocasión [17], por su magistral sencillez y por su profundo misterio, esta gran obra de Goya es comparable con la *Conspiración de Julius Civilis* y con la *Ronda de noche* de Rembrandt, o con *Las Meninas* de Velázquez, a cuyas alturas casi incomprensibles se aúpa.

El *Retrato del Conde de Floridablanca* (Banco Urquijo) no es, propiamente, una pieza de conversación, puesto que el ministro está posando, con el aire elegante de un figurín de modas, en una postura muy semejante a la del caballero del tapiz *La feria de Madrid.* Aquí el papel del chamarilero es ocupado por Goya, que se autorretrata de perfil, con gran viveza, en este lienzo de 1783, que espera le sirva de entrada en la sociedad madrileña y que no ha de producirle más que decepciones. Detrás del prócer autoritario e indiferente, un arquitecto sostiene unos planos. Este tipo de retrato con subalternos lo repetirá Goya en el de *Don Manuel Godoy, Príncipe de la Paz* (Academia de San Fernando»), al aire libre, con edecán, soldados y caballos, como héroe de la Guerra de las Naranjas; en el (desaparecido) del mismo personaje como fundador del Instituto pestaloziano, dando leyes a los estudiantes; y en el del *Duque de Osuna* (Museo Bonnat, Bayona) con caballerizo. El resto de los retratos goyescos (s. e. u o.) son del más decidido individualismo.

Antes de pasar a examinar su tipología, acaso no esté de más recordar el desarrollo histórico de la carrera de retratista de Francisco de Goya. En este género, como en los restantes, el pintor no es precoz. Se considera su primer retrato uno que se dice ser de *Manuel de Vargas Machuca,* y lleva la firma de «Francisco J. de Goya/1771». (Col. Bardi, Sao Paulo). Como de costumbre, la firma, en vez de concluir los problemas, los complica: porque en esa fecha resulta anacrónica la partícula *de* que

Cat. 3

Fig. 27   LA JUNTA DE FILIPINAS, 1815
Oleo sobre lienzo
3,27 × 4,15 m.
Museo Goya. Castres

trata de ennoblecer el apellido, como si Goya estuviera ya atacado del «esnobismo» de veinte años después. Este cuadro, que el Marqués de Lozoya publicó en 1956, parece, por lo demás, posterior a 1771. De esa fecha o algo después sería el primer autorretrato (Zurgena) y el estudio de *Cabeza con sombrero de ala ancha* (Museo de Zaragoza) que es, para los unos, autorretrato y para los otros, efigie ajena, acaso ni siquiera de Goya: obra a pesar de todo, demasiado fina para Bayeu [18]. Más convencional es el retrato de media figura de *El Conde de Miranda* (Museo Lázaro Galdiano, Madrid) que algunos no recogen como auténtico, aunque para Camón Aznar, con su fecha de 1774 en el puño del bastón, sea «la primera muestra del arte de nuestro pintor bajo la influencia de Mengs» en Madrid, habiendo «desaparecido el ardor de pincelada de su época zaragozana» [19]. Si el orden cronológico seguido en la presentación de estos cuadros [20] fuera el correcto, demostraría que Goya, perdida su seguridad escolar, pintaba cada vez peor; conclusión desoladora, confirmada por el controvertido *Retrato de Bayeu* (Marqués de Casa Torres, c. 1780) y por el muy mediocre de *Cornelio Vandergotten*, cuya inscripción («C. Vandergotten, Goya, 1782»), dudosa, y el hecho de que fuera adquirido por 500 pesetas por la Junta Iconográfica en 1881 no contribuyen a mejorarlo [21].

El *Retrato de Don José Moñino, Conde de Floridablanca* representa un avance técnico considerable en la obra del artista. El esquema, ya usado por Goya en el cartón de *La feria de Madrid* (Prado, 1778), se concentra en este retrato, que parece acercarse a *El Expolio* de El Greco, con su dominante roja, en forma de rombo, como centro de interés. Va fechado en 1783, al pie de un plano del Canal Imperial de Aragón: es de notar que el país natal parece representar para el joven artista una garantía de protección, en este caso como en el grupo de cuadros del Infante don Luis, que lo anteceden según algunos o lo siguen, según otros. Nordstrom apunta la hipótesis de que el cuadro que Goya muestra humildemente al magnate sea el boceto del *San Bernardino de Siena, predicando a Alfonso V de Aragón* y que el personaje del fondo pueda ser Sabatini [22]. Goya escribe a Zapater en 22 de enero de 1783 que el Conde quiere que lo retrate; en 26 de abril, que ha hecho la cabeza del retrato; en 7 de enero de 1784 que «aun ay mas silencio en mis asuntos con el señor Muñino que antes de averle echo el retrato»... «Lo más que me a dicho después de averle gustado, 'Goya, ya nos beremos más despacio'»... Y como en 20 de septiembre de 1783 ha escrito la carta exultante que cuenta su estancia en Arenas de San Pedro, donde don Luis «me a echo mil onores; he echo su retrato, el de su señora y niño y niña con aplauso inesperado por aber hido ya otros pintores y no aber acertado a esto» [23], cabe suponer que el retrato del ministro lo concluyera después de esa fecha y antes de enero siguiente. Los retratos de Arenas debieron de tener más repercusión en la Corte (en donde los príncipes de Asturias apreciaban al «pobre tío Luis») que el de Moñino, cuya principal consecuencia sería el encargo del retrato de la Marquesa de Pontejos *[Fig. 24]*, novia del hermano de Floridablanca, retratada por Goya con traje de boda, clavel en mano simbolizando el amor conyugal y el perrito a los pies, emblema de fidelidad; y, por fondo, un hermoso paisaje, cuyos verdes armonizan a maravilla con el gris y rosa del personaje. Es obra de 1786, tiesa y envarada, pero delicadísima en su factura: uno de los mejores cuadros «rococó» de Goya.

El grupo de cuadros de Arenas llega, casi, a la docena. Además del grupo familiar ya aludido,

Goya pinta sendas cabezas de perfil de los cónyuges (Madrid, colecciones Sueca y Acapulco) y otro par de retratos suyos de tres cuartos: el de la Vallabriga es, a la vez, franco y elegante (Pinacoteca de Munich) y, tras su reciente limpieza, fresco como una rosa; el de su avejentado esposo (Museo de Cleveland) es tan solemne y de aparato, tan meticuloso en los accesorios, tan soberbio y banal al mismo tiempo, que hay quien supone que es una copia que Goya hizo de Mengs[24]. Pintó también un retrato del infante don Luis, hijo, que años más tarde volvería a pintar revestido de las púrpuras cardenalicias de Toledo, que su padre había desdeñado (Madrid, colección particular, Museo del Prado y Museo de Sao Paulo) y otro de su hermanita María Teresa, muy de majita (si no «de taco», *de retaquillo)* con el brazo en jarras y un perro de aguas junto a la basquiña negra, con fondo de paisaje inspirado en las montañas de Arenas de San Pedro (Washington, National Gallery, colección Mellon). Sin duda tomó afecto a esta chiquilla, tan despierta, a la que la vida iría quitando arrestos y risas, hasta merecer, en compensación de sus tristezas como esposa de Godoy, el más melancólico y hondo retrato de Goya:

Cat. 30 *La Condesa de Chinchón* (Madrid, colección Sueca, 1800). También la pintó de pie (Uffizzi, Florencia) y a su madre a caballo, en un lindísimo y pequeño retrato ecuestre (Id.), ambos discutidos. Para completar el grupo de Arenas, citaremos un boceto de colección parisiense, atribuído a Goya (no sin disidencias) y que pudiera representar a don Luis con su arquitecto Ventura Rodríguez; así como un retrato de éste (Museo de Estocolmo), con plano del Pilar y columna, que no es de los mejores del pintor (c. 1784).

De este primer período madrileño, de progresiva soltura, son los retratos de Ferrer (Valencia), un maestro de esgrima (Dallas), el almirante Mazarredo con «veduta» marítima (Fundación Cintas, Nueva York), hasta llegar al grupo de *La familia Osuna* *[Fig. 28]*, el mejor ejemplo de alta nobleza ilustrada, que va a colocar a Goya en el candelero de la Corte. El IX Duque le inspira en 1785, un retrato concentrado y afable, a la inglesa, mientras su esposa, más petimetra, posa vestida a la francesa en el cuadro ya aludido. (Respectivamente, colección particular inglesa y colección Bartolomé March, Mallorca). Aparte de otros encargos para «la Alameda», Goya pintará, más adelante, el retrato de familia (1788, Museo del Prado), con los ducales cónyuges y sus cuatro hijos, dos niñas y dos niños; el menor y más lindo de todos, sentado en un cojín, será andando el tiempo Príncipe de Anglona y Director del Museo del Prado, que alberga este retrato, algo inhábil y tieso en la composición, pero lleno de delicadezas y desde el que los retratados nos miran francamente, pidiendo inmediata respuesta[25]. Más adelante (c. 1796) el duque, ya en el «enbonpoint» de la madurez, posará para el sencillo y suculento retrato de la Colección Frick. La relación de Goya con la casa de Osuna se continuará en el majestuoso retrato con palafrenero del X Duque (1816, Museo Bonnat, Bayona).

Detrás de los Osuna, Jovellanos *[Fig. 29]*, Goya alcanza la cumbre de la sociedad madrileña, no sólo de sangre, sino de inteligencia e ilustración. Don Gaspar-Melchor aparece en este primer retrato (c. 1784-85, Colección Valls i Taberner, Barcelona), que algunos no admiten, de pie, en una postura desenvuelta, pero algo artificiosa, ante el mar a cuya orilla nació. Muy superior es el segundo retrato, de 1798, sentado a su mesa ministerial, con aire pensativo y aun abatido: la púrpura va a ser cilicio para Jovellanos (Museo del Prado). Pocos retratos ha pintado Goya tan elegantes como éste y tan

JULIÁN GÁLLEGO

Fig. 28   LA FAMILIA OSUNA, 1788
Oleo sobre lienzo
2,25 × 1,74 m.
Museo del Prado. Madrid

Fig. 29   D. GASPAR MELCHOR DE JOVELLANOS, 1798
Oleo sobre lienzo
2,05 × 1,23 m.
Museo del Prado. Madrid

cuidados en ambientación; pero de todo ello perdura la triste y honda expresión del reformador. Como del estupendo retrato de su colega Saavedra (Londres, Courtauld Institute, c. 1796-98), más enérgico, menos refinado, nos quedan unas cejas, unos ojos decididos.

De esa misma época sería el retrato de busto de Juan Agustín Ceán Bermúdez, erudito sevillano, célebre entre los historiadores del arte español (c. 1785, colección Cienfuegos, Madrid), a quien Goya volverá a retratar de cuerpo entero en 1792, posiblemente en su casa de Sevilla, casi a la vez que a su amigo el coleccionista gaditano Sebastián Martínez *[Fig. 25]*, como despedida de la vida alegre, en los prolegómenos de la terrible enfermedad que dejará al pintor sordo para el resto de sus días. (Colección Perinat, Madrid). El supuesto retrato de la Sra. de Ceán sería también de este momento (Museo de Budapest).

Cat. 5-9

Volviendo a 1785-90 nos encontramos con un encargo del Banco de San Carlos (hoy Banco de España) de retratos de Carlos III, y de los gobernadores Del Toro, Larrumbe, Tolosa, Cabarrús y Altamira. Todos juntos forman, en un salón del hermoso edificio del Paseo del Prado, un espectáculo impresionante. Destacan, sobre las medias figuras, los retratos de cuerpo entero del rey, de Cabarrús, vestido de amarillo y, en especial, del Conde de Altamira, cuya escasa estatura pone en evidencia el tamaño de la mesa en que se apoya. Cuadro pintoresco, precioso de colores, que inaugura las relaciones de Goya con esta familia para la que ha de pintar los deliciosos retratos de la Marquesa con su hijita María-Agustina (Metropolitan de Nueva York, Colección Lehman), del primogénito Vicente (Colección Payson, Nueva York) y del segundón Manolito *[Fig. 21]*, vestido de colorado, entre sus juguetes (entre ellos una urraca, con la tarjeta del elegante pintor en el pico), uno de los mejores retratos infantiles de todos los tiempos (Metropolitan, Nueva York, Colección Bache).

Es en estos años, en 1786, cuando Goya, que trabajaba para la Real Casa indirectamente, a través de sus cartones de tapiz para la manufactura de Santa Bárbara, es nombrado pintor del rey Carlos III, con el derecho y el deber de reproducir su poco agraciada efigie. Con el retrato «de casaca» del Banco, llegan los varios ejemplares del retrato «de cazador». El viejo rey no es tan aficionado a la pintura como a la caza; su rigidez moral estuvo a punto de inducirle a organizar un auto-de-fe con los maravillosos desnudos ticianescos que no asustaban al prudente Felipe II. Los que apoyan y admiran a Goya son los príncipes de Asturias, que al subir al trono tres años después ascenderán al pintor al grado de Pintor de Cámara: desde ese momento, la reputación del aragonés queda firmemente establecida. Goya multiplica (a veces con ayudas) las regias efigies que piden de todas partes. Como es natural, no siempre son de la misma calidad y todavía queda campo que desbrozar en atribuciones y colaboraciones. Curiosamente, ese el momento en que Goya reanuda los lazos con su patria chica, acaso impresionada por la carrera del paisano. Tras el retrato de J. M. de Goicoechea (Madrid, colección Orgaz) —que nada tiene que ver con los futuros parientes políticos de Goya—, vienen los del amigo Zapater (que conseguirá otro en 1797), del prócer y clérigo Don Ramón de Pignatelli, principal autor del Canal Imperial, de José Cistué y otro maravilloso retrato infantil, entonado en azules, el de Luisito-María de Cistué (1791, Colección Rockefeller, Nueva York), comparable con el rojo de Manolito Ossorio: Modelos, todos, de Zaragoza. Goya pinta entre tanto sus últimos cartones de tapiz, como decidido a penetrar en la segunda parte de su vida, más honda y melancólica tras la enfermedad de 1792.

Enfermedad de la que, tras varios meses de mareos, ruidos y desmayos, se recupera (salvo en la pérdida del oído) en cuanto recobra el afán de trabajar. Van a llegar variados retratos de la sociedad madrileña, sin ruptura con los anteriores, acaso afinando más la imagen y el valor tonal. Recordemos los de la exquisita *Doña Tadea Arias* (Prado), del *General Ricardos*, héroe de la campaña de Francia (Prado y Valencia del Alcor), de la culta y enfermiza *Marquesa de la Solana* (Louvre), de *María del Rosario La Tirana* (Colección March, Palma de Mallorca), efigiada de nuevo, años después, en el fulgurante cuadro de la Academia de San Fernando (1799); en fin, por no agotar la lista, que muestra un dominio de la técnica admirable, el impar *Retrato de Francisco Bayeu,* pintado a la muerte de éste, en 1795, del tipo de los que don Aureliano de Beruete calificó de «retratos gríseos»: «La gama de grises tan fina, las armonías de grises y de plata, el uso de ciertos carmines, y de violetas, que por vez primera se encuentran en obras de El Greco y que, atisbados por Velázquez y empleados asimismo por él, determinan la más trascendental de sus cualidades, son precisamente los que volvemos a encontrar en Goya» [26]. En el *Retrato de Tadea Arias,* ve Beruete lo que aproxima y aleja a Goya de sus modelos ingleses: «El poder definir, concretar en una frase, en una palabra, el porqué del españolismo de esta obra, como de tantas otras, sería admirable cosa, es cierto; pero estimo también que fuera entrar en el terreno de las abstracciones: la dicción pictórica es como la de un idioma, que lo constituyen una serie de detalles, de matices, que dan una resultante que lo hacen diferenciarse de los demás, y esa resultante se posee o no se posee, se entiende o no se entiende, pero es imposible definirla». Los sistemas estructuralistas, tan empleados en los estudios literarios, y hasta el análisis por computadoras, quién sabe si algún día harán posible el claro establecimiento de estas diferencias (que Beruete siente claramente, pero no se atreve a expresar) que permitan definir con palabras el estilo de Goya.

Es indiscutible la influencia en Goya del arte francés, ya hace tiempo estudiada por don Enrique Lafuente Ferrari [27]. En la España del siglo XVIII, señala este autor que los pintores franceses comenzaron a dominar el género retratístico —René Houasse, Ranc, Van Loo— mientras en la decoración triunfaban los italianos, con la excepción de dos retratadores, Giuseppe Duprá y Giuseppe Bonito, hasta la llegada de A. R. Mengs. Dicha influencia es aún más notable en paisajes y escenas de género (Mikel-Ange Houasse, Coypel, Fragonard) y a través de láminas de libros, que han de pesar en las goyescas, tanto en el fondo como en la forma. Hay retratos de Goya en que la escuela francesa se trasluce, pese a la oposición fundamental entre una pintura basada en el dibujo y otra, como la de Goya, que se apoya en el color, en la mancha, en el borrón. En este aspecto, el parentesco de nuestro pintor con los ingleses parece evidente, no sólo en la tipología de ciertos retratos (dama joven al aire libre en un jardín; intelectual sentado o apoyado en mesa o clave; general en paisaje) sino en el modo de ejecutar el cuadro, no partiendo de un dibujo contorneado, cuyos compartimentos se van llenando de colores diversos, como en el estilo francés, sino entonando todo al mismo tiempo sobre el fondo de la imprimación de la tela, y dando a la figura ese aspecto de aparición que Ortega señalaba en Goya y que da su más sorprendente lozanía a los retratos de Gainsborough.

Con cualquier pintor de su tiempo puede ya rivalizar este Goya de después de la enfermedad, superando a todos en la personalidad, en el individualismo que sabe insuflar a sus modelos. Don Xavier de Salas comenta en los retratos de este momento «gran variedad de entonación y creciente riqueza de colorido» [28], mientras que en los inmediatamente anteriores nota grises y grises verdosos inspirados en las gamas francesas; aunque señala como fecha de dominio de este arte la bisagra entre ambos siglos, con los personajes resaltando sobre fondos indistintos o negros.

Este momento de sordera y de talento se ve animado por la presencia de la Duquesa de Alba, para cuya casa pinta Goya varios retratos excelentes hacia 1795: por lo pronto el de la Marquesa (madre) de Villafranca, suegra de la de Alba, tan fino y liso de ejecución que su excelencia puede pasar inadvertida a los aficionados exclusivos a la «veta brava» (Museo del Prado); los dos de su hijo, el de media figura (Chicago, colección particular) y el maravilloso de cuerpo entero, hojeando las canciones de Haydn (Prado) ambos muy «británicos»; en fin, los dos monumentales de la joven Duquesa,

Cat. 24   el de muselina blanca y adornos cereza (Colección Alba, Madrid) y el de Sanlúcar, en traje de maja (y no de luto, como suele repetirse) con aderezos amarillos y encarnados, a la orilla de un río que lo mismo puede ser el Guadalquivir que el Manzanares. En éste, la gallarda silueta de la dama se recorta sobre el fondo claro; en el otro es como un fantasma claro sobre un delicado azul tirando a perla. Y dejamos sin comentario dos deliciosos cuadritos de género: *La Duquesa y su Beata* y *La Duquesa y un petimetre* (Colecciones Berganza y Romana, Madrid), «conversation pieces» en miniatura [29]. Y también los apuntes retratísticos que hallamos en el *Album de Sanlúcar,* el llamado *Album B de Madrid* y en *Los Caprichos* (dibujos y grabados), entre los que *Volaverunt* y el suprimido *Sueño de la mentira y la inconstancia* aluden claramente al castigado amor del pintor por su noble y chulesca modelo.

Este atractivo majesco va a extenderse a varios modelos femeninos de retratos ulteriores y hasta a las «ángelas» de San Antonio de la Florida, que a veces parecen más dispuestas, con sus brazos en jarras, a dar achares que bendiciones; presta un misterioso «sex-appeal» a las dos llamadas Majas por antonomasia (Prado) [30], que se contagia a la propia Reina (retratos del Palacio Real y de diversas colecciones), que es una maja «de taco», a pie o a caballo (Prado). Con los bocetos y su plasmación en el retrato de grupo *La familia de Carlos IV* [Fig. 2], el Pintor de Cámara llega a la apoteosis de su arte, que luce generosamente en los retratos del favorito Godoy, pieza heroica y suntuosa (Academia de

Cat. 30   San Fernando) y de su desvalida esposa La Condesa de Chinchón, el más emocionante de los cuadros goyescos (Colección Sueca, Madrid) [31], así como de su cuñado el cardenal de Toledo (Prado y Sao Paulo). Para Beruete [32] es La familia «el conjunto más rico que haya salido de paleta alguna». Por una vez, el interés por las fisonomías no empece el interés por los trajes orientales, esos saris indianos y esas chinelas que encantarían a Renoir años después. Entre ese cuadro (1800) y la Guerra de la Independencia (1808) de extiende un repertorio pictórico cuya triunfal plenitud contrasta con los desastres de la política.

Cat. 32-31   Figuran entre esos retratos inmortales los de *La Condesa* y *El Conde de Fernán Núñez,* paradigmas majescos (Colección Fernán Núñez); el varón, con un desplante superior al de *Lord Montstuart,* pintado, a la española, en los montes de El Escorial, por Lawrence, en 1795 (Colección

Marqués de Bute), cuadro que Goya probablemente jamás vio, pero que se diría precedente del suyo. Joaquina Candado, la Condesa de Haro *[Fig. 36]*, la Marquesa de Lazán, la propia Marquesa (hija) de Villafranca *[Fig. 37]* (pese a sus pretensiones de pintora), la Sra. de Porcel, y la deliciosa Francisca Sabasa, con la abocetada Leona de Valencia, forman parte de ese goyesco paraíso de huríes llenas de desplantes, que imponen su belleza como un desafío para amantes levemente masoquistas; ninguna más aterradora que la famosa librera de la calle de Carretas (National Gallery, Washington) en su autoritaria presencia, casi varonil. Figuras como las de la Sra. de Sureda (National Gallery, Washington) o las de la Sra. Baruso y su hija Vicenta (Colección Oppenheimer, Johannesburgo), sin disputa admirables en cuanto a valores pictóricos, nos resultan inferiores por carecer de ese bravío encanto. Como caso excepcional de tema pedante tratado a la española, el retrato de la Marquesa de Santa Cruz (Colección Valdés, Bilbao) nos divierte con la forzada postura de musa reclinada de la atrevida modelo, empuñando su lira descomunal, y nos extasía con la suculencia de sus tonos, en una sinfonía dominada por el rojo soberbio del lecho.

Cat. 33

Entre los notables retratos varoniles de esos años, ninguno alcanza la apostura sencilla y elegante y el misterio psicológico de El Marqués de San Adrián (Museo de Pamplona), aunque el busto de Isidoro Maiquez (Prado) apenas le vaya en zaga en vigorosa delicadeza. De ese oscuro período de la historia de España son también los retratos ocasionados por la boda del hijo del pintor con Gumersinda Goicoechea, entre los que destacan los de los novios: ella, misteriosa, enigmática, con su traje «imperio» que le da ciertos aires de sibila griega, y él *l'homme en gris*, elegante y débil, cada cual con su perrito, emblema de fidelidad mutua (antigua colección Noailles, París). Junto a ellos, numerosas miniaturas y dibujos. Andando el tiempo, Goya retratará a sus consuegros (1810, Colección Casa Riera) y a su hermano Juan Bautista (Museo de Karlsruhe), siendo Juana Galarza, con los restos bravíos de su belleza envueltos en los encajes de la bata, quien más nos admira.

Cat. 36

De ese matrimonio nacerá el amadísimo nieto de Goya, Marianito, al que, a no dudar, dibujaría mucho. Nos quedan de ese vástago ilustre y desdichado tres maravillosas efigies: la primera, de cuerpo entero, terciopelo y seda, en pie ante un carricoche de juguete (c. 1808, Colección Larios, Málaga); la segunda, incomparable, de busto, con sombrero de copa, solfeando (c. 1813-5, Colección Alburquerque, Madrid), uno de los más tiernos retratos de este pintor de niños; y la tercera (1827, Colección particular, Lausana), busto romántico resuelto y expresivo. Cabría pensar que la fama de Goya en la alta sociedad está declinando. Pero también cabría preguntarse si esa reputación ha alcanzado alguna vez las proporciones que «a posteriori» le atribuímos. De hecho, Goya fue apoyado por un grupo, si selecto, limitado; casi sería más exacto decir tres grupos, no demasiadamente avenidos entre sí: el de la Reina María Luisa, el de la Duquesa de Alba y el de los Osuna, con la temporal adhesión de otros nobles e intelectuales. Si contáramos con datos numéricos exactos sobre la aristocracia española de fines del siglo XVIII y comienzos del XIX nos percataríamos de que la inmensa mayoría se interesó poco o nada por el retratista, que al principio le resultaba demasiado «de vanguardia», para pasar, casi de repente, según es costumbre en los «snobs» (que pocos años después va a disecar Thackeray), a creerlo pasado de moda y «a la antigua española». La afición a retratar a cómicos y toreros no deja de ser reveladora

Cat. 48

de esa relativa falta de favor entre la Grandeza. Su reputación parece mejor establecida entre escritores y políticos, seguramente por razones ideológicas, que suelen dominar en ellos a las puramente estéticas. En cualquier caso, y mientras avanza en su edad y en su pintura (cada vez más honda, menos pintoresca, más «negra» en lo cromático y en lo moral, más espesa y expresiva en pincelada y pasta), van aumentando los retratos que pinta gratis o por escaso dinero, como regalo a familiares y amigos, que le permiten «hacer observaciones a que regularmente no dan lugar las obras encargadas», por emplear sus mismas palabras [33].

Casi sin catarlo, la nación española se halla en guerra, tras el motín de Aranjuez, que entrega efímeramente la corona a Fernando VII. Inmediatamente, la Academia de Bellas Artes (28 de marzo de 1808) encarga a Goya de pintar su retrato. Sabemos que el nuevo rey posó para el pintor los días 8 y 9 de abril de 1808. De los dibujos o bocetos hechos entonces han de salir todos los retratos que Goya hará al «Deseado» (quien jamás manifestó la menor afición al pintor favorito de su madre y de Godoy) tanto en 1808 (el soberbio, ecuestre, de la Academia, nuevamente influído por Velázquez), como en 1814-15 (Prado, Zaragoza y Santander, etc.), fecha en que también retrata a caballo al General Palafox, defensor de Zaragoza (Prado). Dos años antes ha pintado, con no mucho acierto, al Duque de Wellington, en tres retratos (Apsley House y Galerías Nacionales de Londres y Washington) basados, al parecer, en un excelente dibujo del Museo Británico. Entre los retratos militares de este período trágico destacan los del comandante *Don Pantaleón Pérez de Nenín*, más aparatoso que sentido (Banco Exterior de España); del general y ministro afrancesado Don José Manuel Romero, severo e impresionante en el caparazón de su casaca (Colección MacCormick, Chicago); y del general francés Nicolás Guye (Colección Marshall Field, Nueva York), excelente ejemplo de compromiso estético entre Goya y la escuela de París, como ya lo había sido, en 1798, el Embajador Guillemardet (Louvre). Ni en uno ni en otro modelos galos (pese a la simpatía del pintor por lo francés) salta la chispa de connivencia entre el retratado y el espectador; sí que surge, como es natural en Goya, en el melancólico retrato del sobrinito del general, Víctor Guye (National Gallery, Washington), más íntimo si menos glorioso, que el de Pepito Costa, con sus juguetes bélicos (Metropolitan Museum, Nueva York).

Domina en sus efigies de la postguerra, en los diez últimos años madrileños, un tono simple, familiar, libre, que prescinde de seducir por las apariencias pintorescas y suntuarias. De entonces son los dos autorretratos del Prado y la Academia, los retratos de amigos como Rafael Esteve (Valencia), José Luis Munárriz (Academia de San Fernando), Francisco del Mazo (Castres), y de dos clérigos, *Fray Juan Fernández de Rojas* (Academia de la Historia), ingenioso autor de la *Crotalogía o Ciencia de las Castañuelas,* y Don José Duaso y Latre (Museo de Sevilla), censor de la Gaceta, que escondió al pintor en su casa a comienzos de 1824, durante las persecuciones del «terror blanco». El sobrino de éste, el alcalde de corte, Don Ramón Satué mereció un retrato despechugado y liberal (Rijksmuseum, Amsterdam). Con mayor boato, pinta Goya al arquitecto y director de la Academia, Don Juan Antonio Cuervo (Cleveland), pero con mucha mayor satisfacción a su pariente y colega Tiburcio Pérez y Cuervo (Metropolitan Museum, Nueva York), sonriente y en mangas de camisa, iniciando una

Cat. 4

Cat. 47

época nueva: uno de los personajes más simpáticos de la galería goyesca. Entre sus efigies femeninas descuellan la extraordinaria *Señora desconocida* de la Galería Nacional de Dublín y *Doña María Martínez de Puga* (Frick Col., Nueva York) que hay quienes creen pintada ya en Francia[34]. Y no debemos olvidar a la impresionante *Leocadia* *[Fig. 23]* de las pinturas negras (Prado).

Lo que pinta en Burdeos (1824-28) ahonda en esa sencillez, en esa sinceridad, en una soltura de técnica semejante a la de las contemporáneas miniaturas, hasta que el *Retrato de José Pío de Molina* (Winterthur) apenas se nota que quede interrumpido, porque Goya ya captó su «ectoplasma». El de *Juan B. Muguiro* *[Fig. 26]* (Prado) con su traje azul marino, a la moderna, sin bordados ni encajes, camisa blanca, sencilla corbata anudada al cuello, parecería, como se ha repetido, de la época y estilo de Manet, si no descubriéramos, al acercarnos, la técnica de las manos nacaradas y gordezuelas, como no se habían pintado desde los enanos de Velázquez (Museo del Prado). *Mutatis mutandis,* este Muguiro es el único acompañante digno del bufón Don Sebastián de Morra... Una de esas manos sostiene una carta desplegada, con un sello de lacre, que nos trae mucho más hacia acá que Manet: por lo menos hasta Bonnard... «Por toda la hermosura / nunca yo me perderé / sino por un no sé qué / que se alcanza por ventura», escribe San Juan de la Cruz[35], a quien indignamente copio: porque yo, que no me perdería por las telas sedosas de Mengs y los táctiles entorchados de López, me *pierdo* por ese lacre medio roto... Como Tiziano en su autorretrato del mismo Prado, hecho cuando el gran pintor está «de vuelta» de primores y efectos técnicos, Goya ya no puede ir más lejos. Ese simple lacre sella dignamente una carrera que, como hemos visto a grandes zancadas, va desde la aplicada torpeza a la insuperable simplicidad, después de haber dejado un copioso reguero de sedas y terciopelos, cejas y pestañas, encajes y diamantes, gasas y rizos, miradas y ademanes.

Respecto a los formatos de presentación, Goya se nos revela tanto por lo que pintó como por lo que no pintó, o pintó poco. Escasos retratos ecuestres, sin duda por falta de encargos y por la tendencia dominante a fines del siglo XVIII hacia el retrato íntimo, casero, relacionado con viviendas cada vez menos amplias; por las mismas razones, pocos retratos de grupo, como los ya examinados. Abundantes retratos de cuerpo entero, en especial si el modelo es un niño, que ocupa menos lienzo, o un monarca o príncipe, que exige esa dimensión majestuosa. Pero, aun en este caso, mayor abundancia de retratos (más exactamente que medias-figuras) de tres cuartos, hasta las caderas o rodillas de los representados, muy aptos para su colocación encima de una chimenea o en el testero de una sala no excesiva. Un formato que Goya cultiva con cierta frecuencia y originalidad es el que cabría llamar de «busto con mano», es decir un personaje que se las arregla para asomar la mano a la altura de pecho, por encima del marco que lo aprisiona. Pensemos, por ejemplo, en su primer retrato posible, el de *Manuel de Vargas Machuca* (1771, Sao Paulo) o uno de los últimos, el de su amigo Moratín (1824, Museo de Bilbao). Bustos sin manos o, sencillamente, cabezas (como las del infante don Luis *[Fig. 1]* y su cónyuge) figuran muy pocas veces en el catálogo goyesco, aunque, por razones obvias, aparezcan varias en los autorretratos.

Ese tema de las manos no deja de tener su miga. Sabemos que Goya cobraba más caro un retrato con manos que sin ellas, lo que en ocasiones justifica el ademán (proto-napoleónico) de algunos de sus modelos, escondiendo una de ellas entre los botones de la chupa o casaca. Al hablar del *Retrato de Vargas de Ponce* (Academia de la Historia) que aparece con las manos escamoteadas, el editor de las cartas de este marino, Cesáreo Fernández Duro, en un repetido texto[36], cuenta que el modelo, al decirle el pintor que cobraba más por los cuadros con manos, decidió que se suprimieran.

En los fondos, que ha estudiado Manuel Gómez Moreno[37], «Goya fue uno de los pintores menos pintorescos»... y «no hizo fondo alguno en que podamos recrearnos, ni aun reproducirlo por separado»... «Por instinto, él iba al meollo de las cosas». Los ejemplos de Velázquez y, más tarde, de El Greco le enseñaron a concentrar efectos en la fisonomía y silueta —siempre expresiva— de la persona. Una silueta con facciones son los retratos de Tintoretto, Bassano y a veces Tiziano y Veronés que tanto contribuyeron a encaminar una escuela, como la española, ávida de trascendencias. Alguna vez, el fondo se impone por su significado: por ejemplo, los soldados haciendo la instrucción según las reformas de *El Marqués de Bondad Real* (The Hispanic Society, Nueva York), o el campamento de tierras de Olivenza en *El Príncipe de la Paz* (Academia de San Fernando). Hay fondos con paisaje o jardín, cuando así conviene a la persona (Tadea Arias, La Tirana, la Duquesa de Alba) y, menos, de arquitecturas o salones (una columna para *El arquitecto Ventura Rodríguez;* un salón para que se reúna *La Junta de Filipinas...) [Fig. 27].*

Lo que Goya prefiere es un fondo neutro, grisáceo, verde, marrón o negro, ante el que se recortan el retratado y (de ser preciso) algunos elementos que componen su marco de actividad o de reposo: un escritorio, una silla o butaca, un caballo —como en Pérez de Nenín—, unos juguetes, un perro, un caballete —como en Doña Josefa Palafox, pintando a su marido, cuñado de la duquesa de Alba—, que Goya combina con la maestría de un director escénico moderno para producir un *ambiente.* Magistrales son los efectos de ámbito palatino de ilimitada amplitud, gracias a una alfombra o suelo cuya perspectiva desaparece en la sombra *(Condesa de Chinchón, Duque de San Carlos).*

Con esos elementos del decorado colaboran (y en ocasiones los suplantan) el traje y la apostura del modelo. No de otro modo montaba sus espectáculos Jean Vilar en el Palais de Chaillot de París hace escasos años, sin más decorados que cámaras negras, unos focos que iluminan lo que en cada momento interesa, unos muebles escasos y expresivos, unos trajes que informan de la situación social y hasta sentimental del personaje, y que se bastan, con sus colores, para crear un ámbito cromático y pintoresco. Eliminando cada vez más las indicaciones vestimentarias cuando se trata de parientes y amigos, Goya no las regatea cuando pueden completar, no sólo el cuadro, sino la personalidad de su protagonista. Las ricas casacas forradas de pieles de Jovellanos *[Fig. 29],* Cabarrús o Urquijo nos ilustran sobre esos personajes tanto como sus fisonomías. Una aristócrata vestida de maja, como la de Fernán Núñez, nos está haciendo una confesión sobre sus gustos populares; otra, como la de Osuna, vestida a la francesa o a la inglesa, nos permite prever la copiosa biblioteca de los Alfonso-Pimentel. En raros casos, el traje toma reminiscencias clasicistas: por ejemplo en los retratos de *La Marquesa de Santa Cruz* o de *La Duquesa de Abrantes,* retratos (paganos) a lo divino, que personifican a Euterpe o Terpsícore, musas de la poesía amorosa y del canto. En general es, más bien, realista y el pintor, en

Cat. 34

Cat. 30-45

Cat. 32

Cat. 49

especial en los momentos optimistas de triunfador antes de su enfermedad, se complace en la descripción detallada —pero de libre técnica— de volantes, gasas, perifollos y ramilletes *(La Duquesa de Osuna, La Marquesa de Pontejos) [Fig. 24]*, con una delicadeza que suele ser el reverso de su medalla de aragonés rudo y sincero. Pero su afición —o la de sus clientes— lo lleva a los trajes achulados, de majo o manola, propios de toreros (Romero, Pepe-Illo, Costillares. etc.) y actores (Mocarte) o de las cómicas (Rita Luna, Antonia Zárate), pero no menos de las damas de alta y media sociedad, que se hacen las castizas por no parecer petimetras y afrancesadas (Sra. de Porcel). Entre los atributos de profesión que suele pintar dominan (como es natural en un pintor de Cámara) cetros y coronas, armiños y mantos, que despacha con rapidez efectiva, salvo en ocasiones (como el primer retrato regio de la pareja Carlos IV y María Luisa, con tontillo (Museo del Prado), o los del mismo rey de cazador (Palacio Real y Museo de Nápoles) en que interesa lo contrario.

Cat. 4

Los arreos castrenses se prestan, como de costumbre, a juegos bruscos y elegantes de color, bermellón, carmesí, amarillo o azul, que, en unión de charreteras y galones, componen figuras mejestuosas (El general Urrutia) un poco a la inglesa. Las ropas talares inspiran audacias coloristas (el Cardenal don Luis de Borbón, el Arzobispo Company, el Obispo Fernández Flores) o, de ser monocromas, permiten una fuerte y expresiva silueta (Fray Juan Fernández de Roxas o el, casi luciferino en su atractiva sonrisa volteriana, Padre Llorente)[38]. Los trajes ministeriales y las medallas y bandas anejas son presentados con rapidez y abundancia de pinceladas chisporroteantes; jamás las condecoraciones han merecido con mayor justicia la denominación de «crachats» (escupitajos) que les dan los parisienses. Por lo menos, Goya alcanzó una cuyo colorido no le molestaría: la «Berenjena» del rey intruso, que no sabemos si llegó a lucir.

Cat. 47

El recado de escribir, que aparece con cierta frecuencia, está pintado con soltura y finura sin iguales (retratos de los ministros Jovellanos y Saavedra, de Colón y Munárriz, de Moratín y Muguiro), como algo que Goya, autodidacto en muchas cosas, siempre agradecido a sus maestros los P. P. Escolapios, venera ante todo: la instrucción.

Pero en eso, como en todo, apreciamos una tendencia cada vez más acusada hacia la síntesis, como si el Goya maduro y en posesión de todos los medios de su arte se percatara de que jamás tendrá tiempo de pintar lo que quiere y debe. De los retratos barrocos y aplicados de los primeros tiempos hemos pasado a la sencillez elegante y a la materia fina de la época gris, abandonada en aras de una representación más variada, completa y abundante del mundo y sus colores. Más adelante, insistiendo en tonos fuertes, pero escasos, y en la materia, pastosa y rica, se irá hacia los fondos oscuros o negros, sobre los que aparecen con un gesto inolvidable, seres abocetados y matéricos, que llevarán la paleta hacia la densidad y grosor de la pre-guerra. A partir de esa catástrofe, Goya se libera de encargos, pinta para sí o para quienes quiere, parientes, amigos, protectores, burgueses.

Podemos señalar, en esta evolución, la de las ambiciones del propio Francho. Pintó retratos esmerados, para lograr un ascenso social, como el de Floridablanca; retratos de encargo político, como los de Sus Majestades, que acaban aburriéndole, o los de dignatarios o ministros, ejecutados en ocasiones con la desenvoltura y antipatía del de Caballero, en otras (si son liberales), con afecto de artista y

Cat. 3

amigo. Hay retratos cuyo único motivo es ganar unos miles de reales y ello se nota nada más verlos (Marquesa de Caballero, Sra. y Srta. de Baruso); y otros en que el pintor se dirige a quien sabrá apreciar su labor (Villanueva, Asencio Juliá, P. Roxas, Moratín, Satué...). Estos son retratos de vocación, que alcanzan su grado máximo en los de personas de la familia, el hijo, la nuera, el nieto querido. El misántropo de los aguafuertes adora a los niños.

Pero todos viven, los medianos (francamente malos, no existen), como los buenos y los excelentes. Todos ellos poseen la irreprimible vitalidad que al comienzo de estas líneas se anotaba. Todos han quedado eternizados por Goya, no como mariposas de colección, que no conservan de vida sino el color de las alas; no como cuadros museales, que hay que aderezar, para digerirlos, con copiosos riegos de explicaciones. Los retratos que pintó Goya viven para nosotros, en un concentrado momento de su ya remota existencia. Son amigos o acaso enemigos: hay español que detesta a Fernando VII por culpa de Goya, como lo hay que admira a Tiburcio Pérez Cuervo o a Juan Meléndez Valdés sin conocer sus obras. Cuando salgamos de esta exposición habremos ampliado el círculo de nuestras relaciones. Sentiremos cariño por la Chinchón, respeto por la de Osuna, desconfianza por San Carlos, afecto por Marianito, curiosidad por la de Abrantes, simpatía por los Fernán Núñez. Nos gustaría volver a ver a solas (como cortejos) a la de Lazán y a la de Alba; escuchar las bromas de Fray Juan Fernández de Roxas. O que Cabarrús, Larrumbe, Tolosa, Toro o el diminuto Altamira nos aconsejaran en la apretada situación de las finanzas actuales. Nos gustaría que los Goicoechea nos contaran algo que ignoramos: lo que Goya significaba para ellos en su tiempo. Pero para eso hemos de acudir a los autorretratos, dialogantes consigo mismos y con los demás, desde la petulancia juvenil hasta el desengaño de la vejez, pasando por el momento en que el trabajo, el arte, parecen justificar una existencia. Y no hallaremos sino más interrogantes...

Hasta quedar con una sola certidumbre; ese baile de espectros jamás muertos a que Goya nos invita no puede ser casual, gratuito ni inútil. Su afán de vivir y pervivir no puede ser sin causa. Dios no pudo inventar a este inventor, crear a este creador, dar vida a este vivificador, para llenar el vacío de un aburrimiento cósmico. Como Marc Chagall al salir del Louvre de ver la *Betsabé* de Rembrandt, nosotros podemos decir, al despedirnos de tantos conocidos y amistades, una sencilla frase: «Goya me quiere».

Cat. 24

JULIÁN GÁLLEGO

NOTAS

Nigel Glendinning

En muchos detalles este ensayo sigue la misma línea que mi libro Goya and His Critics *(London-New Haven, 1977). La mayoría de las citas del presente estudio (y sus fuentes) se encuentran allí y resultan fáciles de localizar. Por lo tanto no repito ahora todas las fuentes en las notas a pie de página, salvo en los casos más problemáticos, o en aquellos cuyas referencias me llegaron después de escrito el libro. La edición española, publicada por Ediciones Taurus, está en prensa.*

(1) Véanse los premios obtenidos por Goya en los sorteos del Real Empréstito de 1797 en Antonio Rodríguez-Moñino, «Incunables goyescos», en el *Bulletin of Hispanic Studies,* LVIII (1981), pág. 295.

(2) Para la suerte de este cuadro, que no se ha podido identificar, véase Antonio Rodríguez-Moñino, art. cit., págs. 305-306. Se expuso en 1797.

(3) Cumberland estuvo en Madrid en 1780-81, y sabemos que compró algunos grabados de las pinturas de Velázquez gracias a las referencias que da en su Catálogo de las obras de arte que se encontraban en el Palacio de Madrid. Véase Antonio Rodríguez-Moñino, art. cit., pág. 301, núms. 16 y 17.

(4) Véase mi artículo: «Goya and England in the Nineteenth Century», *The Burlington Magazine,* CVI, número 730, págs. 5-6. No es del todo seguro que el duque haya comprado su ejemplar de los *Caprichos* durante la guerra.

(5) Véase el folleto *Notice d'une collection d'estampes encadrées, en feuilles et en recueil... dont la vente se fera...* 11, 12, mai, à l'hôtel Bullion, París, 1826, núm. 99.

(6) Mathéron dice que se retiraron estos cuadros, por no ser auténticos, antes de hacerse la subasta. Sin embargo, ya que surgen cuadros de la serie en otras subastas, parece cierto que se vendieron. La venta a la que se refiere Mathéron es la de la Colección Barroilhet (1855, doce de marzo y 1856, diez de marzo). En estas ventas se afirmaba que los cuadros goyescos procedían de las colecciones de M. L..., de Madrid y de M. Francisco Gama Chico. Vuelve a citarse toda la serie en la venta hecha por M. Fevre el 28 y 29 de enero de 1856. Aparecen dos cuadros nuevamente en 1864 (venta D. L. V., 12 de diciembre), cuatro en la venta E. A. de 8 de febrero de 1872, tres en la venta Champfleury (28 y 29 de abril de 1890), uno en la venta Moreau Chaslon (23 de marzo de 1891) y dos más en 1899 (5 de mayo, colección del conde Armand Doria). Es posible que algún cuadro más perteneciente a la serie también se haya vendido. ¿No será la pintura con el título *Jeune fille et mendiante* copia del Capricho núm. 16 (*Dios la perdone y era su madre)?* Se vendió un Goya con este título el 25 de febrero de 1881.

(7) Véase el Catálogo de la exposición *Pintura española de los siglos XVI al XVIII en colecciones centro-europeas,* Madrid, diciembre 1981-enero 1982, núms. 13 y 14, pág. 64.

(8) Véase Jeannine Baticle y Cristina Marinas, *La Galerie espagnole de Louis-Philippe au Louvre 1838-1848,* París, 1981, págs. 82 y sigs. (núms. 101-108); págs. 271 y siguientes, anejos núms. 24-26.

(9) Se trata de la *Exposition de tableaux de maîtres anciens au profit des inondés du Midi.* Uno de los retratos goyescos de mujeres es el que se solía identificar con Carlota Corday y que ya no se cree que sea de Goya (núm. 60). Tampoco se cree que la *Corrida* expuesta sea suya, sino de Lucas (núm. 59). Según el libro sobre Lucas de Arnaiz existen bocetos preliminares para este cuadro firmados por Lucas, lo cual parece respaldar la atribución actual.

(10) Véase *The Athenaeum,* núm. 2624, 9 de febrero de 1878, pág. 196. Parece que la exposición en la que Riaño vio las Pinturas Negras tuvo lugar en Madrid en febrero de 1878, antes de la Exposición de París del mismo año. Quisiera hacer constar mi agradecimiento a mi amiga Enriqueta Harris Frankfort, que me proporcionó esta referencia, desconocida antes para mí.

(11) Véase Ilse Hempel Lipschutz, *Spanish Painting and the French Romantics,* Cambridge (Mass.), 1972, pág. 393, nota 32.

(12) Carta citada por el marqués del Saltillo, en «Las pinturas de Goya en el Colegio de Calatrava de Salamanca (1780-1790)», *Seminario de Arte Aragonés,* VI (1954), pág. 7. No se encuentra esta carta en el recién publicado *Diplomatario de Francisco de Goya,* Zaragoza, 1981.

(13) Véase *Diario de González de Sepúlveda,* Tomo IV, 1789-1792, Biblioteca Nacional, Madrid, MSS 12628, f. 114. Se trata de uno de los muchos pasajes tachados por el mismo autor y de dificilísima lectura. El diarista solía repasar sus *Diarios* cada dos o tres años, borrando en muchos casos precisamente lo que más nos interesa ahora.

(14) Véase el retrato de María Luisa que se conserva en el Museo de Bilbao, en el que resulta la reina más fea que en ningún retrato de Goya.

(15) Véase nuestro artículo «Goya's Patrons», en *The Apollo Magazine,* CXIV, núm. 236 (octubre de 1981), pág. 238. El año del premio fue 1793. Se publicaron dos de los grabados hechos del retrato de Goya ese mismo año.

(16) Véase Antonio Rodríguez-Moñino, art. cit., pág. 306, núm. 30.

(17) Véase Nigel Glendinning, *Goya and His Critics,* London, New Haven, 1977, pág. 64.

(18) Id., pág. 54.

(19) Museo Británico, MS Egerton 585, reproducido por primera vez en V. von Loga, *Francisco de Goya,* Berlín, 1903 y 1925, págs. 162-3.

(20) Ibid.

(21) Véase *Goya and His Critics,* pág. 47. La referencia fue recogida primero por mi llorado amigo Xavier de Salas en sus «Precisiones sobre pinturas de Goya...», *AEA,* XLI (1968), págs. 1-16.

(22) Véanse los datos que doy sobre Peral en mi artículo «Goya's Patrons», *Apollo,* CXIV, núm. 236 (1981), págs. 244-245.

(23) Publicó esta cita Jeannine Baticle en «Un nuevo dato sobre los 'Caprichos' de Goya», *Archivo Español de Arte,* XLIX (1976), núm. 195, pág. 330.

(24) *Diarios de González de Sepúlveda,* Libro 11, f. 44 (15 de mayo de 1806). MSS de la Fábrica Nacional de Moneda y Timbre. En ésta y las demás citas modernizamos la ortografía.

(25) Véase Antonio Rodríguez-Moñino, *Goya y Gallardo,* Madrid, 1954, pág. 11.

(26) Carta número 51 de Fray Manuel Bayeu a Martín Zapater, 4 de agosto de 1781. Antigua colección Casa Torres, ahora en el Museo del Prado.

(27) Véanse Marqueses de Arany y de la Cenia y D. Antonio Ayerbe, *Cuadros notables de Mallorca... Colección de D. Tomás de Verí,* Madrid, 1920, carta de Ceán reproducida en facsímil entre las págs. 107 y 108.

(28) Carta de Ceán Bermúdez a Don Francisco de Paula Pereyra, MSS de la colección Morel-Fatio, núm. 180, Bibliothèque de Versailles, Francia.

(29) *Goya and His Critics,* pág. 44. Recogida la carta por Léon-G. Pélissier, *Le portefeuille de la Comtesse d'Albany (1806-1824),* 1902, pág. 391 (Carta núm. 189).

(30) Véase «Essai d'un Relevé des Catalogues des ventes où le nom de Goya a figuré», en X. Desparmet-FitzGerald, *L'Oeuvre peint de Goya,* París, 1928-1950, II, págs. 259-278, especialmente la pág. 261 (Vente Galerie Salamanca, núm. 176). Eugenio Lucas y Padilla también hizo una copia de la versión de las *Majas al balcón* en la colección de Salamanca. Hizo un dibujo de otra versión y un óleo de la *Maja y Celestina al balcón.*

(31) Este interesante cuadro de Eugenio Lucas se encuentra en la colección de la Hispanic Society of America. Se titula «Escena de Carnaval». Véase E. du Gué Trapier, *Eugenio Lucas y Padilla,* New York, 1940, Lámina XXIII.

(32) Los únicos datos que conocemos sobre Juan de Salas y su colección de pinturas se encuentran en *Cuadros notables de Mallorca,* Madrid, 1920, págs. 11 y 12.

(33) La correspondencia entre Francisco Bayeu y Martín Zapater abunda en referencias taurinas.

(34) Las referencias a los *Desastres de la Guerra* que da Gautier en sus artículos sobre Goya, recogidos luego en su *Voyage en Espagne* (capítulo XI), apenas mencionan los «Caprichos enfáticos» al final de la serie. El único grabado al que cita de estos últimos es «Nada» (número 69).

(35) Véase *Goya and His Critics,* pág. 55.

(36) Estos datos y los siguientes se basan sobre el «Essai d'un Relevé des Catalogues des ventes où le nom de Goya a figuré», ya citado. Véase la nota 30 arriba.

(37) Para el análisis de su simetría, véase Charles Bouleau, *Charpentes. La Géométrie secrète des peintres,* París, 1963.

(38) Véase X. Desparmet-FitzGerald, ob. cit., II, pág. 261.

(39) Id., pág. 259 y sigs.

(40) Id., pág. 268 (Venta Charles Yriarte, núms. 10, 11 y 12). Todos estos cuadros se describen como «copie[s] d'après Goya».

(41) Fue mi amiga Juliet Bareau quien encontró la pista del cuadro expuesto en la Quai Malaquais, descrito por Huysmans. Para más datos sobre su procedencia, véase Rudolf Koella, *Collection Oskar Reinhart (Ides et Calendes),* Neuchâtel, 1975, pág. 347. Pierre Gassier cree que se trata de otro cuadro (véase su catálogo *Goya dans les collections suisses,* Martigny, 1982, núm. 12). Pero no creo que pueda tener razón. Los detalles descritos por Huysmans y Maurice Hamel a los que luego nos referimos, no se hallan en el cuadro que se expuso en Martigny.

(42) Véase *Gazette des Beaux-Arts,* 29ᵉ annés, 2ᵉ période, tomo 35 (1887), pág. 251.

(43) Véase Alfred Werner, *The Graphic Works of Odilon Redon,* New York, 1969, núms. 9, 13, 16, 21 y 22.

(44) El ejemplar fue reproducido por Campbell Dodgson en la hermosa edición de los *Desastres* hecha en Oxford en 1933.

NOTAS

(45) Véase A. Rodríguez-Moñino, «Incunables goyescos», ed. cit., núm. 38, págs. 309-310.

(46) Id., núms. 33-37, págs. 307-309.

(47) Castelar menciona a Goya en sus novelas *Ernesto* y *Ricardo*, y escribió una interesante reseña del libro de Charles Yriarte, publicada en la *Revista de España*, X, 1869, págs. 161-170. López de Ayala poseyó uno de los comentarios manuscritos sobre los *Caprichos*, cuyo texto fue reproducido por el conde de la Viñaza en 1887.

(48) Ellis compró las planchas de la serie de aguafuertes del Támesis y fue él quien la publicó. Véase H. Mansfield, *A Descriptive Catalogue of the Etchings and Dry-Points of James Abbott McNeill Whistler*, Chicago, 1909, página xlvi.

(49) *Goya and His Critics*, pág. 301. Hamerton basaba sus ideas más que nada en las Pinturas Negras.

(50) Los títulos son «Moratín y Goya estudiando las costumbres del pueblo de Madrid», «La duquesa de Alba en San Antonio de la Florida» y «Goya y el torero Pepe-Hillo en una romería».

(51) Estudié estas fotografías en mi artículo «The Strange Translation of Goya's Black Paintings», *The Burlington Magazine*, CXVII, núm. 868, págs. 465-479.

(52) Pensamos sobre todo en la novela de L. Feuchtwanger *Goya oder Der Arge Weg der Erkenntnis*, Frankfort, 1951.

(53) Véase John Crispin, «Antonio Sánchez Barbudo, misionero pedagógico», en *Homenaje a Antonio Sánchez Barbudo*, Madison, 1981, págs. 15-16.

(54) Sobre el sentido político —y sobre todo constitucional— de algunos de los «Caprichos enfáticos» en los *Desastres de la guerra*, véase mi artículo «A Solution to the Enigma of Goya's Emphatic Caprices», *Apollo*, CVII, núm. 193, marzo 1978, págs. 186-191. Excelente estudio del sentido político de una serie de dibujos de Goya es el libro de José López-Rey, *A Cycle of Goya Drawings. The Expression of Truth and Liberty*, London, 1956.

(55) Véase la declaración de los futuristas publicada como panfleto el 11 de abril de 1910: «Núm. 2. Declaramos que es preciso rebelar contra la tiranía de los términos «armonía» y «buen gusto», por ser expresiones demasiado elásticas, con cuya ayuda sería fácil demoler las obras de Rembrandt, de Goya y de Rodin» *(Futurist Manifestos*, ed. Umbro Apollonio, London, 1973, página 30). Parece deducirse de esta referencia que los futuristas estaban a favor de las obras de Goya (y las de Rembrandt y Rodin).

(56) Ozenfant, *Foundations of Modern Art*, trad. inglesa por J. Rodker, New York, s. a., pág. 228, nota a pie de página.

(57) Nolde hizo versiones de varios *Caprichos* (núms. 48, 51 y 62), el llamado «Disparate de bestia» y las *Majas al balcón*. En todas ellas acentúa las formas básicas mediante el empleo de efectos claroscuros, y en todas hay un sentido latente de inquietud, lo cual añadiría un valor expresionista a las versiones. No conozco más «Goyas» de Nolde que los que se reprodujeron en el Catálogo de la Exposición *Goya. Das Zeitalter der Revolutionen*, organizada en el Kunsthalle de Hamburgo en 1980, pág. 93, lámina 35.

Julián Gállego

(1) Ramón Gómez de la Serna: *Goya* (Madrid, s. d. —1928?—), pp. 225-226.

(2) José Ortega y Gasset: *Goya* (Madrid, 1958-66), pp. 102-104.

(3) Lady Holland, en *The Spanish Journal of Elizabeth, L. H.* (Londres, 1910) calificaba de *indecente* el parecido del hijo menor de la reina con Manuel Godoy.

(4) Juan Francisco de Andrés de Ustarroz: *Obelisco Histórico i Honorario que la Imperial Ciudad de Zaragoza erigió a la inmortal memoria del serenísimo Señor don Balthasar Carlos...* (Zaragoza, 1646, c. p. XII, pág. 107 ss.).

(5) Alonso Martínez de Espinar: *Arte de Ballestería y Montería* (Madrid, 1664).

(6) Francisco de Goya: *Diplomatario* (Edición preparada por Angel Canellas López, Zaragoza, 1981), pág. 250, núm. 72.

(7) Cf. Marc Chagall: *Ma vie* (Prefacio de André Salmon, París, 1931).

(8) Julián Gállego: *Autorretratos de Goya* (Zaragoza, 1978). Respecto al supuesto autorretrato con sombrero del Museo de Zaragoza, cf. Rogelio Buendía, «Bayeu y no Goya» (en *Conversaciones sobre Goya y el Arte Contemporáneo*, Zaragoza, 1980. (Institución Fernando el Católico del C. S. I. C.).

(9) Erwin W. Palm: *Ein Grazien-Gleichnis: Goyas Familie Karls IV* (in «Pantheon» Sonderdruck Heft XXXIV / I, 1976, pág. 38 ss.).

(10) C. Friedrich Hebbel: *Judith* (versión de R. Baeza, Madrid, 1918, pág. 109).

(11) Cf. Neil MacLaren: *The Spanish School* (National Gallery Catalogues, Londres, 1952, pp. 10-11).

(12) E. Lafuente Ferrari: Introducción a la edición española de W. Weisbach: *El Barroco, arte de la Contrarreforma* (Madrid, 1920).

NOTAS

(13) Ver Carlos Pereyra: *Cartas confidenciales de la reina María Luisa y de don Manuel Godoy* (Madrid, s. d.).

(14) Cf. J. Gállego: *Las Majas* (Madrid, 1982).

(15) En las preparaciones o «composición de lugar» de sus *Ejercicios.*

(16) Cf. por ej. Jusepe Martínez: *Discursos...* (pág. 138 de la edición de Barcelona, 1950).

(17) Cf. J. Gállego: *El Museo Goya de Castres* (en «Heraldo de Aragón», 12-X-79).

(18) Cf. J. Gállego: *Autorretratos...* J. Buendía, op. cit.

(19) José Camón Aznar: *Goya* (tomo I, pág. 72, Zaragoza, 1980).

(20) Ver por ej. P. Gassier-J. Wilson: *Vie et Oeuvre de Francisco Goya* (Friburgo 1970, números 25 a 28 incl.).

(21) Ver Museo del Prado: *Catálogo de las Pinturas.* Número 2.446.

(22) F. Nordström: *Goya's state portrait of the Count of Floridablanca* (tomo XXXI de Konsthistorisk Tidscrift, 1962).

(23) F. de Goya: *Diplomatario,* pp. 247 a 251.

(24) Ver José Gudiol: *Goya* (Barcelona, 1970).

(25) Señala Sánchez Cantón la semejanza de este grupo con «La familia de James Baillie» de Gainsborough, que Goya pudo conocer a través de la estampa. El aragonés pintó también a los tres «señoritos», de cuerpo entero. (Cf. F. J. Sánchez Cantón: «Los niños en las obras de Goya»: En *Goya, cinco estudios,* Zaragoza, 1949).

(26) Aureliano de Beruete: *Goya, pintor de retratos* (Madrid, 1916).

(27) Enrique Lafuente Ferrari: «Goya y el arte francés» (en *Goya, cinco estudios,* antes citado).

(28) Xavier de Salas: *Goya en Madrid* (Madrid, 1978).

(29) Cf. J. Gállego: *Las Majas.* El retrato que llamamos «de Sanlúcar», por estar inspirado en la estancia de Goya en la residencia de la Duquesa en el Coto de Doñana, da el más acabado ejemplo de maja aristocrática. (The Hispanish Society of America, Nueva York). Su técnica, acuarelada, es milagrosa.

(30) Sobre estos temas ver *Las Majas,* citado supra.

(31) Cf. J. Gállego: *En torno a Goya,* Zaragoza, 1978.

(32) A. de Beruete: Op. cit.

(33) En su célebre carta a don Bernardo de Iriarte (cf. *Diplomatario,* pág. 314).

(34) Cf. Rita de Angelis: *L'opera completa di Goya* (Milán, 1974, pág. 135). Ver también Eleanor A. Sayre: *Goya's Bordeaux Miniatures* (en «Boston Museum Bulletin», tomo LXIV, núm. 337, Boston, 1966) en que se coteja este cuadro con las miniaturas pintadas en Burdeos.

(35) San Juan de la Cruz: *Poesías completas* (Madrid, «Signo», 1936, XX, «Glosa a lo divino», pág. 57).

(36) Cf. Número extraordinario dedicado a Goya del «Boletín de la Real Academia de la Historia» (Madrid, 1946, pág. 25).

(37) En el mismo Boletín, Manuel Gómez Moreno: *Los fondos de Goya* (pág. 29 ss.).

(38) Sobre estos temas se verán con provecho los estudios de Edith Helman, en especial *Trasmundo de Goya* (Madrid, 1963) y *Jovellanos y Goya* (Madrid, 1970). En éste se incluye un estudio sobre «Fray Juan Fernández de Roxas y Goya», anteriormente publicado en el *Homenaje al Prof. Rodríguez Moñino* (Madrid, 1966).

NOTAS

Catálogo

ENRIQUE LAFUENTE FERRARI

Las fichas bibliográficas y de exposiciones han sido realizadas
bajo la dirección de María de los Santos García Felguera
por Adriana Pascual, Mercedes Franco y Pilar Carderera con
la colaboración de Ana Jessen

Recordando a Ortega y Gasset, al ocuparnos de un hombre del pasado, artista o no, hay que hacer constar que en su biografía, es decir, en el estudio o relato de su vida, hay que tener en cuenta la acción capital que sobre ella realizan tres factores esenciales: vocación, circunstancia y azar. En un artista, la vocación es la materia prima, pero de nada serviría si las circunstancias de la vida no ayudasen a su desarrollo —hay vocaciones que mueren inéditas por falta de sustentarlas en las circunstancias. Mas en la vida cuenta como importante también el azar. Y una vida lograda es aquella en que se consigue la conjunción feliz de los tres factores.

Al comenzar esta introducción a una exposición de cuadros de Goya, seleccionados en las colecciones de Madrid, recuerdo que en la vida personal del que suscribe, han pasado también de manera singular, ya en relación con Goya, esos elementos. Al seleccionar los cuadros para esta exposición, no puedo menos de recordar, que hace nada menos que 55 años, me ocupé en otra tarea semejante, primeriza para mí en aquella ocasión: la preparación del catálogo de la exposición conmemorativa del primer centenario de la muerte de Goya, en 1928, celebrado también en el Museo del Prado.

A lo largo de estos 55 años, en una dilatada vida dedicada vocacionalmente a la Historia del Arte, no he dejado de ocuparme de la obra del gran pintor español. Cierto es, que no me propuse nunca la realización de un gran tratado o volumen sobre la vida y obras de Goya, sino que he ido ocupándome, según las circunstancias y el azar, de obras concretas o series de ellas, pinturas, grabados o dibujos, de manera esporádica y sucesiva. Tengo, pues, harto cumplidas mis bodas de oro con Goya, cuando, por una circunstancia que celebro, he venido a poner mi mano en el catálogo de esta exposición.

Cierto es que Goya es inagotable y siempre habrá ocasiones de volver a ocuparse con nuevos enfoques o puntos de vista de las creaciones de este abrupto genio, tan ibérico. Volviendo la vista a lo que nuestro conocimiento de Goya se ha ensanchado desde 1928, hay motivos para comprobar que el arte del maestro aragonés ha sido el que más ha atraído la atención mundial entre los artistas españoles, no sólo de los especialistas, sino de investigadores y pensadores de todo el mundo. La investigación no ha descansado; hoy sabemos mucho más sobre Goya que sabíamos entonces; aportaciones de documentos, precisiones de datos, fijación de la cronología, exposiciones de sus obras; han sido aportaciones tan copiosas como puede demostrarlo parcialmente la bibliografía que acompaña a este volumen, aunque ésta sólo se refiera a lo que ha sido pertinente en el estudio de las obras incluídas en el catálogo, bibliografía que no pretende, ni mucho menos, ser completa.

Pero Goya ha provocado además la atracción y la reflexión sobre su obra a escritores y pensadores que no eran historiadores del arte y que han aplicado su indagación a las resonancias e implicaciones que el arte de Goya suscita en los espíritus despiertos y vigilantes sobre los aspectos que su arte tiene de trascendencia universal. Los nombres de Aldous Huxley, Ortega, Malraux y Mihallji Merin, pueden servir como ejemplos.

Nacido en 1746, la vida de Goya va a transcurrir en una de las épocas más críticas de la Historia Europea, ya que abarca toda la segunda mitad del siglo XVIII y más del primer tercio del siglo XIX, época de profundos cambios, decisivos en la sociedad y en el pensamiento europeos, época de profundas crisis de remoción de las ideas y creencias tradicionales y de búsquedas de nuevas orientaciones para la convivencia humana.

La vocación de Goya quedó patente desde su niñez y no fue obstáculo a ella la circunstancia de nacer en el hogar de un padre artesano, que, como dorador, tenía trato frecuente con los pintores, con cuyos estudios tendría el niño Goya alguna relación precoz; ya este oficio de su padre fue una circunstancia que, al menos, no estorbó su inicial encarrilamiento profesional. Su educación no pasó de los estudios que pudo hacer, según parece, en las Escuelas Pías de Zaragoza. Más allá, su cultura no tuvo demasiados ensanches, hasta que ya instalado en Madrid, tuvo contacto con un mundo más complejo, y una relación con los hombres que representaban las ideas de la Ilustración. Su mente y su inteligencia natural le ayudaron en la apertura expansiva a la observación de un mundo complejo y agitado, en el que latían las novedades que precipitaron los cambios de la sociedad en que vivía. Todo ello se reforzó con la retracción que supuso el aislamiento que la sordera le produjo, y que le hizo, sin duda, adentrarse en sí mismo y alumbrar con este reforzamiento de la vida interior, el arte de un nuevo Goya, que a raíz de 1793 se manifiesta. De todos modos hemos de pensar que si el artista no hubiera salido de su país natal en Zaragoza, acaso no hubiera tenido ocasiones para este ensanche de su mentalidad y su arte.

Cierto que su viaje juvenil a Italia, del que sabemos muy pocos detalles, hubo de serle positivo para su oficio de pintor, pero si no hubiera salido del medio provinciano aragonés, es dudoso que su arte hubiera alcanzado las altas cotas que en Madrid alcanzó. De nuevo las circunstancias y el azar han de favorecer su carrera. Primer paso, el casamiento (1773) con la hermana de un pintor asentado en la corte; después, la llamada a Madrid para ocuparse en el modesto oficio de pintor de cartones, para que por ellos se tejieran tapices destinados al Rey, tarea que comienza hacia 1775. Es el primer paso para que se le abran las puertas de la Corte y de la sociedad madrileña. En ella es dócil a la genial sugestión de Velázquez, como lo demuestra en los grabados, según cuadros del maestro sevillano, que realiza en 1778, en una convalecencia de una grave enfermedad que padece. En el progreso de Goya cobran importancia las fechas en que la enfermedad pone en riesgo su vida, que singularmente suele estimularle a un desarrollo ulterior de sus talentos de artista. Un paso en el reconocimiento de estos talentos nos lo da su elección para Académico en 1780. Sus ocasiones de ensanchar su arte se le ofrecen al tener contacto en Madrid con la obra de grandes pintores, que en Zaragoza no hubiera conocido: Mengs, Tiépolo, y la constante lección del magnífico museo que eran las colecciones reales de pintura. En estos años comienzan sus relaciones con algunos de los más distinguidos intelectuales de su tiempo: en primer término Jovellanos, que es elegido para la Academia de San Fernando en el mismo año en que Goya lo fue.

Sus progresos no son siempre fáciles, y su carrera en estos años está llena de tensiones y polémicas; la rivalidad con su cuñado Francisco Bayeu no es un episodio familiar, es una disensión por motivos estéticos, puestos de manifiesto en 1781, con motivo de su pintura al fresco en una bóveda del Pilar de Zaragoza *[Fig. 10]*. Goya comienza a hacer amistades en la Corte y nos consta que sus dotes de franqueza y simpatía comienzan a ganarle amigos y apoyos; acaso uno de los primeros el del gran arquitecto D. Ventura Rodríguez; el cuadro para San Fran-

Fig. 30
MELENDEZ VALDES, c. 1797
Oleo sobre lienzo
0,73 × 0,57 m.
Barnard Castle, Bowes Museum. Inglaterra

Ver Cat. 24

Fig. 28
LA FAMILIA OSUNA *(Detalle)*

Cat. 23

LAFUENTE FERRARI

cisco el Grande, el retrato del ministro Floridablanca y la relación y mecenazgo del Infante D. Luis (1781-83) son los signos de que Goya va dando pasos en el camino hacia la fama. Pero es a partir de 1785 cuando la estrella de Goya comienza a mostrarse decididamente favorable; el pintor conquista con su arte y con su atractivo personal a figuras destacadas de la aristocracia madrileña. Los retratos de los Osuna *[Fig. 28]* y de la Marquesa de Pontejos *[Fig. 24]* nos muestran ya un gran pintor seguro de sí mismo. En 1786 es ya nombrado pintor del rey y su decisivo ascenso tiene lugar al subir al trono Carlos IV, en 1788, Goya es nombrado pintor de cámara; culmina con este nombramiento la etapa inicial de ascensión en Madrid. Goya no es ya un joven, tiene 43 años, pero su carrera de pintor está aún más afirmada que su carrera palatina. El balance es notable, aunque la ascensión haya sido lenta.

Goya tiene realizada ya una considerable obra de pintor mural, se ha hecho colorista en los cartones de tapices, ha demostrado su talento de retratista. De la efigie de Floridablanca a los cinco retratos del Banco de España o a la Marquesa de Pontejos *[Fig. 24]*, hay un progreso sorprendente. Goya es ya un magnífico pintor. Su situación económica se afianza, le ha nacido un hijo (1784), todo parece sonreírle. Viene pronto el gran mazazo que parece puede arruinar definitivamente su salud, carrera y hasta su vida: la grave enfermedad que le ataca en Andalucía, en 1792, de la que convalece en Cádiz, y que parece dejarle inútil durante algún tiempo; queda irremisiblemente sordo. Todavía los médicos andan indagando retrospectivamente cuál fue la causa de aquella dolencia que tanto ha de influir en su vida. Al aislarle a él, hombre extravertido hasta entonces, se recluye en la oscura caverna de su sordera. Pero Goya con su robusta naturaleza, que resiste los embates de la adversidad, se repone. A fines de 1793 ya pinta, liberado por el momento de preocupaciones de la clientela, más libre y creadoramente que nunca; de ahí saldrían los catorce cuadritos sobre hojalata, que dan idea en sus asuntos y en su técnica de la aparición de un nuevo pintor. En 1795 triunfa de nuevo en la sociedad madrileña (retratos de los Duques de Alba); azar y circunstancias se unen de nuevo para deparar a Goya otro trance crítico en su vida, del que sale también una nueva veta genial; me refiero a la nueva estancia en Andalucía, invitado por la Duquesa de Alba, ahora viuda, en sus palacios de Sanlúcar y de Doñana, que le producen un arrebato pasional por la joven duquesa, pasión correspondida o no, que en un hombre de 51 años produce conmoción profunda. Su fruto artístico serán, una vocación novísima e incontenible de dibujante, y sus ochenta *Caprichos* grabados, en los que vierte su escepticismo, su crítica social y su amargura sarcástica, más un nuevo y magnífico retrato de la Duquesa de Alba, hoy en la Hispanic Society de Nueva York *[Fig. 38]*.

La Corte de Madrid está revuelta, afectada por los impulsivos caprichos de la Reina, el encumbramiento de Godoy y los ecos lejanos de la Revolución Francesa. Un azar de la política eleva temporalmente al ministerio a su amigo Jovellanos; por medio de éste se le encargan los frescos de San Antonio de la Florida, que muestran en su pintura *Cat. 28* los ecos de la revolución producida en su espíritu por el mundo exterior y el soliloquio interior del artista. Es una época brillante del pintor, se sucederán sin pausa las obras maestras; Goya es pintor de cámara en 1799, cumbre de su carrera palatina; retrata sin pausa a los reyes y a la familia real y realiza ese milagro pictórico, que es la *Duquesa de Chinchón.* *Cat. 30* Pero algo pasa, porque Goya no vuelve a pintar para la Corte. Es verdad que en 1801 aún retrata a Godoy; en 1802 se cierra otro capítulo de su vida con la muerte repentina y un mucho enigmática de la Duquesa de Alba. La Corte está revuelta, pero el arte de Goya continúa en segura ascensión; es la época de los grandes retratos (los Fernán Núñez, la *Cat. 31-32* Marquesa de Lazán, el Marqués de San Adrián, la Lorenza Correa, *Cat. 33* Francisca Sabasa, Isabel de Cobos, los retratos de familia, etc.). Habituado a su sordera y cicatrizados sus fracasos sentimentales, parece que vuelve a estabilizarse la vida de Goya.

Ahora es una circunstancia histórica la que influirá en la vida de Goya y en el rumbo de su arte. 1808, la invasión francesa y el estallido del dos de mayo, que es fecha de partida para la Guerra de la Independencia; no sólo es una invasión sino que, además, es una verdadera guerra civil, un trastorno social y una revulsión que cala en la vida de España y lleva el desastre a casi todas sus provincias. El puño de Bonaparte nos impone un nuevo rey de su familia, el llamado José I. Goya está en Madrid y es pintor de cámara; figura en la nómina de los funcionarios que han de jurar el nuevo régimen. Los amigos del pintor se parten en dos bandos como España toda: unos serán los patriotas y otros los afrancesados. Goya tiene buenos amigos en los dos bandos y, probablemente, un torbellino de contradicciones en su propio corazón; conquistado por las ideas de la Ilustración, es sin embargo un buen español que ve abatirse sobre su desdichada patria la guerra como un azote cruel, desgarrador. Un amigo, regidor de Madrid, le transmite el encargo del Ayuntamiento de pintar el cuadro alégorico, que ha de contener un retrato del monarca Bonaparte. Las vicisitudes por que pasó este cuadro y que se relatan en el catálogo, son un reflejo de los azarosos días que vive España y de los cambios de situación que la historia del cuadro refleja. Pero él ha de seguir pintando, incluso retratos de generales franceses que están en la corte del rey José. Una llamada de su no menos amigo, el patriota General Palafox, le reclama a Zaragoza, entre el primero y segundo de los tremendos sitios que sufrió la ciudad, para que su pincel inmortalice episodios de aquel horrible estrago. Surgen entonces los cuadros de guerra, y, sobre todo, la idea de los *Desastres,* la copiosa serie que graba en sus planchas de cobre a partir de 1810.

La salud de la mujer de Goya, a la que el pintor en sus cartas llama familiarmente *la Pepa,* decae; muere en 1812. Como consecuencia de ello se realiza un inventario de los bienes y cuadros de Goya, destinando buena parte de ellos al hijo único, Javier. Ayuda a explicar este paso legal, que podría sorprendernos como prematuro, la intención de Goya de salir de Madrid y quizá de España; el pintor ha llenado el hueco dejado por Josefa Bayeu, con una mujer joven, separada de su marido el año anterior, y estimada como bella por sus contemporáneos, la famosa Leocadia Zorrilla, parienta de los Goicoechea, consuegros de Goya, mujer que le acompaña hasta su muerte. En este mismo año de 1812, Goya retrata a Wellington, el general inglés, lo mismo que ha retratado antes a bonapartistas. La campaña peninsular tiene altos y bajos, que la historia registra, pero las cosas van mal para Napoleón en toda Europa. José I se retira de Madrid y su ejército sufre derrota en la batalla de Vitoria, el 21 de junio de 1813. En España se ha conservado un pequeño territorio al que no llega la invasión: Cádiz, la isla de León. Se han agrupado allí los patriotas y han reunido unas cortes con representantes de las provincias, que proclaman en 1812 una Constitución, aunque allí mismo, en las propias cortes, surgen los dos bandos opuestos de liberales y moderados, cuyas luchas llenarán todo el siglo XIX.

Napoleón, incapaz de sostenerse en España, libera a Fernando VII de su cautiverio de Valençay. Fernando entra en España con desconfianza de los patriotas y dispuesto a abolir la Constitución de Cádiz. 1814, que podía ser la fecha de la reconciliación nacional de una España liberada, inicia, pues, el comienzo de un siglo de discordias civiles. Y toda esta historia la ha seguido Goya desde la caverna de su sordera con interés, pasión y comprensión.

En su hogar, ilegal e improvisado, ha nacido una niña, que fue siempre tenida por hija del pintor. Goya pinta los cuadros del *Dos [Fig. 31]* y *Tres de Mayo,* así como al General Palafox. La reacción comienza a hacer de las suyas y Goya, en la oleada reaccionaria, es denunciado a la Inquisición por haber pintado desnudos. Por encargos de compromiso, pinta retratos de Fernando VII, pero el pintor no tiene ya relaciones con la Corte, ni el Rey posa ante él, ni utiliza sus pinceles; no obstante, Madrid se repone de sus heridas y la vida, mal que bien, se restablece; Goya vuelve a ser llamado como retratista por aristócratas y políticos. No obstante, aumentado su ocio, Goya ocupa su ambición de trabajo en

Cat. 40

Fig. 31
EL DOS DE MAYO EN LA PUERTA DEL SOL, 1814
Oleo sobre lienzo
2,66 × 3,45 m.
Museo del Prado. Madrid

evocar las fiestas de toros, y graba las escenas de la *Tauromaquia,* que salen a la luz en 1816.

Continúa la reacción y persecución de constitucionales y liberales; muchos amigos de Goya, para evitarla, han marchado al exilio. España se agita en conspiraciones. Goya compra una casa a orillas del Manzanares para vivir con su familia y trabajar en paz. Pinta los muros de la Quinta del Sordo, retratos de sus amigos y como excepción, su mejor cuadro religioso, la *Comunión de San José de Calasanz,* que en esta exposición se ha logrado que figure. Pero en el mismo año en que lo firma (1819) cae gravemente enfermo y está a las puertas de la muerte. Restablecido, asiste todavía a la nueva inquietud que el movimiento liberal produce, cuando en 1820 una sublevación militar vuelve a proclamar la Constitución de 1812. Pero como en España ocurre con frecuencia, el movimiento pendular es excesivo y los liberales no son capaces de contener sus excesos. Acaso Goya piensa en 1823, como en 1812, en huir de su país extremoso y en buscar un rincón para una vejez tranquila; acaso es índice de ello la cesión a su nieto Mariano de la Quinta del Sordo. El movimiento pendular se confirma en 1824. Fernando VII, apoyado por la llamada Santa Alianza, ve a las tropas francesas, ahora reaccionarias, invadir España, dirigidas por el Duque de Montpensier, con los llamados «Cien mil hijos de San Luis». De nuevo Cádiz es asilo del Rey temeroso, que huye de Madrid con las Cortes; la invasión triunfa y en Cádiz, en 1823, se cierra el breve y azaroso nuevo período constitucional. La reacción absolutista vuelve con nuevas fuerzas. Goya, en Madrid, temeroso de que los ramalazos políticos le puedan alcanzar, a él y a los que con él viven, permanece unos meses escondido en casa de un amigo, y cuando cree que ha pasado el peligro (mayo de 1824) pide permiso para emigrar a Francia con el pretexto de tomar unos baños. En junio llega a Burdeos de paso para París, permanece allí el verano de 1824, pero se instala definitivamente en Burdeos en septiembre. No están ociosos del todo sus pinceles, porque pinta a sus amigos emigrados en la ciudad; realiza sus originales miniaturas y practica la litografía, procedimiento que había iniciado en Madrid en 1819.

Pide nuevas prórrogas de su licencia hasta que en 1826 marcha a Madrid, donde pide y obtiene su jubilación como pintor de cámara. Todavía parece que en 1827 hace un nuevo viaje a Madrid, donde fecha un nuevo retrato de su nieto. Asombra la energía del viejo artista que pinta, graba y dibuja incansablemente en sus últimos años. Pero la muerte no perdona, la salud decae y empeora en 1828. Nuevos accidentes de su salud le conducen a sus últimas horas en Burdeos, donde Goya muere el 16 de abril de ese año.

Esta rápida exposición biográfica al comienzo de un catálogo de las obras de Goya no pretende sino ofrecer al lector un encuadre cronológico para situar las pinturas, que ahora se han reunido por los Amigos del Museo del Prado en este conjunto.

Goya fue un pintor cuya pintura no rebasó las fronteras de España en su tiempo, por lo que su obra copiosa y su personal genialidad, no pudieron tener expansión hasta bien entrado el siglo XIX. Abrieron el camino a su fama los grabados, que debieron ser ya conocidos por los románticos; de ellos encontramos huellas tempranas en Delacroix y en Víctor Hugo, después Baudelaire le cuenta ya entre los *faros* ilustres del arte, pero el conocimiento de su pintura en Europa y la atención a su obra en la misma España serían lentos en progresar. Sus pinturas quedaban en iglesias, en palacios reales o en colecciones privadas españolas, alimentadas principalmente por retratos de familia.

Si el Museo del Prado, única de las obras dignas de recordarse del reinado de Fernando VII, fue abierto al público en 1819, es un hecho que en su catálogo de 1828, Goya sólo estaba representado por el *Retrato ecuestre de la Reina María Luisa*. Tardaron mucho en ir entrando en la Pinacoteca madrileña los cuadros del artista y hasta 1871 no se incorporaron a ella los cartones para tapiz, que fueron durante mucho tiempo la base del conocimiento de Goya para el público en general.

Sólo en 1900 la figura de Goya se había impuesto a los españoles para impulsar a agrupar en una exposición un conjunto considerable de obras de Goya, que llegó a reunir más de ciento veintiocho obras del maestro, pinturas a las que se unieron algunos dibujos, cartas y obras diversas relacionadas con Goya. Es verdad que el catálogo era escueto, no era crítico y estaba tratado con extrema concisión, hasta el punto de necesitarse publicar después en un cuadernito unas *Noticias biográficas* de algunos de los personajes retratados por Goya, que en la exposición figuraron; tanto el catálogo como las *Noticias* son extremadamente raros. Es cierto que inaugurando la bibliografía goyesca habían aparecido ya, en la segunda mitad del siglo XIX, algunos intentos de monografía; se inauguran con la precoz obra de Matheron, salida a luz en 1858, a las que siguieron el libro de Yriarte de 1867, los estudios de Lefort, y la monografía del Conde de la Viñaza, pero no quiero sino referirme al estudio que, en este libro, se incluye de nuestro colaborador Mr. Glendinning sobre *La fortuna de Goya*, en el que se tratan apuradamente muchos detalles del conocimiento de Goya hasta llegar a nuestros días.

Puede ser útil para ello también la bibliografía que en este libro se incluye, así como los capítulos iniciales de mi trabajo, *La situación y la estela en el arte de Goya,* publicado como introducción a la exposición de los Amigos del Arte, de Madrid, en 1947.

Cat. 1 Más pertinente es repasar lo que el contenido de esta exposición lleva consigo. Probablemente el *Autorretrato de Goya* es la única pieza que en esta colección puede atribuirse a la época anterior a la instalación del artista en Madrid, es decir, al momento en que aproximadamente, recién llegado de Italia, recibía los primeros encargos en su tierra natal y entre ellos, y el más importante, el de la primera gran composición de Goya, el gran fresco que se le encargó para el Coreto de la Iglesia del Pilar representando la adoración del nombre de Dios; considerable composición en la que se hallan inevitables huellas de la influencia de los pintores italianos. Sin duda en Italia fue donde Goya se familiarizó con el procedimiento del fresco que maneja con evidente soltura en el coreto del Pilar. No sabemos quién pudo influir en que se otorgase a Goya este encargo, aunque no sería imposible que mediasen en ello su protector Goicoechea y acaso el arquitecto D. Ventura Rodríguez, que había trabajado en el Pilar y al que veremos en otras ocasiones en relación con Goya. El autorretrato nos muestra un joven de ancha faz, con cuyo rostro expresa ávida y voluntariosa vitalidad en su mirada, buena imagen de la ambición que había de hallarse en la del joven artista incipiente y la voluntad determinada de ascender en su carrera. El hecho de haberse conservado este cuadro en colecciones zaragozanas hasta este siglo abona la probabilidad de que se haya pintado en Zaragoza en esta época primeriza del pintor. El retrato es muy superior a otros que se le atribuyen, correspondientes al mismo período en que pudo ser pintado, concretamente al retrato en una colección de Sao Paulo en el Brasil que lleva la fecha 1771, o al *Retrato del Conde de Miranda* del Museo Lázaro Galdiano, que es un lienzo ya influído por la pintura a lo Mengs, de cuya atribución a Goya he dudado algunas veces; por eso creo afortunado que esta primera imagen del pintor deseoso de hacer carrera, pero con cierta inseguridad aún en sí mismo, pueda ponerse en el prólogo de la exposición de obras de mayor madurez.

Cat. 2 *Maja y Celestina;* el segundo paso en la carrera de Goya, después del fresco del Coreto y de las pinturas del Monasterio de Aula Dei, es el brusco salto a la corte. Su boda y su entrada al servicio del rey como pintor de cartones para tapices que se habían de tejer en la Real Fábrica de Santa Bárbara, y que estaban destinados a decorar los sitios reales, son nuevos pasos en su carrera. La producción de los cartones dura desde 1775 a 1792, labor que, aunque resultó a veces enojosa para el pintor, fue importantísima para su formación de compositor y de colorista. Poco a poco, va ganando en soltura de mano y en imaginación, abordando un género en el que llega a ser maestro; el gran colorista que Goya había de ser sólo se explica a través de su producción de pintor de cartones. Estos cartones, como es bien sabido, quedaron almacenados en la Fábrica de Tapices hasta 1871, en que, tras la Revolución de Octubre, se encontraron enrollados en los almacenes de la fábrica; D. Gregorio Cruzada Villaamil, autor del primer estudio —hoy muy rectificado por el libro de Sambricio sobre los Tapices—, dióse cuenta de la importancia de estas pinturas, que pudieron entrar entonces en el Museo del Prado. Unos cuantos cartones habían sido sustraídos del lote principal; de este lote han ido apareciendo algunas piezas, aunque hay que dar por perdidas otras. La pintura que en esta exposición nos recuerda esa época de Goya, es sin duda el cuadro de la colección Mc-Crohon, expuesto por primera vez en 1928, bajo el título de *Una maja y una vieja,* hoy, *Maja y Celestina.* Por la imprimación del lienzo, por la concepción de las figuras y por la paleta, se corresponde con el lote de cartones para tapiz pintados todavía dentro del decenio setenta, y en este sentido es muy representativo de este segundo y decisivo paso de Goya en su lenta carrera ascendente en la corte de Madrid.

El ascenso de Goya se da en el año 1780, al ser elegido Académico de San Fernando. En esta ocasión pinta para la Corporación, como pieza de entrada, el *Cristo en la Cruz,* del Museo del Prado, que indica un frenazo académico a su alegre paleta de los tapices y una adaptación a la pintura, más cuidada y académica que la dictadura de Mengs imponía en Madrid. Viene después otro alarde de fresquista cuando, con influencia de su cuñado Francisco Bayeu, recibe el encargo de pintar al fresco una cúpula en el Pilar *[Fig. 10]* con el asunto dedicado a la Reina de los Mártires (Regina Martyrum). El gran fresco con sus pechinas es una muestra más en el adelantamiento de Goya, en cuanto a las osadías de su factura y la riqueza de color, pero su ejecución fresca y espontánea, su paleta caliente y sus alardes de toque le ocasionan la grave disensión estética con su cuñado, que sin duda no patrocinaba estas valentías extremosas para él, y que dieron lugar a la ruptura entre los dos pintores y parientes y ocasionaron incidentes en los que la conciencia

CONDE DE FLORIDABLANCA *(Detalle)*
Cat. 3

Cat. 3

Cat. 4

de superioridad de Goya quedó humillada y resentido el artista. Sus ansias de éxito se sintieron sin duda exacerbadas y esperó impaciente las ocasiones en que demostrar su talento de pintor; creyó llegada la ocasión, cuando recibió el encargo del cuadro de *San Bernardino de Siena predicando* para la Iglesia de San Francisco el Grande. La correspondencia de Goya nos ofrece testimonio de cuánto confió en este gran lienzo para afirmar su puesto entre los pintores de la Corte. Aunque el género religioso no era el más propicio para que Goya diese muestra de su imaginación y su valor y el resultado fuese una decepción para Goya que no recibió las muestras de aprecio que él esperaba le proporcionase esta pintura. No obstante, hoy reconocemos que, aunque el cuadro no era muy propicio para que luciesen sus cualidades personales, el lienzo es muy superior a los de sus coetáneos en el mismo templo. Por aquellos años pinta otros cuadros de género religioso, pero la *Sagrada Familia* del Prado es una prueba de que cuando el pintor quiere domeñar su factura y su genialidad, el resultado es frío y pobre.

Ahora le llega el momento de habérselas con otro género, en el que podía probar el triunfo. El encargo de retrato del ministro *Conde de Floridablanca* en 1783, en fecha inmediata al encargo de San Francisco el Grande, es la gran ocasión para, con la efigie de un ministro, demostrar su talento en abordar un género nuevo. No le dio tampoco plena satisfacción a Goya el resultado de este cuadro en el que tenía puestas tantas esperanzas; ni Floridablanca recompensa a Goya como él esperaba, ni el cuadro es todavía una obra maestra. Goya ha conseguido evidentemente positivos adelantos en un cuadro de interior, en el que ha conseguido coherencia en la composición y aciertos de luz en el estudio de las figuras, en el que ha introducido su propio autorretrato, como había hecho también en el lienzo de San Bernardino de Siena. La figura del Conde se nos aparece envarada, sin la soltura y naturalidad que luego resplandecerán en los retratos goyescos, con una cierta discordancia entre la tonalidad general del cuadro y los colores que predominan en la figura del personaje representado. Este envaramiento se corrige ya en los retratos que hace en Arenas de San Pedro para la familia del infante D. Luis, en 1783. Dos años después, Goya, da la muestra de la maestría que ha logrado alcanzar en dos retratos de mujer, que ya son plenamente dignos del Goya que admiramos; el *Retrato de la Duquesa de Osuna* que en esta exposición figura, y el tan añorado de la *Marquesa de Pontejos* *[Fig. 24]*, cuadro emigrado de España

CONDE DE FLORIDABLANCA *(Detalle)*
Goya ante el Conde
Cat. 3

durante la Segunda República y que hoy es gala de la Galería Nacional de Washington, donde puede rivalizar con fortuna con los mejores retratos ingleses de la época.

Su dominio del retrato se afirma con el encargo que le hace el Banco de San Carlos de las efigies de sus consejeros, que ejecuta entre 1785 y 1788. Hay en algunos de ellos una entonación conseguida, aciertos de pincelada y ejecución en la desigual serie. Hay ejemplares ten acertados de los progresos del pintor como el *Retrato de Toro Zambrano*, efigie de un financiero mesocrático del siglo XVIII, o en la muy lograda silueta del *Conde de Cabarrús*. Entre las dos fechas citadas se coloca una indiscutible obra maestra del retrato masculino, el que pinta a su cuñado Francisco Bayeu en 1786 (Museo de Valencia), que es prenda de

Cat. 5-6-7-8-9

Cat. 5

Cat. 9

Fig. 24

Cat. 10

la mejora de las relaciones entre los dos cuñados, tan deterioradas desde la reyerta de Zaragoza con motivo del fresco de Regina Martyrum. Poco después, su familiaridad con los retratos de Velázquez se insinúa en su *Retrato de Carlos III de cazador.* Otro paso ascensional del magisterio adquirido por Goya en el retrato nos lo ofrece la encantadora efigie del niño *Manuel Osorio* [Fig. 21] vestido de rojo, pintado hacia 1788, hoy en el Museo de Nueva York.

La cronología nos ofrece en este momento los dos cuadros que la familia Osuna le encarga para honrar a su pariente santificado con dos lienzos dedicados al jesuíta Francisco de Borja, en su capilla en la Catedral de Valencia, de los que en esta exposición se exhiben los bocetos preliminares, conservados en la Casa de Santa Cruz. El primero de ellos es un intento no muy afortunado de pintura de historia con ocasión de lucir las indumentarias, que el pintor usa habitualmente para representar personajes de tiempos pasados, en la *Despedida del Santo antes de profesar;* pero el cuadro de *San Francisco de Borja junto al lecho del del moribundo impenitente* es un primer clarinazo del Goya oscuro y visionario. Todas las escenas diabólicas y brujescas que van de los *Caprichos* a las pinturas negras, están como en cifra predichas en este lienzo de 1788.

En esta cronología hay que incluir los encargos de los Osuna para la decoración de su palacio campestre de la Alameda: *La Cucaña, El Columpio, La Caída, El Asalto del Coche, La Procesión de Aldea* y la reducción del cartón para *Las Floreras* o *La Primavera,* son adaptaciones a una pintura de salón del género popular y narrativo con que su pincel se ha soltado en los cartones para tapiz. Color alegre, dibujo rápido y suelto, encanto narrativo y fondos de paisaje, no tienen ya secretos para Goya, después de lo ya realizado en la pintura para cartones. En *El Asalto del Coche* aparece el tema del bandidaje, que en cierto modo obsesionará a Goya hasta sus últimos años. Esta etapa, en cuanto a la finura en el dominio del retrato, puede decirse que culmina en el cuadro de la *Familia de los Duques de Osuna* *[Fig. 28]* en el Museo del Prado,

Cat. 11

Cat. 12

Cat. 13-14-15-16-17

Cat. 18

Fig. 32
LAS FLORERAS O LA PRIMAVERA, 1786-1787
Oleo sobre lienzo
2,77 × 1,92 m.
Museo del Prado. Madrid

obra de 1788. Le viene poco después el primer ascenso considerable en su carrera de pintor, cuando, al subir al trono los nuevos reyes, Goya es nombrado pintor de Cámara. Carlos IV y María Luisa le obligan a una intensa, y a veces repetitiva, producción de retratos de los nuevos monarcas; en los lienzos pintados con esta ocasión se muestra el dominio alcanzado en el género, pero en ellos no encontramos sin duda, obras maestras.

Culminación hay en obras como la *Pradera de San Isidro* (Prado 750) y en los últimos cartones ejecutados entre 1791-1792, de fina paleta y toque magistral como *La Boda* (Prado 799), o las *Mozas de Cántaro* (Prado 800), cuyo boceto se exhibe en la exposición en el cuadrito de la colección Mc-Crohon, o en la *Dama Adormecida,* probablemente pintada para sobrepuerta, también en la exposición, que acaso fue pintada para la casa de su amigo D. Sebastián Martínez en Cádiz, como ahora parece probable. La tercera de estas piezas sería la que está actualmente en el Museo de Dublín y se reproduce en la *[Fig. 7]*.

Viene aquí el paréntesis dramático que produce en la vida de Goya su grave enfermedad (1792-1793), de la que convalecía a finales de este

Cat. 19
Cat. 20

Fig. 33
LAS MOZAS DE CANTARO, 1791-1792.
Oleo sobre lienzo
2,62 × 1,60 m.
Museo del Prado. Madrid

año, y que, salvada la amenaza de invalidez que le atenazó durante algún tiempo, le dejó, no obstante, incapaz de la relación verbal con los hombres por haber perdido totalmente el oído. Crisis profunda que se mezcla en el ánimo de Goya con la aventura sentimental (1796-1797), sea cual sea la interpretación que de ella puede darse, que ligamos a su estancia en Andalucía y a la hospitalidad que la Duquesa de Alba le brindó en sus palacios en aquella fecha.

El descubrimiento de la *Casa de Locos [Fig. 8]*, hoy en el Museo de Dallas, pintado sobre lata y su coincidencia con la descripción de este asunto en la carta a D. Bernardo de Yriarte del 4 de enero de 1794, parece identificar la producción del pintor en la convalecencia de su grave crisis de salud, con los catorce cuadritos sobre el mismo soporte y de análogas dimensiones, hoy dispersos en varios Museos y Colecciones (Gassier-Wilson 317 a 330), producción que le proporcionó el deseado *ensanche e invención*, a que no dan lugar las obras de encargo, según expresiones del propio Goya. Entre este lote hay que considerar incluído el magnífico *Naufragio* de la colección Arango —que otros han considerado más bien *Inundación*— prueba evidente de la recuperación de las facultades creativas y pictóricas del artista después de la grave crisis salvada.

Cat. 21

Por sus dimensiones no está lejos de este lote el delicioso *Autorretrato pintando* ejecutado sobre lienzo, hoy en la colección de la Real Academia de San Fernando. Es el artista que, recuperada su facultad de pintar, y animoso ante el dominio de sus pinceles se pone con nuevo brío y afán creador a proseguir su obra. Es el trance del que van a salir espléndidas pinturas y grabados, testimonio de su genialidad no domeñada por la enfermedad que le ha dejado sordo. El dominio de la *magia del ambiente* es ya pleno. Por ello debemos dar a esta pintura de escasas dimensiones, tan gran valor biográfico y testimonial.

Cat. 22

Aislado del mundo por la muralla de la sordera, al mismo tiempo que se desarrolla su fantasía creadora, se crece la intensidad con que capta el espíritu de los modelos. Obra de esta época son algunos de sus magníficos retratos que van en creciente maestría desde 1793-1794 en adelante; recordemos algunos soberbios ejemplos, como la efigie de la niña mujer Doña Tadea Arias de Enríquez, que parece vestir sus galas para un primer baile social (Museo del Prado), el de *La Tirana* en la colección Juan March, que desgraciadamente no ha podido exhibirse esta vez, el retrato lleno de espíritu y uno de los más intensos de

Cat. 23

Fig. 34
EL DUQUE DE ALBA, 1795
Oleo sobre lienzo
1,95 × 1,26 m.
Museo del Prado. Madrid

Goya, de la Marquesa de la Solana, hoy en el Louvre, o el de la efigie del *Duque [Fig. 34] y la Duquesa de Alba,* creaciones de 1795 (Prado 2449 y número de catálogo 23). Su mundo interior se vuelca en la obra más íntima de los dibujos y los *Caprichos,* la colección de ochenta grabados, que ve la luz en 1799 y sobre la que tanta tinta se ha derramado.

La Duquesa de Alba es un modelo femenino que, con ademán alerta, imperativo y con el garbo sin par en que aúna distinción y la personalidad, feminidad y carácter, se ha hincado en el espíritu de Goya; ella será la musa de muchas de sus creaciones, la turbación que viene a unirse a las tormentas interiores de un artista en crisis vital que no quiere renunciar a las hondas emociones interiores que le enfrentan con duros renunciamientos, con el sarcasmo sin compasión para enjuiciar el mundo, las convenciones sociales, las injusticias que ve dominando por doquier, mientras él, sordo y casi viejo, emprende el camino de la soledad radical y sin esperanza. Goya saldrá de su crisis, pero, en todo caso, el gran pintor no ha perdido fuerza, la ha ganado.

Siguen a los *Caprichos* una serie de cuadros, donde la fantasía de los grabados se vierte en pequeñas escenas de brujas y apariciones fantasmales. La efigie más elocuente del esfuerzo para superar sus crisis interiores la tenemos en sus autorretratos pintados o dibujados de esta época. El soberbio dibujo del llamado Album Fortuny, hoy en el Museo Metropolitano de Nueva York, expresión de una intensidad sobrecogedora, de las tormentosas crisis interiores que atravesaba por entonces el gran artista y que tenía un correlato pictórico en el pequeño autorretrato cuya pista parece perdida, y que estuvo antes en la colección Pidal.

Seguirá hasta los primeros años del siglo XIX una serie impresionante de retratos, verdadera culminación del arte de Goya en este género artístico, algunos de cuyos ejemplares han salido fuera de España desgraciadamente. Así los retratos de D. Bernardo de Yriarte, 1797 (Museo de Estrasburgo), el del torero José Romero que estuvo en la exposición de 1928 y ahora se halla en el Museo de Filadelfia, el de D. Andrés Peral (Galería Nacional de Londres), el del Duque de Osuna (Colección Frick), el embajador francés Guillemardet (Museo del Louvre), el del Marqués de Bondad Real (Nueva York, Hispanic Society). Se ha salvado para España y ha entrado en el Prado, en cambio, la noble efigie de D. Gaspar Melchor de Jovellanos *[Fig. 29],* que en 1928 estaba aún en propiedad particular, pero que al fin ingresó en el museo; el de la actriz La Tirana que conserva la Real Academia de San Fernando o el de la antes llamada Marquesa de las Mercedes, hoy mejor identificado como Marquesa de Santa Cruz, otra hija de los Duques de Osuna, que ha ingresado no hace mucho en el Louvre; se ha rescatado en cambio para España el retrato antes identificado como Antonio Gasparini, ahora documentado como el *Primer Bordador de la Corte de Carlos IV, Juan López de Robredo* que en esta exposición figura como propiedad de los herederos del Marqués de Zurgena.

Cat. 25

La pintura religiosa tiene también personalísima expresión en el *San Agustín;* que se nos presenta lleno de carácter y de riqueza de color como en los medios puntos de la Santa Cueva de Cádiz, antecedente inmediato de los frescos de San Antonio de la Florida, una de las obras cumbres de Goya que pasó inadvertida para sus contemporáneos y es ahora justamente admirada en todo el mundo, conjunto al que dediqué una monografía en 1955. De estas pinturas se exhiben ahora los dos bellos bocetos, más bien primeras ideas de Goya para sus frescos de la Florida. No es segura la fecha de dos obras tan famosas como mal documentadas, las dos *Majas* del Museo del Prado, de las que sí es seguro que estuvieron en la colección de Godoy incautadas con su pinacoteca

Cat. 26

Cat. 27-28

Fig. 35
RETRATO DE LA REINA MARIA LUISA
Oleo sobre lienzo
2,04 × 1,25 m.
Museo Capodimonte. Nápoles

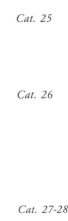

INTRODUCCIÓN AL CATÁLOGO

personal y que parece no puede sostenerse que representen a la Duquesa de Alba.

Su maestría no cede en los años 1799-1801 en la que la tarea de pintor es ardua para satisfacer los encargos de la corte, la época más intensa en la que la familia real dio que hacer a los pinceles del maestro: los retratos de Carlos IV de cazador o con el uniforme de guardias de Corps, el retrato ecuestre del Rey, la Reina en el retrato de la mantilla, o en el retrato en traje de corte, hoy en el Palacio Real, y el ecuestre en el que aparece montando el caballo *Marcial* que fue regalo de Godoy. Pinta luego en Aranjuez el retrato de *todos juntos,* como decía María Luisa en sus cartas al favorito, es decir, el que hoy conocemos como la *Familia de Carlos IV* *[Fig. 2]* y sus bocetos preliminares; el de la *Condesa de Chinchón,* hija del Infante D. Luis, esposa, sin contar con la voluntad de la niña, del omnipotente valido; el retrato de su hermano, el Cardenal Borbón, Arzobispo de Toledo, con ejemplares en el Prado y en Sao Paulo (Brasil); luego en 1801 el retrato de Godoy como general en campaña, apoteosis de un falso héroe de la guerra con Portugal.

Lamentamos la ausencia en la exposición de uno de mis cuadros favoritos en la pintura de modelos femeninos de Goya, la deliciosa *Condesita*

Cat. 30

Fig. 36
LA CONDESA DE HARO, 1803-1804
Oleo sobre lienzo
0,50 × 0,35 m.
Colección particular. Suiza

de Haro *[Fig. 36]*, cuadro emigrado fraudulentamente de España, que fue a esconderse en una colección suiza, sin que se haya llevado adelante una gestión enérgica para su recuperación. De 1803 es la pareja de los *Condes de Fernán Núñez,* que afortunadamente vuelven a ser huéspedes del Prado en esta exhibición, después de haber figurado ya en la de 1928. A consecuencia de toda esta serie parece que Goya le toma gusto a estas figuras de cuerpo entero y tamaño natural, ya que a las indicadas pueden añadirse: *La Marquesa de Villafranca pintora* *[Fig. 37]*, en el Prado ya hace muchos años, *La Marquesa de Lazán,* gentil figura e interesante estudio de luz en la colección de la Casa Ducal de Alba, o de la espléndida pintura que es *El Marqués de San Adrián,* hoy en el Museo de Pamplona; pero no sobresale menos el arte del maestro en esta época en espléndidas figuras de medio cuerpo, entre las que concederíamos la primacía a *Doña Francisca Sabasa,* uno de los más encantadores retratos de mujer de Goya, vendido lastimosamente por una cantidad insignificante a principios de siglo por un político español y que hoy figura en la Galería de Washington. A esta linda morena tan española, la emparejaríamos por contraste con la bellísima rubia *Doña Isabel Cobos de Porcel* en la Galería Nacional de Londres, o la *Lorenza Correa,* hoy

Cat. 31-32

Cat. 33

Fig. 37
LA MARQUESA DE VILLAFRANCA PINTANDO, 1804
Oleo sobre lienzo
1,95 × 1,26 m.
Museo del Prado. Madrid

en París en la colección de la familia Noailles. Y ejemplo raro de mujer tendida con ropaje y atributos de diosa neoclásica, pero con libertad y suelta factura, *La Marquesa de Santa Cruz*, obra de 1805, que estuvo en la colección Valdés, y cuyo paradero actual desconozco. En la colección Noailles también se encuentran los retratos de cuerpo entero y en pie también, del hijo y la nuera de Goya. Pero parece que Goya adivina, en estos años que preceden a la invasión francesa, el drama que con ella se iba a producir en España y premonitoriamente se entrena en los curiosos cuadros de bandidaje, que ya parecen escenas de guerrilla, de la serie del Maragato o lucha del franciscano Fray Pedro de Valdivia con el bandido de este nombre, que desarrolla en Goya escenas o episodios que parecen secuencias de un film y que hoy conserva el Instituto de Arte de Chicago.

Cat. 35-36

Ha aparecido con el siglo, en la pintura de Goya, otra variante en que va a ser, también, maestro: el retrato burgués, del que son ya ejemplares notables los esposos Sureda (Washington), Máiquez (Prado 734) o el arquitecto González Velázquez, a los que podríamos añadir en años posteriores el de los consuegros de Goya, D. Martín Miguel de Goicoechea y su esposa Doña Juana Galarza, obras de 1810, tan prosaicas, tan familiares. La primera efigie de un patriota, ya vestido de uniforme, al abrirnos las puertas de la guerra con la ocupación francesa

Cat. 34

es la del bilbaino D. Pantaleón Pérez de Nenín, obra de 1808.

El 19 de marzo del año 1808 se ha abierto el primer episodio de lo que podría haber sido la Revolución Española, un cambio de rey con alteraciones sustanciales en el gobierno, atentas a lo que la opinión pedía, a lo que los tiempos azarosos necesitaban; pero el efímero reinado de la primera etapa de Fernando VII es corto; de marzo a mayo la situación cambia y son las tropas francesas entradas hipócritamente en España con el pretexto del cumplimiento de un tratado, las que van a imponer su ley de guerra. En este corto período Goya tiene ocasión, por pedírselo la Academia de San Fernando, de retratar al nuevo monarca, que posa ante el pintor pocos instantes para que éste realice el retrato ecuestre, hoy en la Academia. Pero el Dos de Mayo de 1808 se delata la hipocresía napoleónica al reprimir su ejército, duramente, la sublevación espontánea del pueblo, que, más precavido que sus gobernantes, denuncia el sentido de aquella ocupación militar de Madrid. Ya la familia real ha salido de España, llamada por Bonaparte, que, sin pérdida de tiempo, impone la abdicación a Carlos IV y nombra para reinar en España a su hermano José I. Una reunión arbitraria de personajes españoles acepta la Constitución de Bayona, dictada por el Emperador, y así se inicia el efímero reinado de José Bonaparte. Pero el pueblo español ha vibrado ante la noticia del Dos de Mayo, reaccionando en todas las provincias ante la ocupación violenta de su país. Surgen las juntas provinciales que improvisan un acuerdo nacional para establecer un gobierno que sustituya al deportado rey Fernando VII. La junta central ha huído de la corte amenazada para establecerse en Andalucía, y así comienzan los seis años de falsa situación que encubre una guerra latente, una guerra popular como las que temía Napoleón, porque al ejército español no le quedan sino restos que tratan de agruparse. Por otra parte el simulacro de gobierno josefino encuentra un núcleo de personas amigas de la Ilustración e inclinadas al liberalismo, que los lleva al afrancesamiento, en que basar una apariencia de estado, que funcionará mal que bien bajo el gobierno ocupante. Pero la tónica es la guerra, que estalla y mil incidentes surgen en tierra española. Goya estaba en Madrid el Dos de Mayo y contempla con su amarga filosofía de hombre ya aislado por la sordera, todo aquel desconcierto; pero Goya, amigo de los Palafox zaragozanos, acude a la llamada del general entre el primero y segundo sitio de la heroica ciudad. En su viaje a través de la tierra castellana, asolada por la guerra, ha sido testigo de la disposición del pueblo y de la catástrofe que se abate sobre España; fue un testigo de vista de las tristes consecuencias de aquella situación de la que dará testimonio impresionante en los *Desastres de la Guerra,* la serie de grabados que comienza en 1810. Es el testimonio de un hombre ilustrado y de un patriota a la vez, pero el pintor no puede evitar esa ambigüedad que planeará sobre esta parte de su vida, la de si fue o no afrancesado. Porque el artista aragonés, que odia la guerra por su visión humanitaria de la sociedad y del hombre, estaba en la lista de pintores de Cámara del Rey, que José I está dispuesto a asumir en su deseo de atraerse a los españoles. Más aún, en 1811 es condecorado con la Orden Real de España, la recompensa que ha ideado el Bonaparte para los que se adhieren a su causa; no la usó nunca, alegó Goya en su tiempo, pero esta inclusión en las listas de los españoles a los que se otorgó «La Berenjena», como los españoles denominaron a esa condecoración afrancesada, producirá comentarios también ambiguos en algunos de sus biógrafos. El mayor y el mejor testimonio pictórico de esta ambigüedad nos lo ofrece uno de los cuadros de Goya de mayor tamaño que en

Fig. 38
RETRATO DE LA DUQUESA DE ALBA, c. 1797
Oleo sobre lienzo
2,10 × 1,49 m.
Hispanic Society. New York

esta exposición figuran: la hoy llamada *Alegoría de la Villa de Madrid* que el Ayuntamiento afrancesado le encargó, con la intención de rendir homenaje a José I. Era una ocasión para hacer un alarde alegórico de neoclasicismo oficial, pero Goya no renuncia a su fácil ejecución abocetada y suelta y a su paleta fresca y delicada. Es, como en el cuadro de *España, el Tiempo y la Historia* del Museo de Boston, que recientemente se ha expuesto junto a la *Alegoría de Madrid,* en el Museo Municipal, una especie de boceto en gran tamaño, sin concesiones al academicismo.

Sobre el fondo dramático de la Guerra Española, la vida íntima de Goya se ve afectada por acontecimientos decisivos.

La pobre Josefa, la mujer de Goya, casera y abrumada por la maternidad repetida, enferma y muere finalmente en 1812. El alerta y vigoroso Goya no está dispuesto a la soledad; probablemente ya desde antes de la muerte de su mujer ha entablado relaciones con una mujer joven y resuelta, la Leocadia Zorrilla, mujer de un comerciante de origen suizo o alemán que había roto ya relaciones con su esposo desde el año anterior. El hecho de que en el mismo año de la muerte de Josefa, haga Goya reparto de sus bienes entre él y su hijo, que recibe la mayor parte de los cuadros, parece indicar la suspicacia de Javier Goya ante la nueva familia que quiere crear ilegalmente su padre.

Inglaterra ha decidido intervenir en la guerra española, no sólo para defender a Portugal, su aliada, sino para contribuir a la debilitación de Bonaparte. Mientras los patriotas de Cádiz proclaman una Constitución de finalidad liberal y antiabsolutista, el General Wellington ha entrado en España con sus tropas hispano-británicas y en agosto del mismo año de 1812 entra en Madrid, ocasión en la que Goya le retrata y no una sola vez. Pero la campaña sigue y Wellington no puede mantenerse en Madrid; vuelven los franceses que intentan defenderse del acoso al que les someten las guerrillas y el propio Wellington. De la actitud de Goya en estos momentos oscilantes sólo nos da idea el intento del pintor de escapar de este infierno y de emigrar. Sale en efecto de Madrid, y solamente las gestiones de su hijo en connivencia con las autoridades, le hacen volver ante amenazas de la incautación de sus bienes. En 1813 ya José Bonaparte ve la partida perdida; la Batalla de Vitoria es una derrota total, y Napoleón, acosado por sus enemigos, está dispuesto a devolver a España al *deseado* Fernando VII. En 1814 ante la próxima terminación de la guerra y la vuelta del rey, Goya pinta los grandes cuadros del *Dos de Mayo* *[Fig. 31]* y de *Los Fusilamientos* que están en el

Fig. 39
BANDIDOS DESNUDANDO
A UNA MUJER, 1808-1812
Oleo sobre lienzo
0,41 × 0,32 m.
Colección Marqués de la Romana. Madrid

Prado, que rematan la tarea del artista dedicada a expresar el estado de su espíritu ante la contienda, patente no sólo en los desastres sino en numerosos cuadros de impresiones de guerra de dramático talante, y paleta sombría, de los que la serie más coherente y representativa son las impresionantes escenas de los cuadros que estuvieron siempre en la colección del Marqués de la Romana *[Figs. 39, 40 y 41]*. En los años de la guerra, poco ocupado en su tarea de pintor, la forzosa inacción de sus pinceles por falta de encargos, le lleva a continuar la senda emprendida en los cuadros de su convalecencia, aquellos en que dio vía libre al capricho y a la imaginación. De esta inspiración proceden esos lienzos de «género» y de temas populares, ahora pintados con una paleta muy distinta de la empleada en la época de los cartones para tapices. Predomi-

nan tonos tostados y grises, la factura es osada y libre, los efectos de contraste de luces no escasean. Hemos podido concretar la cronología de muchos cuadros de Goya a los que antes se adjudicaba una fecha insegura, gracias al inventario hecho después de la muerte de Josefa Bayeu en el que se mencionaban estos lienzos con su título, ahora más seguro. Por ejemplo se ha podido incluir en este grupo el allí identificado como *El Lazarillo de Tormes*, o *Las Majas al balcón* [Fig. 5], o el que hemos bautizado como *Celestina* y su pupila o su *Hija*. Otras importantes pinturas que andaban flotando en su clasificación segura entran también en este período *(La Carta* del Museo de Lille [Fig. 4], *La Aguadora* y *El Afilador*, de Budapest o *La Fragua* [Fig. 42] de la colección Frick. Como deben también incluirse en estos años los cuadros que García de la Prada donó a la Academia de San Fernando. Otros cuadros que en este catálogo se incluyen como *La Hoguera* y *El Baile* que fue de Carderera, entran por derecho propio en esta producción privada de los años de la guerra.

Cat. 38

Cat. 41-42

Fig. 42
LA FRAGUA, 1812-1816
Oleo sobre lienzo
1,82 × 1,25 m.
Colección Frick. New York

FABRICACION DE BALAS
(Detalle). Cat. 43

[104]

FABRICACION DE POLVORA
Cat. 44

En la que han de entrar también los intensos cuadros que evocan la *Fabricación de pólvora y de balas* por los guerrilleros en una sierra aragonesa. Acabada la guerra, ya se ha dicho, es cuando realiza los dos grandes cuadros del *Dos de Mayo en la Puerta del Sol* [Fig. 31] para el que hizo el vivaz boceto de la colección Villahermosa y *Los Fusilamientos* del Museo del Prado. De ese año crucial de 1814 es cuando nace la niña Rosarito a la que su madre Leocadia Zorrilla inscribe con el apellido Weiss, de su marido, del que estaba separada hacía tres años.

Cat. 44-43

Cat. 40

Hay pausas de serenidad entre esta producción de la inmediata posguerra; lo prueban en el encantador retrato de *Marianito*, el nieto del pintor que, tocado con su sombrero de copa, finge dirigir una orquesta, frente a una partitura. O la no menos atractiva figura de su amigo el agustino escritor *Fray Juan Fernández de Rojas*.

Cat. 48

Cat. 47

Los amigos de Goya, acaso los más cercanos a su intimidad, en gran parte afrancesados, han emigrado para esquivar las persecuciones de Fernando VII, abiertamente declarado absolutista. Goya no pintará ya al rey Fernando, sino en cuadros que le encargan corporaciones y que pinta guiado de sus recuerdos y algún dibujo que ha conservado, y donde no se traduce ninguna simpatía por el príncipe de El Escorial y de Valençay. No deja por ello de pintar principalmente retratos de aristócratas como el Duque de San Carlos, del que figura en la exposición un boceto vivacísimo y magistral, o el de la *Duquesa de Abrantes* donde aún puede lucir su paleta, que se hace más oscura en las efigies de José

Cat. 45
Cat. 49

Cat. 46

Luis Munárriz, el secretario de la Academia de San Fernando y que tantas veces hace pensar en El Greco, paleta que utiliza asimismo en el *Autorretrato* de 1815, o el magnífico de Rafael Esteve, el grabador valenciano. Las pausas o lagunas de su producción pictórica las llena grabando las planchas de la *Tauromaquia* que publica en colección de 33 estampas en 1816. En sus cuadros domina la paleta sombría como la funeral y

Cat. 50

cenicienta con que está pintada la *Santa Isabel curando a una enferma,* última obra que realiza para el Palacio de Madrid. Pero a esta gama sombría aún pueden unirse destellos de color en las *Santas Justa y Rufina*

Fig. 43
SANTA ISABEL DE HUNGRIA CURANDO
A LOS LEPROSOS, c. 1800
Oleo sobre lienzo
1,31 × 0,21 m.
Museo Lázaro Galdiano. Madrid

Fig. 44
EL PRENDIMIENTO *(Boceto),* 1798
Oleo sobre lienzo
0,35 × 0,19 m.
Museo del Prado. Madrid

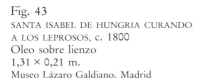

que pinta para la Catedral de Sevilla en 1817 (boceto Prado 2650). La reacción contra el despotismo de Fernando VII va en aumento, Goya se aisla y piensa en retirarse del Madrid urbano cuando compra la Quinta del Sordo junto al Manzanares, que en aquellos años de conspiraciones contra el absolutismo y de intentos de restablecer la Constitución (1819-1820) es un refugio contra el mundo hostil. Allí realiza en estos años las tremendas pinturas negras donde expresa el pesimismo ante una vida nacional llena de catástrofes y de conspiraciones. Pero su espíritu de artista está siempre alerta; con una paleta semejante a la de las pinturas negras es capaz de realizar sus más intensas composiciones religiosas, la mejor de todas *La última Comunión de San José de Calasanz,* que es una de las piezas capitales de esta exposición, en la que podrá ser contemplada, albergada en las salas del Museo mejor que en la Iglesia oscura que la cobija habitualmente. Extremo boceto expresionista será el abocetado cuadrito de la *Oración del Huerto* con el que esta exposición de pinturas de Goya remata su recorrido total a través de la obra del gran maestro.

Cat. 51

Cat. 52

Su curiosidad despierta le hace interesarse por la litografía en los primeros ensayos que se hacen en Madrid; y su *Vieja hilandera,* fechada en 1819, es quizá la primera litografía de artista que se estampa en España.

El pintor tiene ya 73 años y su cuerpo, que ha sufrido el embate de graves trances de salud, sufre en 1819 otro muy grave del que, como antes había sucedido, logra escapar. Es de muy interesante comparación el cuadro en el que se inmortaliza como saliendo de un ataque y asistido por su médico Arrieta que firma en 1820, con los anteriores que se incluyen en esta exposición del artista ante el caballete, de fecha no segura, y el que se pintó en 1815, también en la exposición, cuando a los 69 años se retrata con aire resuelto, brillo en sus ojos y tez todavía juvenil, en el cuadro también en la Academia de San Fernando.

Durante el trienio liberal su espíritu no se aquieta y sus visiones continúan amargas y sombrías. Estas negras visiones o confusos sueños de una mente exasperada no se reflejan sólo en las paredes de la Quinta del Sordo, sino en su última serie de grabados al aguafuerte, los famosos *Disparates* en los que parece rebasar toda racional explicabilidad y nos dan testimonio de su amargo pesimismo. Solamente en algunos finales retratos de amigos nos queda testimonio de lo que el arte de Goya conserva de genialidad y de síntesis de su carrera de pintor. Cuando termina la triste época con otro cambio de régimen en 1823, Goya teme una reacción extremada y brusca todavía y decide emigrar de España; está saturado de guerra y de ser testigo de abusos, persecuciones y disparates. Emigra a Francia, aunque eso sí, precavido funcionario, provisto de un permiso especial; es la instalación en Burdeos con Leocadia y sus hijos, no sin haberse antes asomado a París.

La representación de Goya en esta exposición termina con el *San*

José de Calasanz y *La Oración del Huerto,* testimonio ya de la serie negra y de la factura exasperada que corresponde a la evolución de su técnica pictórica y a la vez al estado de su espíritu. Los retratos que le quedan por pintar en el exilio no desmentirán las inclinaciones de esta vena de su arte final; con ella ha alcanzado nuestro artista la total ruptura con el arte de su tiempo y la premonición de lo que serán las direcciones más extremas del siglo XIX. Tanto las pinturas como las litografías finales mantienen ese trémolo, dramático y sombrío del Goya extremo, cuando ya aquietada su vida y, confortablemente instalado en Burdeos, seguían resonando en su mente los truenos de las tormentas que la vida española y la suya propia han sufrido a lo largo de 82 años.

Con esta exposición de pinturas de *Goya en las colecciones madrileñas,* los Amigos del Museo del Prado continúan su aportación, ya iniciada en 1982, apenas emprendida su actividad. Se da con ello un primer paso para que nuestra Fundación pueda ser vehículo, en lo sucesivo, de manifestaciones artísticas de este orden en la vida cultural madrileña. En realidad nos consideramos con ello sucesores de la lamentablemente extinguida Sociedad Española de Amigos del Arte que durante muchos años realizó en Madrid una actividad semejante.

Una exposición como la que presentamos no se hubiera podido realizar sin la concurrencia de singulares ayudas, asistencias y colaboraciones. En primer término, tenemos que agradecer la benevolencia y gentileza de los coleccionistas y particulares que han tenido la bondad de prestarnos sus pinturas para esta Exposición, pero ésta no hubiera podido realizarse si no nos hubiera gentilmente patrocinado la Entidad que ha financiado los gastos de preparación, seguros y confección del catálogo; a ella expresamos la más sincera gratitud por su ayuda a esta empresa cultural tan relevante para la vida artística madrileña. Es ocioso decir que la preparación de la Exposición con todos los trabajos que conlleva ha corrido a cargo de los Amigos del Museo del Prado y muy especialmente del Consejo ejecutivo con los equipos formados para ello. A todos sus miembros hay que agradecer la participación que en estas tareas han tenido, y en especial a Paloma García Lomas, Isabel de Azcárate, Mercedes Royo-Villanova, Paulette García de la Noceda, Carmen Fierro, Isabel Hoyos, María Mercader y Elena Ballestero. Si se me ha encarga-

LAFUENTE FERRARI

do de tomar a mi cargo el catálogo, en su elaboración han colaborado esos equipos con singular eficacia. Debo agradecer especialmente su ayuda a María de los Santos García Felguera, a Adriana Pascual, Mercedes Franco y Pilar Carderera en el acopio de referencias y bibliografía y a la coordinación cordial e inteligente de la Secretaria de los Amigos de los Museos.

Claro está que nada hubiera podido hacerse sin la acogida del propio Museo del Prado, tanto en la etapa de Dirección de D. Federico Sopeña como en la de su sucesor y actual director de nuestra primera pinacoteca D. Alfonso E. Pérez Sánchez. En el capítulo de gratitudes han de constar decisivamente la ayuda de los conservadores del Museo y muy singularmente la de la Subdirectora Doña Manuela Mena. Por último damos las gracias a nuestros colaboradores M. Pierre Gassier, Mr. Nigel Glendinning y D. Julián Gállego que han permitido enriquecerse a este libro con los estudios preliminares que aquí se incluyen. Debemos mencionar también con agradecida cordialidad a todo el personal del Museo del Prado que, en algún modo, ha participado en ayudarnos a llevar a buen término esta iniciativa.

ENRIQUE LAFUENTE FERRARI

Obras expuestas

1   *Autorretrato*

Oleo sobre lienzo. 0,58 × 0,44 m.
Colección particular.

Es probablemente, que sepamos, el primer autorretrato de Goya que ha llegado hasta nuestros días.

Está representado de busto, de tres cuartos a la derecha y presenta su redonda cabeza con la frente despejada y una expresión juvenil en un rostro más bien carilleno.

Se suele fechar aproximadamente en los años anteriores a su establecimiento definitivo en Madrid. Hasta nuestros días se ha conservado en Zaragoza, probablemente desde que se pintó hasta que hace algunos años pasó a la colección del Marqués de Zurgena en Madrid. Tiene para nosotros el interés de encabezar la serie relativamente extensa de los autorretratos de Goya y es muy sugestiva su comparación con el *Autorretrato* del Museo de Agen y con el incluído en la *Predicación de San Bernardino de Siena,* el cuadro que pintó para la Iglesia de San Francisco el Grande por encargo de la Corte en 1782.

El cuadro permaneció en Zaragoza hasta 1947; perteneció a la colección Ena, de dicha ciudad; pasó después a la colección del Marqués de Zurgena, en Madrid, antes de pasar a su actual propietario, en 1955.

Bibliografía: Mayer, 1925, n.º 292; Ezquerra, 1928, p. 310, n.º 1, Desparmet, 1928-1950, p. 310, n.º 284; Sambricio, 1961, n.º XXVI; Helman, 1963, p. 22, 23; Gudiol, 1970, p. 29, 30, n.º 36; Gassier, 1974, n.º 26; De Angelis, 1974, n.º 38; Gállego, 1978, p. 22-24.

Exp.: 1961, Madrid, n.º XXVI.

CAT. 1

2 Una maja y una vieja

Oleo sobre lienzo. 0,75 × 1,13 m.
Colección Mc-Crohon, Madrid.

Son dos figuras de mujer, sentadas en el suelo en el campo; la que figura en primer término es, por su indumentaria, una maja madrileña; aparece casi tendida, apoyando el brazo sobre una peña; lleva vestido de amplio escote con guarnición de pasamanería en la orla, puños y hombreras. Tras ella está sentada, mirando de frente, una mujer vieja con pañuelo en la cabeza y manto sobre los hombros.

Este cuadro apaisado, comparable en proporciones aproximadamente a las sobrepuertas de los cartones para tapices, a los que es comparable también por su entonación, concuerda con los que pintó Goya hacia 1780, por ejemplo: el cartón para «La cita» (número 141 de Gassier). Era desconocido hasta 1928 en que se expuso por primera vez, no habiendo sido nunca hasta entonces estudiado ni fotografiado. Como todos los cuadros de Goya que estuvieron, que están o han estado exhibidos en la Colección Mc-Crohon proceden de la colección de Don Francisco Acebal y Arratia, aficionado que reunió un considerable número de pinturas del gran artista. Acebal y Arratia era persona relacionada con el escritor D. José Somoza.

Está pintado sobre preparación rojiza usada por Goya en muchas de sus pinturas.

Bibliografía: Lafuente, 1928, n.º 60; Lafuente, 1928 II, p. 48; Desparmet, 1928-50, n.º 533s, p. 281; Held, 1964, n.º 179; Gudiol, 1970, n.º 50; Gassier, 1974, n.º 153; De Angelis, 1974, n.º 80.

Exp.: 1928, Madrid, n.º 60.

CAT. 2

3 *Retrato del Conde de Floridablanca*

Oleo sobre lienzo. 2,60 × 1,66 m.
Colección Banco Urquijo, Madrid.

Fue este cuadro uno de los que marcaron la carrera de Goya en sus primeros pasos en la alta sociedad madrileña. Goya había pintado cartones para la Fábrica de Tapices llegando por esta vía a ser pintor del Rey, pero era todavía un artista poco introducido en la sociedad madrileña, hasta que fue elegido académico de la Real Academia de San Fernando, elección que supuso un ascenso social positivo, y que le introdujo en el círculo que formaban los aristócratas y personajes importantes que componían la Academia. De allí vino su amistad con Jovellanos y con Cean Bermúdez y de estas amistades surgió el encargo del Banco de San Carlos, primer paso importante de Goya como retratista en Madrid.

Reinaba Carlos III y era su ministro el Conde de Floridablanca. Hacer un retrato de personaje tan importante en la corte suponía otro paso más: la apertura de una clientela que podía darle otro pedestal mayor que el oficio de pintar cartones para tapiz, tarea más bien oscura de la que Goya deseó siempre emanciparse. Retratar al Conde de Floridablanca era pues, deseable para Goya, y éste puso su empeño en hacer de este retrato una obra de aparato y de importancia, que pudiese dar realce a su trabajo.

El Conde, D. José Moñino, abogado murciano que había estudiado leyes en Salamanca, dio sus primeros pasos en la administración bajo el ministro Esquilache, que le encomendó asuntos que supo resolver con habilidad. Consejero de Castilla poco después, relacionado con el grupo de ilustrados y regalistas que definieron la política de Carlos III, intervino eficazmente en la expulsión de la Compañía de Jesús, por lo cual Carlos III le hizo Conde de Floridablanca. De gran preponderancia durante todo el reinado de Carlos III, continuaba en la administración bajo su hijo Carlos IV, donde comenzó su pérdida de favor, en la que influyó la enemistad de la Reina María Luisa.

Exonerado en 1792, fue sometido a un proceso del que fue absuelto, permaneciendo en Murcia, retirado, hasta que en 1808 el alzamiento nacional de Independencia le llamó para nombrarle Jefe de la Junta Central, cargo que desempeñó poco tiempo, porque murió en este mismo año en Sevilla el 30 de diciembre.

Goya emprende una composición para retratar al ministro en el que aparece un tanto magnificado, distante, en pie, dirigiéndose al pintor que se autorretrata en el cuadro al presentarle una pintura. A los pies del artista hay un papel en el que se lee: «† Señor Fran^co Goya». Junto a él un arquitecto, acaso Ventura Rodríguez, con unos planos del canal de Aragón en los que aparece la fecha 1783. Hay un libro de buen tamaño en el suelo que no es otra cosa que la *Práctica de la pintura*, de Palomino. La escena tiene lugar en un salón con cortinajes y una mesa sobre la cual, al lado de los planos, un reloj marca las diez y media. Al fondo, en la pared, hay un retrato en óvalo de Carlos III.

Vaquero Almansa en su libro *Los profesores de Bellas Artes murcianos* (pág. 286), relata toda una leyenda que trata de explicar la agrupación de los tres personajes del cuadro.

Se trata pues, de un cuadro de composición en el cual Goya ha introducido su autorretrato avanzando hacia el Conde; éste lleva traje de gala, con su levita de color castaño, puños de encaje, calzón corto con hebilla, medias blancas y zapatos con hebilla también.

Se ha supuesto que Goya presenta al ministro el boceto para el cuadro de San Francisco el Grande, aunque el formato del lienzo no parece justificar esta suposición. El personaje del fondo que, en efecto, por el compás que tiene su mano y por el plano del Canal de Aragón que le presenta parece un arquitecto, supone Nordström que se trata de Francisco Sabatini, lo que no es seguro; se ha pensado en Ventura Rodríguez, pero no es tampoco probable, ni tampoco puede ser Villanueva, que hizo planos para el Canal de Aragón.

CAT. 3

El cuadro, muy entonado en su efecto de interior y de luces es uno de los primeros ensayos de Goya en conseguir esa *magia del ambiente,* que tanto estimaría en la pintura, aunque más bien el personaje principal desentona de la unidad lumínica, conseguida por Goya en los demás personajes, por la viveza del tono de su casaca roja sobre la que ostenta la banda de Carlos III.

Bibliografía: Carderera, 1835, p. 253, 254; Yriarte, 1867, p. 139, Zapater, 1868, p. 18, n. ° 41; Viñaza, 1887, p. 271, n.º 159; Araujo, 1896, p. 110, n.º 169; Zeitschreift fur bildenee Kunst, 1900, p. 234; Tormo, 1902, p. 206; Lafond, 1902, p. 127, n.º 106; Loga, 1903, p. 195, n.º 214; Calvert, 1908, p. 134, n.º 110; Beruete I, 1919, p. 17, n.º 71; Beruete, 1924, p. 265; Mayer, 1925, p. 56, n.º 263; Desparmet, 1928-50, n.º 303; Lafuente, 1928, n.º 4; Encina, 1928, p. 57-58; Ezquerra, 1928, p. 310, n.º 2; Adhemar, 1941, p. 12; Jiménez Placer, 1943, p. 25; D'Ors, 1943, p. 105; López Rey, 1947, p. 16, 17; Lafuente, 1947, p. 75; Sánchez Cantón, 1951, p. 27; Lafuente, 1955, n.º 87; Sambricio, 1961, n.º XXIV; Nordström, 1962; Helmann, 1963, p. 20; Glendinning, 1964, p. 4-14; Held, 1964, n.º 32; Sánchez Cantón, 1965, p. 345; Chabrun, 1965, p. 50; Gómez de la Serna, 1928, p. 44, 45, 81; Gudiol, 1970, p. 53, 256, n.º 140; Lewis, 1970, p. 28, 96; Licht, 1973, p. 165, 166; Gassier, 1974, n.º 203; De Angelis, 1974, n.º 167; Gantner, 1974, p. 59; Glendinning, 1977, p. 228; Gállego, 1978 I, p. 34; Salas, 1979 I, p. 114; Torralba, 1980, p. 29, 35; Glendinning, 1980, p. 169, 170; Licht, 1980, p. 73-74; Glendinning, 1980, p. 169, 170; Glendinning, 1981, p. 238; Camón, 1981, p. 146-147; Canellas López, 1981, p. 246-247; Díaz Padrón, 1982, p. 79-82.

Exp.: 1900, Madrid, n.º 93; 1928, Madrid, n.º 4; 1943, Madrid, n.º 45; 1955, Granada, n.º 87; 1961, Madrid, n.º XXIV.

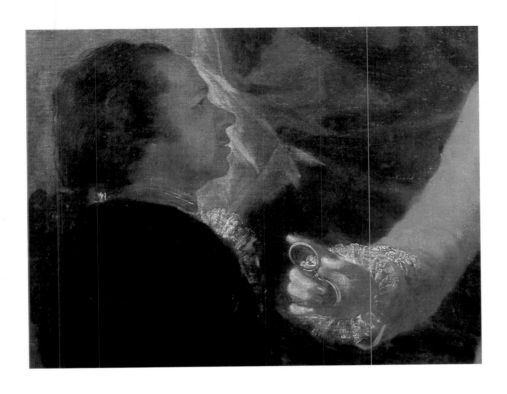

RETRATO DEL CONDE DE FLORIDABLANCA
(Detalles)
Cat. 3

4   *La Duquesa de Osuna*

Oleo sobre lienzo. 1,04 × 0,80 m.
Colección Bartolomé March, Madrid.

Fue la Duquesa de Osuna figura principal de la aristocracia española en tiempos de Goya. Considerada como rival de la Duquesa de Alba en la sociedad de su tiempo se señaló en la vida de su corte por su sociabilidad y su ingenio, recibiendo a la sociedad de su tiempo tanto en su palacio de Madrid, hoy derribado, que tenía su emplazamiento aproximadamente en la calle Bailén, no lejos de lo que hoy es el Viaducto, como en su Palacio de la Alameda de Osuna, así llamada, finca que aún hoy conserva su palacete decorado luego por Goya. Fue protectora de las Artes y de las Letras, estrenándose en su casa obras teatrales como las del famoso Sainetero Don Ramón de la Cruz y celebrándose fiestas famosas y conciertos de Música.

Era, según Lady Holland, «la mujer más distinguida de Madrid por sus talentos, mérito y gusto». En su familia se reunieron muchos títulos de nobleza, sobre todo cuando casó con un primo que era el que aportó el famoso título que ostentó ella durante toda su vida. Llamábase Doña María de la Soledad Alfonso-Pimentel y Téllez Girón y era por sí misma Condesa Duquesa de Benavente, Duquesa de Béjar, de Mandas, Plasencia, Arcos y Gandía, Princesa de Anglona y de Squilace, Marquesa de Lombay y de Jabalquinto y Condesa de Mayorga. Había nacido en 1752 teniendo unos treinta y tres años cuando Goya la retrató en 1785.

Se conoce y ha sido publicada la documentación de este retrato que, con el de su marido, fue pagado en 1785 en 4.800 reales. Sobresalió por su elegancia y afición a las modas de París, ciudad en la que residió durante algún tiempo, antes de la Revolución. Lo acredita la indumentaria que luce en el retrato de tono azul con lazo sobre el pecho y gran sombrero de plumas, a la moda francesa. Es muy de observar la actitud en que la pintó Goya, poco habitual en los retratos de mujer, separando sus dos brazos como expresando la viveza de su carácter que chispea también en sus ojos. La Duquesa, como toda su familia, se destacó por su patriotismo en la Guerra de la Independencia, residiendo en Cádiz, mientras duró la contienda; murió de ochenta y dos años en 1834.

Como es bien sabido, la gran Casa de Osuna, poseedora de innumerables casas y castillos en toda España, se arruinó en tiempos de su manirroto hijo Mariano, famoso por sus dispendios, especialmente durante su Embajada en Rusia, llegando a tener que venderse las propiedades y colecciones de la familia en una famosa almoneda en Madrid. Se hizo, entonces, el catálogo de las pinturas que se pusieron a la venta, entre las cuales estaba el retrato de la propia Duquesa, catálogo que se publicó en Madrid en el año 1896.

Tres años después de ejecutarse este retrato, Goya, que pintó mucho para la familia, realizó el gran cuadro en que la representó con su marido y sus cuatro hijos en el lienzo que vino a parar al Museo del Prado (número 739 de su catálogo) *[Fig. 28]*.

Este cuadro figuró en el Catálogo de Venta Osuna con el número 64; fue adquirido allí por el banquero Bauer, heredado por su hijo D. Alfredo, pasó en este siglo a la colección de D. Juan March Ordinas y hoy es propiedad de su hijo D. Bartolomé.

Bibliografía: Yriarte, 1867, p. 139; Viñaza, 1887, número CXXXVIII; Araujo, 1889, p. 110, n.º 172; Sentenach, 1895, p. 197; Sentenach, 1896, n.º 64; Lafond, 1902, p. 124, n.º 80; Loga, 1903, n.º 293; Calvert, 1908, n.º 4; Holland, 1910, p. 195; Beruete I, 1919, p. 38, n.º 144; Allende Salazar y Sánchez Cantón, 1919, p. 272; Ezquerra y Pérez Bueno, 1924, p. 15; Mayer, 1925, n.º 369; Desparmet, 1928-50, n.º 316; Sánchez Cantón, 1951, p. 32; Yebes, 1955, p. 40; Lafuente, 1964, p. 192; López Rey, 1970, p. 57; Gudiol, 1970, p. 58, 63, n.º 165; Baticle, 1970, n.º 5; Gassier, 1974, n.º 220; De Angelis, 1974, n.º 177; Williams Gwyn, 1978, p. 97; Canellas López, 1981, p. 432; Camón, 1980 II, p. 10, 150.

Exp.: 1901, Londres, n.º 59; 1959-1960, Estocolmo, n.º 134; 1970, París, n.º 5; 1979, París, n.º 4.

CAT. 4

5 *Retrato de D. José de Toro Zambrano*

Oleo sobre lienzo. 1,12 × 0,68 m.
Colección Banco de España, Madrid.

Retrato de medio cuerpo casi de frente, el modelo lleva peluca blanca, casaca de tono rojizo caliente, chorrera y puños de encaje; la mano derecha apoyada sobre la chupa mientras la izquierda parece descansar sobre lo que parece el antepecho, trozo de pintura, sin duda, destinado a llevar la inscripción con el nombre del personaje retratado.

El retratado era un indiano financiero, diputado de la nobleza del reino de Chile que fue director del Banco de San Carlos. Es el primer retrato que a Goya se le encargó por el Banco, encargo en el que medió su amigo D. Juan Agustín Cean Bermúdez, que era primer oficial de la Secretaría del Banco. El retrato llevó en sus tiempos pintada una cruz de Carlos III, Orden a la que no perteneció el modelo hasta años después de estar pintado el cuadro, siendo la condecoración repintada posteriormente; este repinte era defectuoso, por lo que se le hizo desaparecer en una restauración del lienzo realizada por Amutio, quien fue primer restaurador del Museo del Prado.

Se le pagó a Goya por mediación de Cean Bermúdez, ya que a nombre de éste se hizo el asiento de pago en los documentos del Banco el 13 de abril de 1785; cobró por él Goya dos mil setecientos veintiocho reales de vellón.

El retrato de D. José de Toro Zambrano y toda esta serie de efigies de directores de Banco, encargados a Goya en estos años, pasaron después a propiedad del Banco de España, sucesor directo del establecimiento fundado en el siglo XVIII. Pero lo curioso es que estos cuadros estuvieron olvidados en una habitación poco frecuentada de la antigua sede del Banco, que estaba en la actual Dirección de la Deuda Pública en la calle de Atocha, y fueron según parece, redescubiertos por el gobernador del Banco, D. Francisco Belda, que hizo investigar en el archivo hasta encontrar en los libros de contabilidad del Banco de San Carlos, los asientos en que se documentaban estos retratos como de Goya.

Se presentaron ya en la exposición de Goya de 1900, organizada por el Ministerio de Instrucción Pública, pero los textos fueron publicados en 1928 por D. Luis García de Valdeavellano en el Boletín de la Sociedad de Excursiones de 1928 (páginas 56 a 65). En este artículo se nos dio la noticia asimismo, de que Goya poseyó quince acciones del Banco de San Carlos, acciones que se han conservado en el Banco, y a las que el artista aludía en su correspondencia con su amigo Martín Zapater en 1786; se guardan también en el archivo del Banco los recibos de los dividendos cobrados por Goya.

El Banco de San Carlos fue fundado el 2 de junio de 1780, siendo Cabarrús su primer director.

Bibliografía: Tormo, 1902, p. 207; Lafond, 1902, p. 140, n.º 234; Loga, 1903, p. 205, n.º 345; Calvert, p. 142, n.º 255; Beruete I, 1919, p. 19, 20, n.º 84; Beruete, 1924, p. 267; Mayer, 1925, n.º 436; Valdeavellano, 1928, p. 56-65; Desparmet, 1928-50, n.º 317; Galvarriato, 1932, p. 305-307; Vértice, 1940, n.º 30 y 31; Eyzaguirre, 1946, p. 903-904; Martín Mery, 1951, n.º 8; Sánchez Cantón, 1951, p. 32; Lafuente, 1955, n.º 88; Sambricio, 1961, n.º XXI; Held, 1964, n.º 34; Gudiol, 1970, p. 57, 63, 261, n.º 63; Gassier, 1974, n.º 223; De Angelis, 1974, n.º 175; Torralba, 1980, p. 39; Canellas López, 1981, p. 437; Camón, 1980, t. II, p. 13; Salas, 1982, p. 151.

Exp.: 1900, Madrid, n.º 26; 1902, Madrid, n.º 418; 1946, Madrid (Museo Nacional de Arte Moderno), n.º 17; 1951, Burdeos, n.º 8; 1951, Madrid, n.º 5; 1952, Venecia, n.º 24; 1953, Basilea, n.º 3; 1955, Granada, n.º 88; 1982, Madrid, n.º 8; 1961, Madrid, n.º XXI; 1972, Tokio, n.º 22.

CAT. 5

6 *Retrato de D. Francisco Javier de Larrumbe*

Oleo sobre lienzo. 1,13 × 0,77 m.
Colección Banco de España, Madrid.

Busto largo, tres cuartos a la derecha, lleva peluca blanca, casaca bordada y la mano izquierda se apoya en un bastón. Siguiendo la costumbre que luego adoptaría Goya con frecuencia en los retratos de encargo, oculta la mano derecha sobre el chaleco entreabierto. Lleva sobre el pecho la cruz de Carlos III; bajo el brazo izquierdo tiene su tricornio.

Don Francisco Javier de Larrumbe fue comisario de guerra y director honorario de la Dirección de Giro del Banco de San Carlos. Era caballero de la Orden de Santiago.

El retrato fue pagado a Goya el 15 de octubre de 1787, según la documentación del Banco de San Carlos, conservada en el Banco de España, en la suma de dos mil doscientos reales de vellón que incluía el dorado del marco.

Bibliografía: Tormo, 1902, p. 207; Lafond, 1902, p. 131; Loga, 1903, p. 199, n.º 265; Calvert, p. 136, n.º 171; Beruete I, 1919, p. 20, n.º 88; Tormo, 1924, p. 267; Mayer, 1925, n.º 328; Desparmet, 1928-50, n.º 325; Valdeavellano, 1928, p. 56-65; Galvarriato, 1932, p. 305-307; Vértice, 1940, n.º 30 y 31; Sánchez Cantón, 1951, p. 37; Lafuente, 1955, n.º 94; Sambricio, 1961, n.º XX; Held, 1964, n.º 38; Gudiol, 1970, p. 72, 74, n.º 243; Gassier, 1974, n.º 227; De Angelis, 1974, n.º 217; Gállego, 1978, II, p. 184, 185; Salas, 1979 I, p. 110-112; Camón, 1980, t. II, p. 55, 56; Torralba, 1980, p. 39; Canellas López, 1981, p. 438; Salas, 1982, n.º 10.

Exp.: 1900, Madrid, n.º 22; 1902, Madrid, n.º 413; 1955, Granada, n.º 94; 1961, Madrid, n.º XX; 1982, Madrid, n.º 10.

CAT. 6

7 *Retrato del Conde de Altamira*

Oleo sobre lienzo. 1,77 × 1,08 m.
Colección Banco de España, Madrid.

Pagado el 30 de enero de 1787 y conservado entre las colecciones del Banco de España, el retrato del Conde de Altamira es semejante en factura a los otros de la serie, pero menos afortunado en la composición. Representa al conde, que era de corta estatura, sentado con el brazo izquierdo apoyado sobre una mesa, y el derecho sobre su pecho. Los faldones de su casaca cuelgan no muy afortunadamente a la izquierda sobre la silla en que está sentado el personaje que no apoya sus piernas en el suelo, sino que las extiende cruzadas delante de sí, postura que no favorece a la figura. Lleva las piernas enfundadas en sus medias blancas y la blanca peluca orna su cabeza.

El Conde de Altamira era consejero del Banco de San Carlos y su nombre era D. Vicente Isabel Ossorio de Moscoso Alvarez de Toledo, Marqués de Astorga, alférez mayor de Castilla y de la Villa de Madrid, académico de San Fernando en 1796 y consiliario de la Academia en 1815; murió en Madrid al año siguiente de 1816. Procedía de una de las más ilustres familias de Galicia. Goya hubo de pintar también el retrato de su esposa e hijos; la condesa con su hija pequeña fue retratada en años no lejanos al de su marido en el cuadro que está hoy en Nueva York, y los niños D. Vicente Ossorio (Nueva York, Colección particular), y Manuel Ossorio *[Fig. 21]*, famoso niño vestido de rojo rodeado de pájaros y un gato, que está hoy en el Museo Metropolitano de Nueva York, y que es hoy uno de los retratos infantiles más famosos de la pintura española.

El Conde de Altamira mandó construir a D. Ventura Rodríguez un magnífico palacio neoclásico en Madrid, del que se conserva sólo parte en la calle de la Flor, cerca de la Gran Vía, porque hubieron de suspenderse las obras por orden del rey, que creyó podría superar en magnificencia al propio Palacio Real.

Bibliografía: Tormo, 1902, p. 207 y 211; Lafond, 1902, p. 123, n.º 69; Loga, 1903, p. 192, n.º 170; Calvert, 1908, p. 131, n.º 77; Beruete I, 1919, p. 20, n.º 85; Beruete, 1924, p. 267; Mayer, 1925, n.º 200; Desparmet, 1928-50, n.º 304; Valdeavellano, 1928, p. 56-65; Galvarriato, 1932, p. 305-307; Vértice, 1940, n.º 30 y 31; Sánchez Cantón, 1951, p. 37; Lafuente, 1955, n.º 95; Sambricio, 1961, n.º XXIV; Held, 1964, n.º 39; Trapier, 1964, p. 3-5; Gudiol, 1970, p. 267, n.º 212; Gassier, 1974, p. 61, 75 y 98, n.º 225; De Angelis, 1974, n.º 211; Salas, 1979 I, p. 110-112; Torralba, 1980, p. 39 y 86; Camón, 1980, t. II, p. 31, 32; Canellas López, 1981, p. 437; Glendinning, 1981, p. 239; Salas, 1982, p. 152.

Exp.: Madrid, 1900, n.º 24; 1955, Granada, n.º 95; 1958, Munich, n.º 73; 1961, Madrid, n.º XXIV; 1982, Madrid, n.º 11.

CAT. 7

8 *Retrato del Marqués de Tolosa*

Oleo sobre lienzo. 1,12 × 0,78 m.
Colección Banco de España, Madrid.

Pertenece a la serie de retratos del Banco de España encargados por el Banco de San Carlos.

Es de busto largo con manos y fue pagado con los dos anteriores el 30 de enero de 1787, abonándose por los tres 10.000 reales. Era Marqués de Tolosa D. Miguel Fernández Durán, Caballero de Calatrava y mayordomo de semana del Rey, Director del Banco de San Carlos.

Cat. 5 Para mí es inferior al retrato de Toro y Zambrano; la efigie de este personaje, menos simpático, con su rostro carilleno y su aire apersonado; lleva también peluca blanca. Su casaca se orna con galones bordados y en ella lleva bordada la cruz de Calatrava, de la que pende un joyel o condecoración orlada de brillantes.

Bibliografía: Tormo, 1902, p. 207; Lafond, 1902, p. 138, n." 221; Loga, 1903, p. 205, n." 344; Calvert, 1908, p. 141, n." 244; Beruete I, 1919, p. 20, n." 86; Beruete, 1924, p. 267; Mayer, 1925, n." 435; Desparmet, 1928-50, n." 320; Valdeavellano, 1928, p. 56-65; Galvarriato, 1932, p. 305-307; Vértice, 1940, n." 30 y 31; Sánchez Cantón, 1951, p. 37; Lafuente, 1955, n." 93; Sambricio, 1961, n." XXV; Held, 1964, n." 40; Gudiol, 1970, p. 267, 271, 274, n." 211; Gassier, 1974, n." 225; De Angelis, 1974, n." 212; Torralba, 1980, p. 39 y 86; Camón, 1981, t. II, p. 31; Canellas López, 1981, p. 437; Salas, 1982, n." 12.

Exp.: 1900, Madrid, n." 25; 1902, Madrid, n." 417; 1955, Granada, n." 93; 1961, Madrid, n." XXV; 1972, Tokio, n." 23; 1982, Madrid, n." 12.

CAT. 8

9 *Retrato del Conde de Cabarrús*

Oleo sobre lienzo. 2,10 × 1,27 m.
Colección Banco de España, Madrid.

El Conde aparece en pie, de cuerpo entero y tamaño natural, de tres cuartos a la izquierda; lleva casaca de un verde oliváceo, el tricornio bajo el brazo izquierdo y oculta la mano izquierda bajo la casaca entreabierta, mientras extiende la derecha en actitud persuasiva para dirigir un discurso. En su rostro sonrosado destacan los ojos oscuros de inteligente expresión. Lleva al costado la espada semioculta por la casaca orlada de piel, y de los bolsillos de su chupa penden colgantes de reloj.

D. Francisco Cabarrús, personaje muy representativo de su época, nació en Bayona de Francia en 1752, en una familia dedicada al comercio. Emigró a España, llegando a ser nacionalizado español, donde su competencia en materia económica le impuso entre los ilustrados, llegando a desempeñar misiones de confianza que le ganaron la protección de Floridablanca. Amigo de Jovellanos y de otros ilustres hombres de su época, propuso la iniciativa de crear el Banco Nacional de San Carlos, así como la Compañía de Filipinas, iniciativas que influyeron en el progreso de la economía española. Muerto Carlos III pronunció el elogio de este rey en un discurso a la Sociedad Económica de Amigos del País. Sus enemigos, acrecidos desde el comienzo de la Revolución Francesa, procuraron desacreditarle con acusaciones que le llevaron a ser encarcelado; al final fue absuelto y recobró el favor bajo el reinado de Carlos IV, que le otorgó el título de Conde unido a su nombre, como era practicado en Francia.

La Invasión Francesa le hizo adherirse al gobierno del rey José I, de quien fue ministro de Hacienda. Este afrancesamiento le llevó a perder la amistad de Jovellanos, que había adoptado la posición patriótica ante aquella invasión. Al retirarse este rey a Francia le siguió, estableciéndose en su país de origen. Su famosa hija Teresa, casada con Tallien, fue famosa por su belleza y sus coqueterías, y en la historia se la conoce con el nombre, que entonces recibió, de «Notre Dame de Thermidor».

El retrato de Cabarrús es uno de los mejores, si no el mejor, de la colección pintada por Goya para el Banco de San Carlos, que pagó a Goya por su pintura el 21 de abril de 1788 la cantidad de 4.500 reales de vellón.

Bibliografía: Tormo, 1902, p. 207; Lafond, 1902, p. 125, n.º 85; Loga, 1903, p. 193, n.º 184; Calvert, p. 132, n.º 91; Beruete I, 1919, p. 20, n.º 87; Beruete, 1924, p. 267; Mayer, 1925, n.º 220; Valdeavellano, 1928, p. 56-65; Desparmet, 1928-50, n.º 326; Galvarriato, 1932, p. 305-307; Vértice, 1940, n.º 30 y 31; Adhemar, 1941, p. 23; Adhemar, 1948, p. 20; Sánchez Cantón, 1951, p. 43 y 168; Martín Mery, 1951, n.º 14; Lafuente, 1955, n.º 91; Sambricio, 1961, n.º XXXIX; Held, 1964, n.º 44; Gudiol, 1970, p. 73, 74, 274, n.º 249; Lipschutz, 1972, p. 10, 12; Gassier, 1974, p. 61-78, 95, n.º 228; De Angelis, 1974, n.º 223; W. Gwyn, 1978, p. 97; Torralba, 1980, p. 39 y 86; Camón, 1980, t. II, p. 66; Canellas López, 1981, p. 439; Salas, 1982, p. 153, n.º 13.

Exp.: 1900, Madrid, n.º 23; 1902, Madrid, n.º 429; 1951, Burdeos, n.º 14; 1951, Madrid, n.º 7; 1952, Venecia, n.º 23; 1955, Granada, n.º 91; 1958, Munich, n.º 74; 1961, Madrid, n.º XXXIX; 1982, Madrid, n.º 13.

CAT. 9

10 *Retrato de Carlos III de cazador*

Oleo sobre lienzo. 2,10 × 1,27 m.
Colección Duquesa del Arco, Madrid.

El cuadro fue encargado por el VII Conde de Fernán Núñez.

El rey está figurado en pie, en el campo, con un horizonte alto, paisaje de monte bajo y montañas. Lleva tricornio y viste casaca y chupa; los guantes blancos en la mano derecha; pendiente de cinta el Toisón; a los pies un perro blanco de caza se acurruca junto a él. Sostiene la escopeta, apoyada en el suelo, sujetando el cañón con su mano izquierda.

Dudo mucho si Goya pudo pintar a Carlos III del natural, aunque sin duda alguna pudo verle en Madrid alguna vez; probablemente el retrato está hecho de memoria sirviéndose acaso de grabados.

Como se sabe, este rey, que nació en Madrid en 1716, fue objeto de la ambición de su madre, Isabel de Farnesio, que le quiso proporcionar un trono, ya que el de España quedaba lejos de él por la existencia de dos hermanos mayores del primer matrimonio de Felipe V. La política italiana de la Farnesio le hizo acceder al ducado de Parma, que ocupó hasta 1734, en que pasó a ocupar el trono de Nápoles y Sicilia donde reinó felizmente durante largos años (1734-59). Su título allí, fue el de Carlos VII, dada la sucesión de príncipes con este nombre que habían reinado en la ciudad italiana. Pero la muerte sin hijos de su hermano Fernando VI hizo que hubiese de ser llamado al trono de España. En Madrid reinó veinticinco años como rey ilustrado, preocupado del bienestar de su pueblo, y rodeándose de gobernantes cultos y buenos administradores.

Es cierto que Goya había pintado ya el retrato de Carlos III para el Banco de España, pero que debería de realizar por medio de grabados. Mejor efigie sin duda, y mejor pintura es ésta que ahora catalogamos, en la que nos dio imagen más justa del buen Carlos III.

Casado con la princesa María Amalia de Sajonia, a la que fue muy fiel, al enviudar dedicóse de lleno a la pasión de la caza que absorbía todas las horas posibles de su vida. Carlos III cazaba en el Pardo durante la mañana y parte de la tarde, y sólo a su regreso a Madrid, al ponerse el sol, despachaba con sus ministros y resolvía los asuntos de Estado. Una descripción de su vida metódica y ordenada, nos dio fielmente su biógrafo el Conde de Fernán Núñez.

Tiene interés este retrato de Goya porque indica, hacia 1788, una positiva influencia de Velázquez en la concepción del cuadro en pie de un monarca cazador, influencia que prueban, años antes, sus primeros aguafuertes copiando cuadros de Velázquez. Es verdad que Goya era pintor del rey de título desde 1786, pero no lo era de Cámara todavía, y no tenía acceso directo a las personas reales, por lo que creemos que no pintó a Carlos III del natural lo que quizá delata la pintura del rostro del Rey, no falta de expresión pero sí un tanto acartonada, si la comparamos con otros excelentes retratos coetáneos del artista, por ejemplo los del Banco de España o los de la Duquesa de Osuna o la Marquesa de Pontejos *[Fig. 24]*. De todos modos se observa el aclaramiento de su paleta y la impresión de atmósfera que en su paisaje intenta darnos.

Cat. 4

En el collar del perro se lee la inscripción *«rey, nuestro señor»*, y en la parte inferior del lienzo a la derecha se lee *«Goya lo hizo»*. De este cuadro existen cuatro réplicas cuya relación encontramos en el catálogo Gassier-Wilson (página 38).

Bibliografía: Yriarte, 1867, p. 135; Viñaza, 1887, p. 213; Araujo, 1889, p. 111, n.º 177; Lafond, 1902, p. 117, n.º 3; Calvert, 1908, n.º 1, p. 121; Beruete I, 1919, p. 14, 175, n.º 13; Beruete, 1924, p. 263; Mayer, 1925, n.º 99; Desparmet, 1928-50, n.º 285; Sánchez Cantón, 1950, p. 35, 36, 88; Sánchez Cantón, 1951, p. 37, 38; Martin Mery, 1956, p. 111; Gudiol, 1970, n.º 261; Baticle, 1970, n.º 11; Gassier, 1974, p. 78, 95, n.º 230; De Angelis, 1974, n.º 218.

Exp.: 1955-1956, Burdeos, n.º 88; 1970, París, n.º 11; 1959-1960, Estocolmo, n.º 136.

CAT. 10

11 *San Francisco de Borja despidiéndose de su familia*

Oleo sobre lienzo. 0,38 × 0,28 m.
Colección particular, Madrid.

La escena representa el momento en que San Francisco de Borja, decidido a entrar en la Compañía de Jesús, después de su tremenda conmoción al contemplar el cadáver de la Emperatriz Isabel descompuesto por la muerte, al entregar el féretro a Carlos V, se despide de los suyos a la puerta de su palacio, abrazándose a uno de sus familiares.

Damas y pajes de su séquito lloran en el momento de su despedida y todos visten el convencional atuendo con que Goya pintaba a los personajes antiguos, llevando al cuello, por lo común, la gran gorguera rizada, que fue moda muchos años después, siendo especialmente característica del reinado de Felipe III.

La Duquesa de Osuna y Gandía era descendiente de la familia Borja, a la que pertenecía el Santo, y por ello quiso ornar una capilla en la catedral de Valencia dedicada a San Francisco de Borja, que era Marqués de Lombay y Duque de Gandía. Este lienzo y el siguiente son bocetos para los grandes cuadros de esta capilla en Valencia, que padecieron grandemente con el incendio de 1936, pero hoy restaurados, siguen en el lugar para el cual fueron pintados. Como solía hacer en los cartones para tapiz, Goya preparó estos dos pequeños bocetos que concuerdan suficientemente con la versión mayor. La factura de estas obras para Valencia, la presentó Goya en 1788, pero no fue abonada hasta el 89 o 90 según Sentenach.

Para este cuadro de la *Despedida de San Francisco* se conserva un dibujo sobre papel gris en la colección del Museo del Prado.

El boceto que catalogamos estuvo en la colección de Don Francisco Acebal y Arratia antes de pasar a su actual propietario.

Bibliografía: Carderera, 1838, p. 632; Zapater, 1863, p. 39; Yriarte, 1867, p. 66, 67; Viñaza, 1887, p. 201; Araujo, 18, n.º 150; Lafond, 1902, p. 48, n.º 18; Loga, 1903, n.º 38; Calvert, 1908, p. 169, n.º 18; Beruete II, 1917, p. 34, n.º 50; Mayer, 1925, p. 59, n.º 44; Lafuente, 1928, n.º 11; González Martín, 1928, p. 41, 46; Desparmet, 1928-50, n.º 81; Sánchez Cantón, 1946 I, p. 293, 294; Sánchez Cantón, 1946, III, p. 39; Sánchez Cantón, 1951, p. 41, 42; Nordström, 1962, p. 64; Glendinning, 1963, n.º 66; Held, 1964, n.º 13; Gudiol, 1970, n.º 257; Gassier, 1974, n.º 241; De Angelis, 1974, n.º 225; Baticle, 1980, n.º 18.

Exp.: 1928, Madrid, n.º 11; 1963-1964, Londres, n.º 66; 1980, París, n.º 18.

CAT. 11

12 *San Francisco de Borja asistiendo a un moribundo*

Oleo sobre lienzo. 0,38 × 0,28 m.
Colección particular, Madrid.

Es, como el anterior, un boceto para el cuadro de este asunto de la Catedral de Valencia. Aquí, el Santo, asiste, en hábito de jesuíta, a un moribundo en el trance de dejar la vida. El enfermo yace con rostro atormentado, semidesnudo y con ropas revueltas sobre su lecho. El Santo le exhorta al arrepentimiento con apasionado gesto, levantando la cruz hacia él, mientras a la izquierda del camastro, unos seres demoníacos parecen disputar la salvación del alma del moribundo.

Existen en el boceto variantes respecto del cuadro de la Catedral de Valencia; los seres que aparecen aquí, y el Santo, son más fantásticos de aspecto que en el cuadro definitivo. La vidriera de claraboya que da luz a la estancia tiene sus vidrios con un emplomado más menudo en el cuadro; el rostro del Santo aparece en el boceto un poco más de frente y careciendo de aureola.

Para Sánchez Cantón, la composición de este cuadro puede recordar la del lienzo circular de Miguel Angel Houasse, que pintó para el noviciado de Jesuítas de la calle San Bernardo y que conservó la Universidad Central.

El boceto estuvo en la colección Acebal y Arratia antes de pasar a su actual propietario.

Bibliografía: Carderera, 1838, p. 632; Zapater, 1863, p. 39; Yriarte, 1867, p. 66, 67; Viñaza, 1887, p. 201; Araujo, 1889, p. 107, n.º 151; Sentenach, 1895, p. 199; Lafond, 1902, p. 48, 101, n.º 20; Loga, 1903, n.º 40; Calvert, 1908, p. 169, n.º 20; Beruete II, 1917, p. 34, n.º 52; Mayer, 1925, p. 59, n.º 46; Lafuente, 1928, n.º 13; González Martín, 1928, p. 41, 46; Desparmet, 1928-50, n.º 83; Sánchez Cantón, 1946 I, p. 293, 294; Sánchez Cantón, 1946, III, p. 39; Sánchez Cantón, 1951, p. 41; Nordström, 1962, p. 66-70; Glendinning, 1963, n.º 67; Held, 1964, n.º 15; Guinard, 1970, p. 266; Gudiol, 1970, n.º 259; Gassier, 1974, n.º 244; De Angelis, 1974, n.º 227; Baticle, 1980, n.º 19.

Exp.: 1928, Madrid, n.º 13; 1963, Londres, n.º 67; 1980, París, n.º 19.

CAT. 12

13 *La cucaña*

Oleo sobre lienzo. 1,69 × 0,88 m.
Colección Montellano, Madrid.

Según la descripción de Goya en las cuentas que él presentó a la Duquesa de Osuna, el cuadro representa «un mayo como en la plaza de un lugar, con unos muchachos que van subiendo por él a ganar un premio de pollos y roscas que está pendiente en la punta de él, y varias gentes que están mirando, con su campo correspondiente».

El cuadro que aquí se expone pertenece a una serie de seis, encargados en 1787 por la Duquesa de Osuna. La Duquesa, que por sí misma, como hemos dicho ya, era Condesa Duquesa de Benavente, y al casar con su primo de Osuna, hubo de reunir una de las más grandes fortunas de España, por los señoríos, castillos y tierras que heredó. Tuvo además el gusto, muy extendido en el siglo XVIII —recuérdense los precedentes de Francia bajo Luis XVI—, de tener una casa de campo en los alrededores de la capital, donde gustar los placeres de la Naturaleza y hacer una vida más independiente de todo protocolo. Para ello, adquirió una finca, en la que estaba enclavado el castillo de la Alameda, donde estuvo preso el viejo Duque de tiempos de Felipe IV, tierras que eran de la propiedad de los Condes de Barajas. La Duquesa bautizó esta finca con el nombre de «El Capricho», haciendo construir un palacete, que en parte subsiste, al gusto neoclásico, y arreglando en torno suyo jardines y estanques que hacían de la finca un lugar de recreo, muy celebrado en su época y en el siglo XIX. Muy deteriorado ha llegado a nuestros días, aunque parece que hay ideas de hacer una restauración más completa; la finca se llamó y ha conservado su nombre hasta nuestros días «La Alameda de Osuna». La compra la efectuó la Duquesa en 1783, y la fachada del palacete se terminaba en 1787, año en el que se le encargaba a Goya la decoración de los salones.

En los paneles que decoraban un salón y que luego, durante muchos años, ornaron otra estancia en el palacio que hicieron construir en el Paseo de la Castellana los Duques de Montellano, hoy destruído y sustituído por un suntuoso y triste inmueble de una sociedad de seguros, se quiso que Goya pintara con figuras pequeñas escenas de género de vario carácter, algunas de ellas dedicadas a diversiones populares, no apartándose así, de lo que estaba acostumbrado a realizar en los cartones para la Fábrica de Tapices. En éste de *La Cucaña,* varias gentes del pueblo se acercan a ver trepar por el mallo o tronco de árbol liso, los muchachos que aspiran con esfuerzo a llegar a la cima y alcanzar el premio. El paisaje del fondo, finamente tratado, sin gran detalle, nos muestra una casa de campo, un sotillo de árboles y una casa de labor a cuya puerta se halla un carro.

Las cuentas de los seis cuadros para la Alameda fueron publicadas por Don Narciso Sentenach, en la revista de corta vida *Historia y Arte* (1895, Tomo I, pág. 198). Goya cobró por *La Cucaña* dos mil reales.

Bibliografía: Yriarte, 1867, p. 83-86, 142; Viñaza, 1887, p. 279, n.º XXI; Sentenach, 1895, p. 192; Sentenach, 1896, n.º 72; Araujo, 1896, p. 95, n.º 48; Tormo, 1902, p. 207; Lafond, 1902, p. 148, n.º 3; Loga, 1903, p. 214, n.º 467; Calvert, 1908, p. 163, n.º 2; Beruete II, 1917, p. 62-65, n.º 116; Sánchez Cantón, 1920-21, n.º 111; Herrera y Ges, 1921, p. 148; Mayer, 1925, n.º 578; Ezquerra del Bayo, 1928, p. 150-153; Desparmet, 1928-50, n.º 150; Gómez de la Serna, 1928, p. 135, 136; Lafuente, 1928, n.º 66; Gómez Moreno, 1946, p. 33, 34; Sambricio, 1946 I, p. 248; Sánchez Cantón, 1949, p. 80; Malraux, 1950, p. 108; Sánchez Cantón, 1951, p. 35, 168; Yebes, 1955, p. 40-42; Gassier, 1955, p. 30; Martín Mery, 1956, n.º 114; Sambricio, 1961, n.º XLVIII; Desparmet, 1961-62, n.º 36; Glendinning, 1963-64, n.º 62; Held, 1964, n.º 183; Lafuente, 1964, p. 190; Gudiol, 1970, p. 71-76, n.º 236; Gassier, 1974, n.º 79; De Angelis, 1974, n.º 186; Camón, 1980, t. II, p. 46; Canellas López, 1981, p. 282.

Exp.: 1896, Madrid (Exp. y venta de Osuna), n.º 72; 1900, Madrid, n.º 27; 1920-21, Londres, n.º 111; 1928, Madrid, n.º 66; 1955, Ginebra; 1956, Burdeos, n.º 114; 1961, Madrid, n.º 68; 1961-62, París, n.º 36; 1963-64, Londres, n.º 62; 1965, Madrid (Exp. Montellano).

CAT. 13

14 *El columpio*

Oleo sobre lienzo. 1,69 × 1 m.
Colección Montellano, Madrid.

Goya pintó una escena que nos da buena idea de los placeres campestres que la Duquesa de Osuna ofrecía sin duda a sus invitados en el parque de la finca El Capricho. Las cuentas de Goya para esta serie de cuadros dice que representan «unos gitanos divirtiéndose columpiando a una gitana y otros dos sentados mirando y tocando una guitarra, con su país correspondiente». De los troncos de dos árboles pende una cuerda en la que se ha dispuesto el columpio en el que se mece una bella moza, mientras dos hombres en pie, parecen dar impulso a las cuerdas. Aunque Goya hable de gitanos, no creo que haya nada que califique como tales a los festivos personajes que el artista pintó. Se trata de majos y majas de Madrid como los que aparecen en los cartones para tapices; es más, nada nos prohibe imaginar que se trata de los contertulios de la Duquesa que se solazan en la finca, y ya es sabido que era habitual que las personas de mayor posición social gustasen de vestir con estos trajes populares.

El encantador cuadrito valió a Goya dos mil quinientos reales.

El tema del columpio había sido tratado por Goya en un cartón para tapiz unos años antes, hoy número 785 del catálogo del Museo del Prado, que se pintó en 1779.

Ezquerra del Bayo aún quiso ver en la mujer que se columpia a la propia Duquesa de Alba.

La amplitud del paisaje, ligeramente tratado por Goya, y la menuda ejecución de las figuras hacen que estos cuadros de fino toque y destinados a adornar un salón, sean algo distinto de los cartones de tapiz, mostrándonos la inteligente adaptación de Goya al tema y lugar que se le había propuesto.

Bibliografía: Yriarte, 1867, p. 83-86 y 142; Viñaza, 1887, p. 279, n.º XX; Sentenach, 1896, p. 196-199; Sentenach, 1896, n.º 73; Araujo, 1896, p. 94, n.º 47; Tormo, 1900, p. 591; Lafond, 1902, p. 207; Loga, 1903, p. 214, n.º 465; Calvert, 1908, p. 162, n.º 1; Beruete II, 1917, p. 62-65, n.º 114; Sánchez Cantón, 1920-21, n.º 109; Herrera y Ges, 1921, p. 148; Mayer, 1925, n.º 577; Ezquerra del Bayo, 1928, p. 152; Encina, 1928, p. 31; Lafuente, 1928, n.º 51; Desparmet, 1928-50, n.º 155; Sánchez Cantón, 1930, p. 96; Mc Van, 1945, p. 125; Gómez Moreno, 1946, p. 33, 34; Sánchez Cantón, 1951, p. 35, 168; Yebes, X, 1955, p. 40-42; Gassier, 1955, p. 31; Martín Mery, 1956, n.º 115; Desparmet, 1961, n.º 34; Sambricio, 1961, n.º XLVII; Glendinning, 1963, n.º 61; Held, 1964, n.º 185; Lafuente, 1964, p. 190; Gudiol, 1970, p. 71-76, n.º 237; Gassier, 1974, n.º 249; De Angelis, 1974, n.º 187; Glendinning, 1977, p. 135, 136; Camón, 1980, t. II, p. 46; Canellas López, 1981, p. 282.

Exp.: 1896, Madrid (Exp. y venta de Osuna), n.º 73; 1900, Madrid, n.º 29; 1920-1921, Londres, n.º 109; 1928, Madrid, n.º 51; 1956, Burdeos, n.º 115; 1960, Estocolmo, n.º 137; 1961, Madrid, n.º XLVII; 1961-1962, París, n.º 34; 1963-1964, Londres, n.º 61; 1965, Madrid (Exposición Montellano).

CAT. 14

15 *La caída*

Oleo sobre lienzo. 1,69 × 0,98 m.
Colección Montellano, Madrid.

Este, como todos los cuadros de la Alameda de Osuna, se vendió en la famosa Almoneda de la Casa en 1896, siendo allí adquirido por Don Felipe Falcó y Osorio, VIII Duque de Montellano.

En las cuentas de Goya se describe así esta pintura: «representa una romería en tierra montañosa y una mujer desmayada por haberse caído de una borrica, que le están socorriendo un abate y otro que le sostienen en su brazo, y otras dos que van en borricas, expresando el sentimiento, con otro criado que forma el grupo principal, y otros que se atrasaron y se ven a lo lejos, y su país correspondiente». Muy bien pudo ser la escena, como se ha supuesto, recuerdo de un suceso ocurrido en la propia Alameda, y aún pudo decirse que la dama desmontada fuese la propia Duquesa; también se ha creído que estuvieran representados en la escena, Goya y un abate que era contertulio habitual de la Casa, Don Pedro Gil. La dama que llora llevando un pañuelo a su rostro sería la Duquesa de Alba.

Los datos documentales publicados por Sentenach en el citado artículo y las interpretaciones de identificación figuran en el libro de Ezquerra sobre la Duquesa de Alba y Goya.

Bibliografía: Yriarte, 1867, p. 83-86 y 142; Viñaza, 1887, p. 279, n.º XXII; Sentenach, 1895, p. 196-199; Sentenach, 1896, n.º 70; Araujo, 1896, p. 95, n.º 49; Lafond, 1902, p. 148, n.º 4; Tormo, 1902, p. 207; Loga, 1903, n.º 577; Calvert, 1908, p. 162; Beruete II, 1917, p. 62-65, n.º 115; Sánchez Cantón, 1920-21, n.º 110; Herrera y Ges, 1921, p. 148; Mayer, 1925, n.º 703; Ezquerra del Bayo, 1928, p. 152; Encina. 1928, p. 31; Lafuente, 1928, n.º 64; Desparmet, 1928-50, n.º 154; Mc Van, 1945, p. 125; Gómez Moreno, 1946, p. 33, 34; Sánchez Cantón, 1951, p. 35, 168; Yebes, 1955, p. 40-42; Gassier, 1955, p. 31; Martín Mery, 1956, n.º 115; Desparmet, 1961, n.º 35; Sambricio, 1961; Glendinning, 1963, n.º 60; Held, 1964, n.º 184; Lafuente, 1964, p. 190; Gudiol, 1970, p. 71-76, n.º 234; Gassier, 1974, n.º 250; De Angelis, 1974, n.º 188; Glendinning, 1977, p. 135, 136; Camón, 1980, t. II, p. 46; Canellas López, 1981, p. 282.

Exp.: 1896, Madrid (Exp. y venta de Osuna), n.º 70; 1900, Madrid, n.º 28; 1920-1921, Londres, n.º 110; 1928, Madrid, n.º 64; 1956, Burdeos, n.º 115; 1960, Estocolmo, n.º 137; 1961, Madrid, n.º L; 1961-1962, París, n.º 35; 1963-1964, Londres, n.º 60; 1965, Madrid (Exposición Montellano).

CAT. 15

16 *El asalto del coche*

Oleo sobre lienzo. 1,69 × 1,27 m.
Colección Montellano, Madrid.

De la misma serie que los anteriores cuadros, destinados a ornar «El Capricho» de la Duquesa de Osuna; se describe así el asunto por el propio Goya: «unos ladrones que han asaltado un coche y después de haberse apoderado y muerto a los caleseros y a un oficial de guerra que se hicieron fuertes, están en ademán de atar a una mujer y un hombre, con su país correspondiente».

Pintado en 1787 para la Alameda de Osuna; su precio fueron tres mil reales.

Estos sucesos de bandidaje y asalto a los coches en los caminos no eran infrecuentes, y aún en el propio siglo XIX fueron habituales. Para Goya fue un asunto favorito que repitió varias veces antes de que la Guerra Napoleónica y sus consecuencias dramatizaran la vida española. Yriarte al tratar de este cuadro, se refirió a un hecho real, un asalto perpetrado cerca de Madrid, no lejos de las Ventas del Espíritu Santo, paraje no muy alejado de la propia Alameda de Osuna.

En él vemos cómo Goya sintió siempre vocación por estos asuntos violentos que su temperamento estaba dispuesto a aceptar, del mismo modo que introdujo a los espíritus demoníacos en el cuadro de Valencia y en el boceto antes catalogado de *San Francisco de Borja y el moribundo*.

Bibliografía: Yriarte, 1867, p. 83-86, 142; Viñaza, 1887, p. 279, n.º XXIII; Sentenach, 1895, p. 198; Sentenach, 1896, n.º 71; Araujo, 1896, p. 95, n.º 50; Tormo, 1902, p. 207; Studio, 1901, p. 57; Lafond, 1902, p. 149, n.º 5; Loga, 1903, p. 215, n.º 486; Calvert, 1908, p. 163, n.º 4; Beruete II, 1917, p. 62-66, n.º 113; Sánchez Cantón, 1920-21, n.º 108; Herrera y Ges, 1921, p. 148; Mayer, 1925, n.º 598; Ezquerra, 1928, p. 152-154; Lafuente, 1928, n.º 49; Desparmet, 1928-50, n.º 156; Mc Van, 1945, p. 125; Gómez Moreno, 1946, p. 33, 34; Malraux, 1950, p. 108; Sánchez Cantón, 1951, p. 35, 168; Gassier, 1955, p. 31; Yebes, 1955, p. 40-42; Martín Mery, 1955-56, n.º 113; Sambricio, 1961, n.º XLIX; Glendinning, 1963, n.º 59; Glendinning, 1964, p. 4-14; Held, 1964, n.º 186; Lafuente, 1964, p. 190; W. Lewis, 1970, p. 109, 110; Gudiol, 1970, p. 71-76, n.º 235; Thomas, 1972, p. 57; Gassier, 1974, n.º 251; De Angelis, 1974, n.º 189; Camón, 1980, t. II, p. 46; Canellas López, 1981, p. 282; Glendinning, 1981, p. 245.

Exp.: 1896, Madrid (Exp. y venta de Osuna), n.º 71; 1900, Madrid, n.º 30; 1920-1921, Londres, n.º 108; 1928, Madrid, n.º 49; 1956, Burdeos, n.º 113; 1961, Madrid, n.º XLIX; 1961-1962, París, n.º 33; 1963, Londres, n.º 59; 1965, Madrid (Exposición Montellano).

CAT. 16

17 *Procesión de aldea*

Oleo sobre lienzo. 1,69 × 1,37 m.
Colección particular, Madrid.

Fue cuadro entregado por Goya en abril de 1787 para la Alameda de Osuna. Valió dos mil quinientos reales, y el propio artista lo describía así en sus cuentas: «representa una procesión de aldea, cuyas figuras principales o de primer término son el Cura, Alcalde, Regidores, Gaiteros, etc., y demás acompañamiento, con su país correspondiente».

En el fondo a la izquierda aparece como un castillo sobre un cerro, motivo que introdujo también Goya en el cartón de *La era* y en su boceto correspondiente. En cambio, la iglesia a la derecha está muy ligeramente tratada; por su puerta sale una masa de gentes que siguen a la procesión con un enorme estandarte. Se hacen presentes aquí los rasgos de observación, penetrante y satírica, a veces, de Goya, en los personajes populares; la Virgen es llevada en andas a la izquierda. También el tema de la procesión será tratado por Goya, en épocas muy diferentes de su vida.

Fue vendido en la almoneda de Osuna, siendo adquirido por la Marquesa de Villamejor, de quien lo heredó su hijo el Conde de Romanones, del cual pasó en 1950 a su actual propietario.

Hacía pareja este cuadro en la Alameda con el cuadro de *La construcción,* que también fue del Conde de Romanones, pero que hoy ha pasado a otro de sus herederos.

Bibliografía: Yriarte, 1867, p. 83-86, 142; Viñaza, 1887, p. 280, n.º XXV; Sentenach, 1895, p. 198; Sentenach, 1896, p. 8, n.º 68; Araujo, 1896, p. 95, n.º 52; Tormo, 1902, p. 223; Lafond, 1902, p. 149, n.º 7; Loga, 1903, p. 211, n.º 425; Calvert, 1908, p. 163, n.º 6; Beruete II, 1917, p. 62-65, n.º 111; Mayer, 1925, n.º 525; Lafuente, 1928, n.º 65; Desparmet, 1928-50, n.º 161; p. Mc Van, 1945, p. 125; Gómez Moreno, 1946, p. 33, 34; Sánchez Cantón, 1951, p. 35, 168; Lafuente, 1955, n.º 96; Yebes, 1955, p. 40-42; Sambricio, 1961, n.º LXIV; Glendinning, 1963, n.º 58; Held, 1964, n.º 188; Gudiol, 1970, p. 71, 76, n.º 239; Gassier, 1974, n.º 253; De Angelis, 1974, n.º 191; Camón, 1980, t. II, p. 47; Canellas López, 1981, p. 282.

Exp.: 1896, Madrid (Exp. Osuna), n.º 68; 1928, Madrid, n.º 65; 1955, Granada, n.º 96; 1961, Madrid, n.º LXIV; 1963-1964, Londres, n.º 58.

CAT. 17

18 *La primavera o las floreras*

Oleo sobre lienzo. 0,35 × 0,24 m.
Colección Montellano, Madrid.

Es boceto del cartón del tapiz del mismo título y asunto, pintado en 1786. Fue uno de los cuadros entregados en 1787 a la Duquesa de Osuna para su casa de la Alameda. En la almoneda de los bienes de la Casa Ducal en 1896, fue adquirido por Don Felipe Falcó y Osorio, VIII Duque de Montellano.

Como sabemos por la documentación abundante que se conserva de los tapices de Goya, el artista tenía hábito de hacer bocetos previos. Muchas veces se observan en los conservados variantes respecto de la obra definitiva; el genio impulsivo de Goya le hacía no someterse a lo que él mismo había ideado anteriormente. En este caso, nos hace ver que en el esbozo que aquí se cataloga, la mujer que da la mano a la niña lleva pañuelo en la cabeza, lo que no lleva en el cartón, y el gazapillo que un hombre sujeta por las patas para acercárselo a las mujeres y sorprenderlas aquí aparece con la cabeza hacia abajo, lo que no ocurre en el cartón de tapiz.

Como sucede en todo el lote pintado en los mismos años, para la Duquesa de Osuna, la documentación fue aportada por Sentenach en el artículo antes citado.

Bibliografía: Yriarte, 1867, p. 143; Viñaza, 1887, p. 282, n.º XL; Sentenach, 1895, p. 196-199; Araujo, 1896, p. 95, n.º 54; Sentenach, 1896, n.º 75; Tormo, 1902, p. 207; Lafond, 1902, p. 149, n.º 9; Loga, 1903, p. 185, n.º 88; Calvert, 1908, p. 164, n.º 14; Beruete II, 1917, n.º 103; Herrera y Ges, 1921, p. 149; Mayer, 1925, n.º 93; Lafuente, 1928, n.º 76; Desparmet, 1928-50, n.º 146; Mc Van, 1945, p. 125; Sambricio, 1946 I, p. 248, n.º 40; López Rey, 1947, p. 19-20; Sánchez Cantón, 1951, p. 68, 69, 187; Martín Mery, 1959, n.º 151; Desparmet, 1961, n.º 28; Nordström, 1962, p. 31; Held, 1964, n.º 180; Sánchez Cantón, 1965, p. 360; Gudiol, 1970, p. 71-75, n.º 214; Gassier, 1974, n.º 256; De Angelis, 1974, n.º 194; Glendinning, 1981, p. 240.

Exp.: 1928, Madrid, n.º 76; 1958, Munich, n.º 57; 1959, Burdeos, n.º 151; 1961-1962, París, n.º 28; 1965, Madrid (Exposición Montellano).

CAT. 18

19 *Las mozas de cántaro*

Oleo sobre lienzo. 0,34 × 0,21 m.
Colección Mc-Crohon, Madrid.

En un paisaje que parece de los alrededores de Madrid, con el cielo azul y la transparencia del aire que Goya captó insuperablemente, hay una fuente cuyos caños derraman abundante agua. Allí han acudido a llenar sus cántaros dos mozas que los portan sobre sus cabezas. Detrás hay otra mujer inclinada sobre el pilón.

Es boceto para el cartón tapiz del mismo asunto, número 800 del Prado, pero existen variantes en su composición; el muro frontal de la fuente está rematado por un pilar coronado por una bola. Las mozas están presentadas muy de frente y llevan en las manos cántaros y también los portan sobre sus cabezas. No aparece el muchacho que fue pintado en el cartón definitivo. Debió de pintarse en 1787, fecha del cartón.

En el reverso lleva pintada la inscripción *X 13,* lo que para nosotros hoy quiere decir que fue incluído en el inventario hecho en 1812 a la muerte de la mujer de Goya siendo la X la inicial de Xavier (o Javier) indicando que el cuadro quedaba adjudicado al hijo de Goya. Véase el artículo de Xavier Salas, «Sur le tableaux de Goya qui appartient à son fils», publicado en la *Gazette de Beaux Arts,* en febrero de 1964, págs. 99-109.

Bibliografía: Lafuente, 1928, n.º 83; Desparmet, 1928-50, p. 171, 272, n.º 3; Sambricio, 1946, p. 171, 272, 273; Held, 1964, n.º 192; Gudiol, 1970, p. 83-87, n.º 296; Gassier, 1974, p. 99, 373, 374, n.º 295; De Angelis, 1974, n.º 253.

Exp.: 1928, Madrid, n.º 83.

CAT. 19

20 *Dama adormecida*

Oleo sobre lienzo. 0,59 × 1,45 m.
Colección Mc-Crohon, Madrid.

Sobre un lecho de pajas aparece adormecida, con la cabeza apoyada en la mano, una mujer joven, de cabello rubio, con vestido blanco de alto talle y manga corta, en postura somnolienta, cubriendo sus piernas cruzadas con un paño rojo, que deja ver el pie izquierdo calzado con un chapín gris. Al fondo se adivina una masa de árboles.

El cuadro, que no fue conocido hasta 1928, procede de la colección de Don Francisco Acebal y Arratia, cuyos herederos lo poseen actualmente. Tiene por tanto la misma procedencia que el número 2, y ambos parecen por su formato y tamaño pinturas para sobrepuerta, aunque su fecha ha de ser diferente porque las diferencias de factura y color entre ambos son muy grandes.

La procedencia hizo que Gassier recordase una mención del Conde de Maule *(Viaje de España a Francia e Italia,* Cádiz, 1813), en que se afirmaba que Sebastián Martínez, el amigo de Goya, poseía tres sobrepuertas pintadas por nuestro artista. Tanto este cuadro pues, como el número 2, serían probablemente dos de ellas.

Bibliografía: Cruz de Bahamonde, Conde de Maule, 1813; Lafuente, 1928, n.º 56; Desparmet, 1928-50, n.º 538 s; Sambricio, 1946, p. 173; Held, 1964, n.º 200; Trapier, 1964, p. 8, 9; Sánchez Cantón, 1965, p. 366; Gudiol, 1970, p. 87, 322; Gassier, 1974, p. 374, n.º 308; De Angelis, 1974, n.º 244; Glendinning, 1981, p. 4.

Exp.: 1928, Madrid, n.º 56.

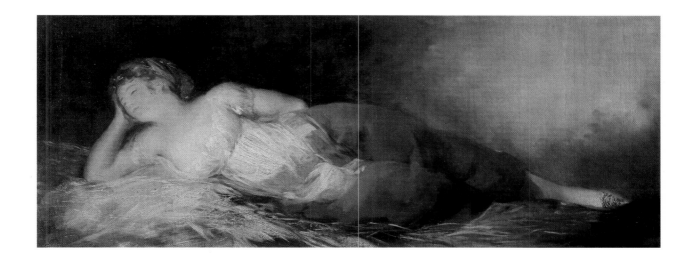

CAT. 20

21 *El naufragio*

Pintura sobre hojalata. 0,47 × 0,35 m.
Colección de D. Plácido Arango Arias, Madrid.

Es una de las escenas más dramáticas pintadas por Goya. La composición es importante y de gran aliento, a pesar del pequeño tamaño en que está ejecutada. Un grupo de náufragos semidesnudos se han acogido al momentáneo seguro que les ofrece una peña, en la que tratan de salvar sus vidas, rodeadas de agua amenazante, con olas encrespadas, mientras nadan otros náufragos en torno a la roca. En el centro de la peña se alza una figura de mujer, apenas vestida, alzando sus brazos al cielo en desesperado gesto, mientras ruge el mar en torno; un enorme peñasco a la izquierda de la composición y un negro cielo de tempestad completan el cuadro.

Es una de las más imaginativas y dramáticas composiciones de Goya, cuya fecha ha sido objeto de numerosas hipótesis; lo avanzado de la técnica y la oscura entonación del cuadro hicieron pensar en una fecha avanzada dentro de la obra del pintor, llegándose a pensar que pudiera estar inspirado en un relato del naufragio ocurrido en 1816, que inspiró el famoso cuadro de *La balsa de la Medusa* de Géricault. Por su parte, Mayer y Beruete lo creyeron de principios del siglo XIX.

El hallazgo del cuadro, sobre lata también, del *Corral de locos* *[Fig. 8]*, composición que se correspondía por la descripción del propio artista, a una pintura de este asunto descrita en la carta que dirigió a D. Bernardo de Yriarte en 1794, ha hecho que se agrupasen un conjunto de obras sobre lata, de semejantes dimensiones, de las que se han localizado hasta ahora catorce asuntos a que Goya se refería en su escrito al conocido diplomático y académico de San Fernando. Goya escribía en su carta que se trataba de pinturas, dice generalizando, de diversiones populares, aunque ni el *Corral de locos*, ni este *Naufragio* que ahora catalogamos, ni el *Asalto a la diligencia* o *El incendio* de la colección Várez de Madrid, sean ciertamente asuntos de diversión. Sí pudiera considerarse como tal otro asunto de la misma serie de pintura sobre lata, *Los cómicos ambulantes* o *La alegoría Menipea* o *Menandrea* que, por fortuna, fue adquirido hace algunos años por el Museo del Prado, procedente de los descendientes del Marqués de Castro Serna, colección de la que procede también el *Naufragio* que catalogamos, antes en la colección del Marqués de Oquendo. Toda esta serie de pinturas tiene pues que estar pintada por Goya antes de la fecha de la carta a Yriarte, es decir, en el año 1793.

Cat. 16

Bibliografía: Viñaza, 1887, p. 225; Araujo, 1896, p. 105; Tormo, 1902, p. 221; Lafond, 1902, p. 113, n.º 109; Loga, 1903, p. 219, n.º 565; Calvert, 1908, p. 157, n.º 68; Beruete II, 1917, p. 94, 95, n.º 155; Mayer, 1925, n.º 668; Sarinena, 1928, p. 92; Lafuente, 1928, n.º 58; Desparmet, 1928-50, n.º 126; Sánchez Cantón, 1946, III, p. 51; Gómez Moreno, 1946, p. 41; Lafuente, 1946, p. 35; López Rey, 1947, p. 25; Salas, 1950, p. 341-346; Malraux, 1950, p. 104; Sánchez Cantón, 1951, p. 115; Held, 1964, n.º 246; Salas, 1968 II, p. 29, 30; Salas, 1968 I, p. 5, 7; Gudiol, 1970, p. 95, 127, 293, n.º 346; Gassier, 1974, n.º 328; De Angelis, 1974, n.º 280; Glendinning, 1977, p. 47; Camón, 1980 II, p. 110, 111; Gállego, 1981, p. 32-33.

Exp.: 1900, Madrid, n.º 174 (suplemento al catálogo); 1928, Madrid, n.º 58.

CAT. 21

22 *Goya pintando ante su caballete*

Oleo sobre lienzo. 0,42 × 0,28 m.
Colección Academia de Bellas Artes de San Fernando, Madrid.

Como todos los grandes pintores, Goya se retrató en muchas ocasiones a sí mismo, pero este autorretrato, paleta en mano, en su taller, ante el lienzo, es excepcional por varias circunstancias; dentro de sus pequeñas dimensiones, Goya aparece de cuerpo entero ante el lienzo, destacando en sombra sobre la luz cernida que entra por la vidriera del fondo. Viste con chaquetilla corta de color pardo, pantalón corto y medias blancas. Tiene el pincel en la mano diestra y la paleta en la izquierda, y mira hacia el espectador como si dirigiese su mirada al modelo en que se inspira, que en este caso sería el espejo que reproduce su figura. El lienzo que tiene ante sí es de buen tamaño, como si realmente intentase retratarse de cuerpo entero y tamaño natural. Lo más notable es que tiene en la cabeza un sombrero redondo de corta ala sobre la que se ven unos pinchos metálicos que, de acuerdo con la tradición que se ha conservado, servirían para asentar candelas encendidas, que le iluminarían cuando pintaba de noche; fue Javier Goya el que nos dejó en la breve biografía de su padre, publicada por Beroqui, de que Goya «los últimos toques para el mejor efecto de un cuadro los daba de noche con luz artificial». No era otro el procedimiento que utilizaba Miguel Angel, según la tradición, para trabajar en la oscuridad.

A la derecha del pintor una pequeña mesa redonda sobre la que se ven papeles y una escribanía.

Beruete observó que los colores que figuraban en la paleta de Goya son los que el pintor empleaba normalmente en la época en que pintaba sus cartones para tapiz. No obstante, es éste uno de los cuadros de más discutida cronología, indicándose por los distintos críticos, las más diversas fechas. Gassier observa que su tamaño nos recuerda las pinturas de gabinete de 1793-94 y los cuadritos de 1795, realizados en la época de su familiaridad con la Duquesa de Alba (Gassier 352 y 353).

El cuadro es uno de los que nos manifiestan la vocación de Goya por evocar en su pintura esa *magia del ambiente,* frase que Javier Goya ponía en boca de su padre como una de sus preferidas vocaciones de pintor.

El cuadro procede de la colección del Conde de Villagonzalo que poseyó un notable conjunto de obras de Goya, algunas de las cuales figuran también en esta exposición.

Bibliografía: Yriarte, 1867, p. 77; Lafond, 1902, p. 129, n.º 131; Loga, 1903, p. 196, n.º 233; Calvert, 1908, lám. 55; Beruete I, 1919, p. 25, n.º 3; Beruete, 1924, p. 269, 270; Mayer, 1925, n.º 293; Beroqui, 1927, p. 99, 100; Lafuente, 1928, n.º 54; Ezquerra, 1928, p. 310, n.º 3; Desparmet, 1928-50, n.º 352; Sánchez Cantón, 1930, p. 37, 93; Mayer, 1934, p. 175; Jiménez Placer, 1943, p. 26; Lassaigne, 1948, p. 8; Sánchez Cantón, 1951, p. 45, 148; Gassier, 1955, p. 38; Ezquerra, 1959, p. 152; Helmann, 1963, p. 24; Held, 1964, n.º 59; Castillo, 1964, p. 36; Lafuente, 1964, p. 185; Glendinning, 1964, p. 4, 14; Gudiol, 1970, p. 46, n.º 96; Gassier, 1974, n.º 331; De Angelis, 1974, n.º 286; Gállego, 1978, p. 40-48; Camón, 1980, t. I, p. 98.

Exp.: 1900, Madrid, n.º 86; 1920, 1921, Londres, n.º 106; 1928, Madrid, n.º 54.

CAT. 22

23 *Retrato de la Duquesa de Alba*

Oleo sobre lienzo. 1,94 × 1,30 m.
Colección de los Excmos. Duques de Alba, Madrid.

Hemos aludido anteriormente a los lentos y seguros pasos de Goya en su carrera de pintor, y cómo en ella su veta de retratista fue uno de los más firmes jalones de su ascensión a la gran pintura. El excelente pintor de cartones para tapiz, que Goya se hizo desde 1775 en adelante, se inicia en el retrato hacia 1783 con el del Ministro Floridablanca y las efigies de los miembros de la familia del Infante D. Luis, pero en este desarrollo que hemos llamado a veces *cuántico* de las dotes de pintor de Goya, son sus ocasiones de retratista de modelos femeninos los que le revelan a sí mismo como gran retratista. Ha alcanzado esa etapa ya cuando pinta a la Duquesa de Osuna y a la Marquesa de Pontejos *[Fig. 24]*, un decenio después de sus inicios como pintor de cartones de tapiz. Otros diez años más y Goya afirma que pisa seguro en esta vía cuando pinta a la Duquesa de Alba en este retrato.

La Casa de Alba era una de las más insignes de la nobleza española desde el siglo XVI, pero esta gran familia extingue su apellido por línea de varón cuando muere la XI Duquesa de Alba, Doña María Teresa Alvarez de Toledo, en 1755, originando la primera quiebra en la línea masculina del título ilustre. Esta XI Duquesa de Alba era la abuela de la modelo de este retrato, Doña María del Pilar Teresa Cayetana de Silva y Alvarez de Toledo, XIII Duquesa de Alba. Heredó el título de su abuelo Don Fernando de Silva, de la familia de los Duques del Infantado. Personaje importante en la Historia de nuestro siglo XVIII, fue militar que llegó a teniente general; y Embajador en París, hombre ilustrado y amigo personal de Rousseau. Su hijo, el padre de Doña María Cayetana, no llegó a heredar el título por morir antes que su padre, conociéndosele en su tiempo por el título de los primogénitos de la Casa, que es el de Duque de Huéscar.

María del Pilar Cayetana fue niña mimada por su abuelo, ya que quedó huérfana de padre a los ocho años, en 1770. Se educó en casa libremente y no en uno de los conventos que a la enseñanza se dedicaban en su tiempo, como las Ursulinas o Salesas. Deslizóse su niñez en el Palacio de Alba, situado entonces en la calle de este nombre, no lejos de la Plaza luego llamada del Progreso.

En aquella casa se reunían tertulias de ilustrados, literatos, se coleccionaban los cuadros heredados o adquiridos y se hacía buena música. Por testimonios literarios de toda credibilidad tenía la joven Duquesa desde su juventud, además de su linda figura, viveza, ingenio, alegría y un corazón compasivo; los testimonios de Don José Somoza, el escritor de Piedrahita, son elocuentes en este respecto.

Su madre, María Ana o Marianita, como la llamaban, viuda muy joven, era bonita y sociable y había de casar otras dos veces: con el Conde de Fuentes primero, y el Duque del Arco después.

Emparentados los Alba con lo mejor de la nobleza española habían de ir recayendo en esta joven Duquesa títulos y herencias hasta constituir la Casa de Alba en una de las más ricas y populares de España. No obstante, pronto había de tratarse un enlace conveniente, y, deseando volver al Ducado el apellido Alvarez de Toledo, se la casó con su primo de una rama segundona de la familia, Don José Alvarez de Toledo y Gonzaga, Marqués de Villafranca del Bierzo y Duque de Fernandina, además de una docena de otros títulos; pero era heredero directo del Gran Duque de Alba y podía asegurar el apellido Alvarez de Toledo en la familia. El Marqués de Villafranca había nacido en 1756 y llevaba seis años a su primita la joven Cayetana.

El matrimonio se instala ya en la calle Barquillo, en el Palacio que se hizo edificar; los veranos se pasaban en la casa estival de Piedrahita, en Avila. De la niñez y juventud de María Teresa Cayetana, de su carácter despierto y familiar, tenemos testimonio por las anécdotas de Don José Somoza, que configuran bastante bien la personalidad de la joven Duquesa, que no heredó el título hasta la muerte de su abuelo en 1776.

Su madre había ya verificado su segundo matrimonio con el Conde de Fuentes, aragonés que había protegido, entre otros artistas, a Don José Luzán, el maestro de Goya, y no sería imposible que por esta relación con los Fuentes tuviese nuestro artista acceso a la Casa de Alba.

El Duque Don José era muchacho de carácter muy distinto al de Cayetana, serio, melancólico, muy aficionado a la música, como el Infante Don Gabriel, de quien era muy amigo, y que tenía un círculo devoto de músicos entre los que estaba el Padre Antonio Soler, Jerónimo del Escorial. Por su parte el joven Alba tocaba el violín y tenía relación con Haydn, que le enviaba desde Viena composiciones para su patrocinador, el aristócrata madrileño.

Eran los años en que acababan de subir al trono Carlos IV y su esposa María Luisa de Parma, mujer de carácter dominante y ligero que tanta influencia había de tener en la historia. Parece que las relaciones entre la Reina y la Duquesita de Alba no eran de gran simpatía, y hay quien cree que más bien lo fueron de sorda hostilidad.

La Duquesa de Alba era brillante estrella en la sociedad de Madrid, en un momento en que las mujeres dominaban la vida social de la corte. Además de la Reina, la Duquesa de Osuna y la Duquesa de Alba, eran las principales figuras femeninas de aquel momento, las más elegantes, atentas siempre a las modas de París.

En 1784 había perdido la Duquesa a su madre Doña Mariana, muerta prematuramente a los cuarenta y tres años; de ella heredó Cayetana el Palacete de la Moncloa que aumentó con la adquisición de nuevas fincas y se convirtió en un lugar encantador de reuniones sociales. Hacia 1780 comienza la más ambiciosa edificación de la Casa Ducal, el gran Palacio que no verían los Duques terminar, emplazado en la finca de Buenavista, es decir el lugar actual del Ministerio de la Guerra.

El Palacete de la Moncloa y la Alameda de Osuna eran, pues, dos centros de expansión campestre de aquella sociedad selecta. Los Duques poseían otras muchas casas en España, entre ellas el famoso Palacio de las Dueñas en Sevilla y el Palacio de Sanlúcar de Barrameda heredado por Cayetana con el título de Duquesa de Medina Sidonia, al morir su tía Mariana, hermana de su abuelo. Con esta finca heredó también la casa de Alba la ganadería de toros que había sido de Medina Sidonia, y ello nos lleva a recordar la afición a la fiesta de toros de la aristocracia española, que en esto, como en tantas cosas, gustaba de compartir los gustos populares. Bien conocida es la competencia en los toros entre la escuela sevillana representada por el diestro Costillares, y la escuela rondeña representada por la dinastía de los Romero. Dícese que si la Duquesa de Osuna era partidaria de Pedro Romero y que, la de Alba prefería a Costillares, aunque no dejó de distinguir también a José Romero, del que mandó pintar a Goya un retrato, conservado hasta hoy, y que figuró en la exposición de 1928.

En el Palacio de Alba se cultivaba la música y el teatro y allí se estrenaron sainetes de Don Ramón de la Cruz, tonadillas de Blas de la Serna y tragedias de Arriaza. Sabemos que la Duquesa interpretó una comedia de Iriarte en 1788, que por cierto llevaba el título de *La Señorita mal criada*, papel que le iría de maravilla a la vivaz y voluntariosa Cayetana.

La relación de Goya con la Casa de Alba debió de ser, suponemos, estrecha, en fecha anterior a la ejecución de este retrato que aquí catalogamos. Había entretanto acontecido aquel viaje de Goya a Sevilla y Cádiz en 1792, en el que el pintor enfermó gravemente en la primera de estas ciudades, y que le llevó a curarse en Cádiz en casa de su amigo Don Sebastián Martínez *[Fig. 25]*, tesorero de la Real Hacienda, ilustrado coleccionista de arte, ocasión en que le pintaría el magnífico retrato fechado en 1792, que conserva hoy el Museo Metropolitano de Nueva York. Bien conocida es la historia externa de la enfermedad de Goya y de sus consecuencias, que aún discuten retrospectivamente los médicos, pero que dejaron al artista radicalmente sordo.

La fuerte naturaleza de Goya le permitió coger los pinceles de nuevo en 1794 cuando ejecuta la serie de cuadritos sobre lata, algunos de los cuales hemos catalogado anteriormente, demostrativos de cómo Goya no había perdido facultades para la pintura; antes bien, parecía iniciar un período de mayor libertad en su factura; pero su maestría quedó bien afirmada cuando retrata a los Duques en 1795. En el retrato de la Duquesa, ésta aparece en pie ante un vago paisaje de agrisados tonos, su largo cabello rizado cayendo sobre sus hombros y mirando de frente con mirada voluntariosa, y sus grandes ojos enmarcados por las negras cejas; lleva un traje blanco de fina tela transparente, y todo el carácter del modelo parece reflejarse en el gesto imperioso de su brazo con la mano extendida hacia el suelo, señalando la inscripción que parece hecha sobre la arena, que lleva la dedicatoria y firma: «A la Duquesa de Alba, Fr^{co} de Goya, 1795». La Duquesa lleva ancho cinturón rojo con caída que rodea la estrecha cintura de la dama; rojo es también el lazo sobre el pecho y rojo el collar de gruesas cuentas. En el brazo izquierdo lleva pulseras, una de ellas con un óvalo en oro y un enlace con las iniciales de la dama MTS, y por encima del codo un brazalete con óvalos de esmalte y oro, también con iniciales de las que se ven TST. A los pies de la damita un perrillo de blancas lanas y negro hocico, lleva un lazo rojo en una de sus patas traseras.

El retrato es uno de los más famosos de Goya; no debía ser demasiado fácil realizar la efigie de esta interesante damita, de más genio y espíritu que belleza propiamente dicha. Podríamos tomarle como uno de los más característicos de esa etapa de la pintura de Goya, que Beruete llamaba la época gris por el tono dominante en la paleta de Goya en ese tipo de retratos. Un año antes había pintado el retrato de la famosa actriz sevillana María del Rosario Fernández, llamada en el teatro «La Tirana», que desgraciadamente no ha podido estar presente en esta exposición, muy a pesar de sus organizadores.

De la misma época es el retrato de una amiga de la Duquesa Cayetana de Alba, Doña Rita Barrenechea y Morante, Condesa del Carpio y Marquesa de la Solara, que habiendo pertenecido a la colección Beístegui, es hoy de las joyas entre los retratos del Louvre, exquisita efigie de una mujer no muy bella y de aspecto enfermizo, pero con su pálido rostro lleno de espíritu, que es una de las obras maestras de Goya.

Al hacer mención de los retratos gríseos de Goya no podemos olvidarnos de la encantadora efigie de una linda joven, Doña Tadea Arias Enrique, que está en el Museo del Prado (número 740), y que es un armonioso acorde de grises y negros.

Bien conocido es, en la biografía de Goya, a través de sus dibujos y *Caprichos* y del famoso retrato con mantilla negra que está en la Hispanic Society de Nueva York, lo que la Duquesa de Alba, ya viuda en 1796, influyó en Goya y su obra, y de la apasionada inclinación que sintió el pintor por Doña María Teresa Cayetana.

Bibliografía: Matheron, 1858, s. n.; Yriarte, 1867, p. 35, 88, 133; Viñaza, 1887, p. 266, n.º 131; Araujo, 1896, p. 114, n.º 212; Lafond, 1902, p. 123, n.º 63; Tormo, 1902, p. 212; Loga, 1903, p. 191, n.º 163; Calvert, 1908, p. 130, n.º 70; Barcia, 1911, p. 17, 18, n.º 10; Pérez de Guzmán, 1912, p. 17; Sentenach, 1913, p. 75; Beruete, 1918, n.º 32; Allende Salázar y Sánchez Cantón, 1919, p. 280-286; Beruete I, 1919, p. 60, n.º 156; Sánchez Cantón, 1920, n.º 115; Beruete, 1924, p. 59, 92, 241; Ezquerra y Pérez Bueno, 1924, p. 17; Mayer, 1925, n.º 193; Meier Graefe, 1926, p. 307; Desparmet, 1928-50, n.º 361; Lafuente, 1928, n.º 43; Ezquerra del Bayo, 1928, p. 188-190; Salas, 1931, p. 175, n.º 7, p. 177, n.º 4; Gómez Moreno, 1935, p. 17-19; Lassaigne, 1948, p. 46; Sánchez Cantón, 1951, p. 53-56; Trapier, 1955, p. 2, 3; Sambricio, 1961, n.º XIV; Held, 1964, n.º 55; Lafuente, 1964, p. 197; Chastenet, 1966, p. 54; Gudiol, 1970, n.º 334; Thomas, 1972, p. 52, 53; Gassier, 1974, n.º 351; De Angelis, 1974, n.º 293; Glendinning, 1977, p. 115; Gwyn, 1978, p. 106; Baticle, 1980, p. 74, 75, n.º 21; Glendinning, 1981, p. 240; Camón, 1981, p. 120, 121.

Exp.: 1900, Madrid, n.º 36; 1918, Madrid, n.º 32; 1920-21, Londres, n.º 115; 1928, Madrid, n.º 43; 1946, Madrid (Museo Nacional de Arte Moderno), n.º 11; 1961, Madrid, n.º XIV.

CAT. 23

24 *Retrato de D. Juan Antonio Meléndez Valdés*

Oleo sobre lienzo. 0,72 × 0,38 m.
Colección Banco Español de Crédito, Madrid.

Entre los muchos retratos que hizo Goya de sus amigos ilustrados, contemporáneos suyos, cuenta este busto de D. Juan Meléndez Valdés, poeta y magistrado cuya vida fue más azarosa de lo que parecía indicarle su destino de estudioso poeta.

Meléndez Valdés nació en Ribera del Fresno (Badajoz) el 11 de marzo de 1774; estudió en Madrid y Salamanca, hizo estrecha amistad con hombres como José Cadalso, el autor de las *Cartas marruecas,* y D. Nicolás Fernández de Moratín, el padre del amigo de Goya y autor del *Sí de las niñas.* En aquella Universidad fue catedrático, y sus poesías líricas publicadas en 1785, le hicieron famoso como representante de la llamada escuela salmantina de aquel siglo; pasó después a la magistratura, en el desempeño de la cual preparó discursos famosos; amigo de Jovellanos pasó de la lírica a la poesía moral y filosófica; amigo de Quintana le describió éste como «blanco y rubio, menudo de facciones, recio de miembros, de complexión robusta y saludable», diciendo de su fisonomía que era amable y dulce.

El turbión político y los acontecimientos de su accidentada época, trastornaron su vida; sus simpatías por la cultura francesa hizo que estuviese a punto de ser fusilado, en los comienzos de la Guerra de la Independencia, por los patriotas de Oviedo. Se calificó después como afrancesado, teniendo que emigrar a Francia en 1814, muriendo abandonado y pobre en Montpellier tres años después, el 24 de mayo de 1817.

El retratado es pintado por Goya de busto tres cuartos a la izquierda; mira de frente y viste casaca de terciopelo malva que deja ver el blanco corbatín. Está firmado y fechado: «A Meléndez Valdés, su amigo Goya, 1797», letrero que está repintado encima de una inscripción: «D. J. Meléndez Valdés, poeta español».

El cuadro repite el retrato pintado que conserva el Bowes Museum en Barnard Castle, Inglaterra, que se reproduce en otra parte de este texto *[Fig. 30].*

Bibliografía: Viñaza, 1887, p. 235, n.º LIV; Zapater, 1863, p. 39; Araujo, 1896, p. 117, n.º 245; Tormo, 1902, p. 200, 214; Calvert, 1908, p. 138, n.º 198; Mayer, 1912, p. 99-104; Beruete I, 1919, n.º 140; Mayer, 1925, n.º 347; Lafuente, 1928, n.º 47; Desparmet, 1928-50, n.º 378; Martín Mery, 1951, n.º 17; Sánchez Cantón, 1951, p. 62; Lafuente, 1955, n.º 103; Trapier, 1955, p. 11; Sambricio, 1961, n.º XIX; Held, 1964, n.º 60; Gudiol, 1970, p. 100, 103, 104, n.º 372; Gassier, 1974, n.º 670; De Angelis, 1974, n.º 313; Salas, 1979, I, p. 113; Glendinning, 1981, p. 240-243.

Exp.: 1900, Madrid, n.º 166 (suplemento); 1902, Madrid; 1928, Madrid, n.º 47; 1951, Burdeos, n.º 17; 1951, Madrid, n.º 8; 1955, Granada, n.º 103; 1959-1960, Estocolmo, n.º 142; 1961, Madrid, n.º XIX; 1981, Hamburgo, n.º 289.

CAT. 24

25 *Retrato del bordador de Palacio, Juan López de Robredo*

Oleo sobre lienzo. 1,07 × 0,81 m.
Colección particular, Madrid.

Se consideraba este retrato durante mucho tiempo como retrato de Gasparini. Diremos en primer lugar que no se trata de Gasparini; en todo caso los Gasparini son dos en la casa real de España: Matías Gasparini es el que ha dado nombre a la famosa sala, ornada con ricos bordados rococó en sus muros y con estucos chinescos en su techo, en el Palacio Real de Madrid. Gasparini, un artista napolitano, que vino con Carlos III de Nápoles y que entró a servir al Rey en 1760, falleció en 1774; su hijo Antonio, que también trabajaba en el taller familiar, solicitaba en este año ser pintor de Cámara; era estuquista y broncista, técnica que sin duda había aprendido con su padre; pero el retrato de Goya no representa ni a Matías, a quien no pudo pintar por la fecha de su muerte, ni a Antonio. El modelo de este retrato ha sido aclarado por una investigación de Luisa Barreno Sevillano, publicada en el *Archivo Español de Arte,* 1974 (páginas 81-83). Por los datos que aporta este trabajo, Antonio Gasparini obtuvo permiso para contraer matrimonio en 1775; no sería más joven que Goya, ya que se le jubilaba de sus cargos en 1803. Pero el personaje representado en el cuadro es un hombre joven, por lo que no podría ser Gasparini en la época en que Goya hubo de pintar ese cuadro.

El modelo está representado de frente, sentado en un sillón y mirando al espectador y vestido con casaca ornada de bordados, así como el chaleco o chupa y los puños de su casaca. Que el personaje es bordador lo prueba el hecho de que tiene en sus manos un dechado o modelo de bordado, de un diseño que coincide con el modelo que habían de llevar en su uniforme los bordadores de Cámara, según el dibujo que figura en un expediente palatino de fecha 1798, publicado por Doña Luisa Barreno. Según esta investigadora el retratado ha de ser Don Juan López de Robredo, de una familia de bordadores de Palacio, en el que Juan López hereda en 1788 la plaza de bordador de Cámara a la muerte de su padre. Fue servidor de la corte en este puesto, distinguido por la Casa Real, que debía de estar muy considerado en Palacio. Robredo solicitó se reconociera su hidalguía alegando que su familia era noble, y era así considerada en Chinchón y en otros pueblos del entorno de Madrid, sin que le pueda ser negada la solicitud por ejercer el trabajo que en Palacio desempeñaba. Aún solicitaba del Rey en 1793 los honores de ayuda de Cámara y en 1798, se le concede el honor de un uniforme bordado, que se le otorga precisamente en atención de su condición de hidalgo, haciéndose constar en su concesión «que su arte es liberal como la pintura, escultura y arquitectura, debiendo hacerse el uniforme conforme a la muestra y dibujos adjuntos», diseño que es el que reproduce Doña Luisa Barreno.

Juan López de Robredo era, pues, persona de consideración en Palacio y a su orgullo de hidalgo quiso unir el de ser retratado por Goya en este retrato, en fecha que no estaría muy alejada del año de la concesión real.

El retrato de López Robredo que aquí se cataloga lo adquirió en 1947 Don Juan Gómez Acebo y Moret, Marqués de Zurgena, importándolo a España, pues estaba en el extranjero, y en el año 1955 pasa, por donación, a su actual propietario.

Bibliografía: Tormo, 1902, p. 220; Lafond, 1902, p. 141; Loga, 1903, p. 195, n.º 222; Calvert, 1908, p. 132, n.º 91; Catálogo de la venta de Maczell Nemès, 1913, n.º 40; Beruete I, 1919, p. 52, 184, n.º 193; Mayer, 1925, n.º 274; Desparmet, 1928-50, n.º 324; Harris, 1938, p. 48; Sánchez Cantón, 1951, p. 118; Sambricio, 1961, n.º XL; Gudiol, 1970, p. 79, n.º 268; Gassier, 1974, n.º 688; De Angelis, 1974, n.º 268.

Exp.: 1900, Madrid, n.º 100; 1902, Madrid, n.º 856; 1911; Viena, n.º 2; 1912, Düsseldorf, n.º 75; 1913, París, n.º 40; 1925, París, n.º 27; 1928, Londres, n.º 120; Londres, n.º 23; 1961, Madrid, n.º XL; 1981, Hamburgo, n.º 288.

CAT. 25

26 *San Agustín*

Oleo sobre lienzo. 1,90 × 1,15 m.
Colección Doña María Luisa de Bayo Arana, viuda de Monjardín, Madrid.

El cuadro pertenece a una serie de cuatro Santos Padres de la Iglesia latina, que son de análogas dimensiones, acaso fruto de algún encargo, lienzos en los que predomina la entonación dorada y caliente y que están hoy dispersos; un *San Ambrosio* está en el Museo de Cleveland (EE. UU.), *San Gregorio Magno,* escribiendo, está en el Museo Romántico de Madrid, y el cuarto, *San Jerónimo,* que estuvo muchos años en una colección madrileña, está hoy en un museo californiano; muy distinto en composición y entonación de los otros tres.

Aparece el obispo de Hipona sentado con la mitra sobre la cabeza, en actitud orante, separadas las manos y la mirada dirigida hacia el cielo; lleva capa pluvial de dorada entonación y tiene sobre las rodillas un gran libro abierto.

Es una serie, la de estos cuatro santos patriarcas, extraña en la obra de Goya, pero rica de color y pintada con gran soltura, que ha de pertenecer a los cinco últimos años del siglo XVIII. Se puede percibir en ellos una influencia de la pintura andaluza, creyéndose pudieron pintarse con ocasión de sus viajes a Sevilla, en los que admiró sin duda intensamente, las grandes figuras sentadas de Murillo, representando a San Isidoro y San Leandro, cuadros que cuelgan normalmente en la sacristía de la catedral sevillana, y han figurado recientemente en la gran exposición Murillo 1982.

Por su parte el cuadro de la serie que representa a San Jerónimo está sin duda influído por la admiración que le produjo a Goya la escultura en barro cocido de Torrigiano representando a San Jerónimo, que está hoy en el Museo de Sevilla y que, según testimonio de Ceán Bermúdez, atraía poderosamente la contemplación de Goya.

El cuadro estuvo en poder de Lucas Moreno en París, pasó después a la colección bilbaina de Don Eugenio Luis de Bayo, de quien lo heredó su actual propietaria.

Bibliografía: Beruete II, 1917, p. 27, n.º 39; Mayer, 1925, n.º 31; Sánchez Cantón, 1946 I, p. 297, 298; Desparmet, 1928-50, n.º 72; Sánchez Cantón, 1951, p. 61; Monreal, 1953, p. 15; Sambricio, 1961, n.º LXXXIV; Desparmet, 1961-1962, n.º 23; Gudiol, 1970, n.º 36; Guerrero Lovillo, 1971, p. 215; Gassier, 1974, n.º 714; De Angelis, 1974, n.º 323.

Exp.: 1961, Madrid, n.º LXXXIV; 1961-62, París, n.º 23.

CAT. 26

27 *Milagro de San Antonio*

Oleo sobre lienzo. 0,27 × 0,38 m.
Colección Doña María Luisa Maldonado, Madrid.

Es boceto en forma semicircular para mitad de la cúpula de San Antonio de la Florida de Madrid. Se nos presenta al Santo de Padua que, trasladado milagrosamente a Lisboa para evitar la condena de su padre, acusado de haber ocasionado una muerte, siendo inocente de ello; el Santo pide se desentierre al muerto para que atestigüe ante el tribunal, e invocándole el Santo a que diga la verdad, logra la exculpación de su padre.

Rodean al Santo, como en la cúpula sucede, grupos de gentes que se asoman a una barandilla con barrotes que en la cúpula de la ermita aparecen también; en cambio en la pintura definitiva Goya suprimirá las figuras de los ángeles que bajan del cielo para propiciar el portento y que descienden hacia el grupo.

La cúpula de San Antonio de la Florida, como es bien sabido, se le encargó a Goya por mediación de Jovellanos en 1798, que fue por corto plazo ministro de Justicia en aquel momento.

En la pintura definitiva se omitió el gran paño que aquí aparece sobre la barandilla circular; en cambio se añadieron los traviesos chiquillos que montan sobre ella. En realidad es una primera idea elaborada cuando Goya estaba creando en su mente la composición que había de pintar en la cúpula y que al parecer desarrolló después en un boceto completo de todo el círculo cupular, pintura que está hoy en el Museo de Pittsburgo (Pennsylvania).

El cuadro cuando se expuso en 1928 era propiedad del Conde de Villagonzalo, habiendo pasado a su hija por herencia.

Bibliografía: Tormo, 1902, p. 213; Loga, 1903, n.º 7; Calvert, 1908, p. 170, n.º 31; Beruete I, 1919, p. 83, 84; Beruete II, 1917, p. 83, n.º 145; Mayer, 1925, n.º 10; Desparmet, 1928-50, n.º 88; Lafuente, 1928, n.º 57; Rothe, 1944, p. 36, n.º 4; Herrán de las Pozas, 1946, p. 38-39; Lafuente, 1955 I, p. 105-108, 144; Lafuente, 1961, p. 133-138; Gudiol, 1970, p. 101, 104, 105, n.º 380; Gassier, 1974, n.º 718; De Angelis, 1974, n.º 346.

Exp.: 1900, Madrid, n.º 87; 1928, Madrid, n.º 57.

CAT. 27

28   *La Gloria (Adoración de la Trinidad)*

Oleo sobre lienzo. 0,27 × 0,38 m.
Colección Doña María Luisa Maldonado, Madrid.

Es boceto de la pintura del ábside sobre el presbiterio de la ermita de San Antonio de la Florida, que como antes se ha dicho, se pintó por Goya en el verano de 1798.

En el centro aparece el simbólico triángulo de la Trinidad tras el cual irradia una luz sobrenatural que los ángeles en vuelo adoran.

Beruete, que estimaba mucho esta obra, hacía notar que la ejecución definitiva es inferior en su composición a la que se apunta en el boceto.

Bibliografía: Tormo, 1902, p. 213; Loga, 1903, n.º 8; Calvert, 1908, p. 170, n.º 33; Beruete I, 1919, p. 84; Beruete II, 1917, p. 83, n.º 146; Mayer, 1925, n.º 13; Desparmet, 1928-50, n.º 90; Lafuente, 1928, n.º 59; Rothe, 1944, p. 37; Herrán de las Pozas, 1946, p. 38, 39; Sánchez Cantón, 1951, p. 64; Lafuente, 1955 I, p. 105-108, 144; Lafuente, 1961, p. 133, 134; Gudiol, 1970, p. 101, 104, 105, n.º 395; Gassier, 1974, n.º 723; De Angelis, 1974, n.º 360.

Exp.: 1900, Madrid, n.º 88; 1928, Madrid, n.º 59.

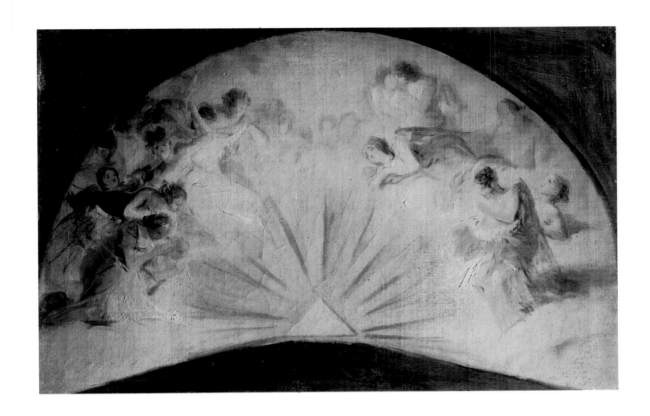

CAT. 28

29 *La Reina María Luisa*

Oleo sobre lienzo. 0,47 × 0,30 m.
Colección Mc-Crohon, Madrid.

La Reina aparece en pie, de frente, con traje de corte, banda y condecoraciones; el tocado en forma de turbante, con una pluma, y velo que cae sobre sus hombros. Entre el último año del siglo XVIII y el primero del XIX tuvo Goya un intenso trabajo como pintor de cámara, teniendo como modelos a los reyes. En 1799 pintó a Carlos IV con traje de caza, cuadro que está en el Palacio Real de Madrid, que ha de ser pareja del retrato de María Luisa con mantilla negra por la semejanza de dimensiones. Pintó también los retratos de ambos monarcas, hoy en el Museo del Prado, y posteriormente el retrato de María Luisa con traje de corte, que se colocó en el Palacio Real frente al Carlos IV de coronel de Guardas de Corps del Museo del Prado, retratos de los que se hicieron réplicas para envíar a Italia.

Los retratos enviados a Nápoles se hallan en el Palacio de Capodimonte; pude verlos en 1950 cuando se expusieron en el Pabellón Español de la Bienal de Venecia; pude comprobar que desde luego el retrato de la Reina no es de mano de Goya y probablemente es de mano de Esteve. Hay algunas variantes entre el cuadro del Palacio de Madrid y el de Capodimonte; la sobrefalda del vestido que lleva la Reina es de un leve color violado en el lienzo de Madrid, y en el de Nápoles es amarilla. Pues bien, esta reducción que así puede estimarse, de la colección Mc-Crohon, tiene amarilla también la sobrefalda, como ya hice notar en mi texto del Catálogo de la exposición de 1928.

El cuadro perteneció a la colección Acebal y Arratia, de donde llegó por herencia a su actual propietario.

Bibliografía: Lafuente, 1928, n.º 89; Desparmet, 1928-50, p. 289, n.º 548; Gassier, 1974, p. 166, n.º 781; De Angelis, 1974, n.º 376.

Exp.: 1928, Madrid, n.º 89.

CAT. 29

30 *La Condesa de Chinchón*

Oleo sobre lienzo. 2,16 × 1,44 m.
Colección Sueca, Madrid.

Estamos ante una de las obras maestras de la colección de Goya y acaso el más famoso de sus retratos femeninos. Singular encanto tiene el modelo, la hija no muy afortunada del Infante D. Luis Antonio de Borbón, hermano de Carlos III. Era D. Luis el hijo más joven de Felipe V y de Isabel de Farnesio, infante en quien puso su madre todo su desmedido amor, que nació en 1727. Preocupaban a su madre los destinos del joven Infante, ya que su política había encontrado tronos en Italia a D. Felipe, que fue Duque de Parma, y a Carlos que había de serlo también, y luego rey de Nápoles para venir a ocupar finalmente el trono de España, Isabel pensó en destinar a la Iglesia a su hijo menor. Hubo toda una negociación con Roma para que pudiera ser nombrado a los siete años Arzobispo de Toledo, para ser inmediatamente cardenal, a pesar de la resistencia del Papa, que fue vencida finalmente en 1735. Clemente XII extendió el breve por el que se confería al niño infante D. Luis la Diócesis de Toledo, aunque en encomienda y en administración hasta que obtuviera las Sagradas Ordenes.

Poco después se acordaba a D. Luis el capelo, con el título de Santa María de la Scala. Todavía en 1741 era acumulado al niño D. Luis el arzobispado de Sevilla; mas el tiempo fue afirmando que el Infante carecía de vocación para la Iglesia, pues, alejado del estudio, era más aficionado a la caza y a la familiaridad con las gentes de su servicio, en una vida muy poco conveniente al decoro de un príncipe e infante de la Iglesia. Pasaba el tiempo sin que el Infante D. Luis enmendase su vida ni sintiera deseo de recibir las órdenes sacerdotales, al punto que en 1754 decidió escribir al Papa Benedicto XIV expresándole sus deseos de renunciar, en manos de su Santidad, la dignidad de cardenal y la administración de los arzobispados de Toledo y Sevilla; a esta renuncia accedía Fernando VI convencido de que la vida de su hermano no era la más apropiada para una dignidad de la Iglesia.

Muerto el rey Fernando VI en 1759, Carlos III cuidó de que la vida de su hermano menor se enderezase, acordando que se le concediese, como deseaba, licencia para casarse, lo que realizó con Doña María Teresa de Vallabriga y Rozas, hija de un Capitán de Caballería de los voluntarios de España, aunque cuidando Carlos III de disponer que, siendo *matrimonio de conciencia*, siguiera en el rango de Infante de España, pero privando de él a su mujer y a sus hijos y prohibiéndole residir en la Corte y Sitios Reales. Así lo hizo, estableciéndose en el pueblo de Velada y en otros del sur de Madrid, como Cadalso de los Vidrios, donde nacieron algunos de sus hijos, para adoptar como residencia definitiva el palacio que se hizo construir en Arenas de San Pedro. Se le dejaba al Infante el título de Conde de Chinchón. Era pues, este matrimonio, morganático, aunque es cierto que la mujer de D. José Ignacio Vallabriga había llevado el título de Condesa de Torres Secas.

Las hijas pues, del Infante, a la muerte de su padre fueron llevadas a Toledo, junto a su hermano mayor el arzobispo, y educadas en un convento de aquella ciudad, de donde no saldría Doña Teresa, sino para casarse.

A la muerte de Carlos III, su sucesor, Carlos IV, fue tolerante en el trato que recibieron los hijos de D. Luis, y habiendo llegado a edad de mujer Doña María Teresa, la Reina María Luisa tuvo la idea de casarla con el ya prepotente D. Manuel Godoy, a quien su favor había llevado a encumbrada posición desde el modesto rango de guardia real. Casando Godoy con María Teresa, el favorito entraba en cierto modo en la familia real, por su enlace con una Borbón. Como era lógico, el matrimonio no fue feliz para María Teresa, poco preparada para la vida de la corte y sus intrigas, después de su estancia en un convento durante toda su niñez y juventud. Resignada esposa, fue la víctima de aquella combinación poco honrosa urdida por María Luisa para encumbrar más a Godoy.

El motín de Aranjuez fue para ella una apoteosis en cuanto el pueblo la reconoció como una víctima del favorito. Al expatriarse Godoy y toda la familia real, como resultado de las decisiones de Napoleón, siguió a su marido a Francia, residiendo años en París tras la caída de Bonaparte. Sus últimos años transcurrieron en Toledo al lado de su hermano el Cardenal D. Luis, muriendo en 1828.

El cuadro de Goya se pintó en Madrid según la mención de las cartas de la correspondencia de María Luisa a Godoy de 22 y 24 de abril de 1800. El lienzo permaneció muchos años en el Palacio de Boadilla del Monte, pasando después a la familia Rúspoli, descendiente de la Condesa, hasta llegar a sus propietarios actuales.

El lienzo es una de las maravillas de la obra de Goya, sin duda pintado con amor por el artista y con la simpatía que sentía por la niña que había conocido diecisiete años antes en Arenas de San Pedro. La Condesa, de rostro aniñado y cabello rubio, es retratada por Goya sentada en un sillón dorado; el rostro se vuelve ligeramente a la derecha, hacia donde dirige la mirada de sus grandes ojos de ingenua y melancólica mirada; descansa el brazo izquierdo sobre el sillón y apoya el derecho sobre su cuerpo mientras la mano tiene asidos los dedos de la izquierda en una actitud dulce y encogida de tímida; en una de las dos sortijas lleva un retrato masculino que sin duda será el de su esposo; el rubio cabello cubre con sus rizos la frente bajo la blanca toca con adornos de suave color azul, espigas, pequeñas plumas de color verde; una cinta sujeta la toca sobre la barbilla. El vestido, de corte ligeramente escotado, es de alta cintura según la moda de la época y su color es blanco gris moteado con ligeros adornos de azul pálido en falda, cintura y mangas.

En su figura se adivina la gravidez, que confirman las cartas de María Luisa a Godoy que aluden a la próxima maternidad de la Condesa. Además de la fina entonación gris, maravillosamente acordada con oros y azules, Goya consigue prodigiosamente en torno a la figura esa *magia del ambiente,* que era uno de los fines que perseguía en su pintura, según su hijo Javier.

Doña María Teresa de Vallabriga era bella y mujer de carácter, por lo que se sintió siempre humillada por no poder ser considerada de la familia real y no residir en la Corte, de lo que se quejaba frecuentemente D. Luis al ministro Floridablanca, que era su intermediario con Carlos III.

Probablemente a través de Ventura Rodríguez, arquitecto del Infante, Goya entró en relación con esta familia, desterrada en Arenas de San Pedro, y es sabido que en 1783 y en 1784 fue llamado Goya a este pueblo en las faldas de la Sierra de Gredos para pintar los retratos de la familia del Infante. Allí pintó, en efecto, al matrimonio, en la pareja de retratos que están hoy en los Museos de Munich y de Cleveland, respectivamente, realizó el curioso cuadro de familia en el que a los padres rodean sus tres hijas y la servidumbre rodea a la esposa del Infante atendida por el peluquero de la pequeña corte de Arenas, composición en la que el propio Goya se incluye en la tarea de pintar el lienzo que, por cierto, es una escena con luz artificial. La pintura, que pasó a la familia Rúspoli, se halla hoy en Parma. En el cuadro se halla incluída la niña María Teresa, de cuatro años de edad; también la pintó entonces en el lindo retrato al aire libre, con fondo de paisaje rematado por la Sierra de Gredos, lienzo que entró en la Galería Nacional de Washington con la donación Mellon. Ahora, recién casada, y en estado de dulce esperanza, la retrató en Madrid en este cuadro que aquí se expone y que es una de las cumbres de la pintura del maestro aragonés.

La retratada, Doña María Teresa de Borbón y Vallabriga, XV Condesa de Chinchón y Marquesa de Boadilla del Monte, pudo en 1799 recobrar el apellido real de la familia y llegar a incorporarse a la Corte por una serie de complicados acontecimientos históricos que decidieron en su vida.

El matrimonio del Infante D. Luis con la Vallabriga tuvo tres hijos: el mayor fue D. Luis, que como su padre, fue Arzobispo de Toledo y Cardenal de la Iglesia Romana; nacido en 1777, fue honesto prelado de vida virtuosa. Fue la segunda Doña María Teresa, que nació el 6 de marzo de 1779. La tercera fue María Josefa, luego Duquesa de San Fernando. Su padre, el Infante, murió en 1785.   Había trabado buena relación con Goya, que era, como él, aficionado a la caza y que fue muy agasajado durante su estancia en Arenas como prueban las cartas de Goya a su amigo Zapater.

Bibliografía: González Sepúlveda, 1797-1802, libro 9, fol. 186, 187; Catálogo de las pinturas existentes en Boadilla del Monte, n.º 137; Viñaza, 1887, p. 229; Tormo, 1902, p. 206; Lafond, 1902, p. 122, n.º 51; Loga, 1903, p. 190, n.º 156; Beruete I, 1919, p. 96-98, n.º 70; Beruete, 1924, p. 293; Ezquerra del Bayo, 1924, p. 38; Mayer, 1925, n.º 187; Lafuente, 1928, n.º 19; Encina, 1928, p. 86; Desparmet, 1928-50, n.º 308; Salas, 1931, p. 177, n.º 38; Sánchez Cantón, 1951, p. 70, 170; Sambricio, 1957, p. 96, 97; Sambricio, 1961, n.º XV; Salas, 1962, p. 15; Glendinning, 1963, n.º 87; Sánchez Cantón, 1964, p. 71; Trapier, 1964, p. 2, 3, 27; Held, 1964, p. 170, n.º 87; Babelon, 1964, p. 145; Salas, 1965, p. 207-222; Sánchez Cantón, 1965, p. 365; Gómez de la Serna, 1969, p. 148-151; Gudiol, 1970, p. 19, n.º 425; Licht, 1973, p. 11; Baticle, 1970, n.º 29; Gassier, 1974, n.º 793; De Angelis, 1974, n.º 378; Glendinning, 1977, p. 37, 38; Gállego, 1978, II, p. 68-72; Licht, 1979, p. 238-241; Pardo Canalís, 1979, p. 307; Canellas López, 1981, p. 475-476.

Exp.: 1921, Londres, n.º 47; 1928, Madrid, n.º 19; 1939, Ginebra, n.º 20; 1946, Madrid, n.º 13; 1961, Madrid, n.º XV; 1963-1964, París, n.º 87; 1970, París, n.º 29.

CAT. 30

31 *El Conde de Fernán Núñez*

Oleo sobre lienzo. 2,11 × 1,37 m.
Colección Duque de Fernán Núñez, Madrid.

Si se ha celebrado a Goya justamente por sus retratos femeninos, no fue menos acertado en representar la figura masculina en los retratos de estos años de su culminación, a principios de siglo. Arrogante es la figura en pie, de cuerpo entero, del Conde de Fernán Núñez, envuelto en su terciada capa de un negro verdoso, que deja ver las manos y la corbata blanca. Lleva gran sombrero apuntado negro, peluca gris y negras patillas que enmarcan el rostro; aun presentado de frente, vuelve la cabeza hacia su derecha; el calzón es blanco y calza altas botas negras. Está pintado el retrato sobre un fondo de dilatado paisaje de grises verdosos, con montañas al fondo. Firmado y fechado en el suelo, a la derecha: «Goya f. 1803». El lienzo lleva al dorso un letrero que dice: «El Exmo. Sr. Dn. Carlos José/Gutierrez de los Rios y Sar^mto/Conde de Fernán Núñez/de edad de 24 años. Pintado por Goya».

El retratado es D. Carlos Gutiérrez de los Ríos, VII Conde de Fernán Núñez, hijo del VI Conde D. Carlos y Doña María de la Esclavitud Sarmiento de Sotomayor; nació en Lisboa el 3 de enero de 1779.

Se distinguió en la carrera diplomática en la que había brillado también su padre; fue embajador en Londres y en París y se señaló siempre por la ostentación de su vida deseando desempeñar sus cargos de embajador con el mayor boato y lujo en el Congreso de Viena, lo que le valió ser recompensado por Fernando VII, haciéndole Duque del mismo título en el año 1817. Su biografía ofrece detalles íntimos muy singulares; casado con la Duquesa de Montellano (véase el número siguiente) dejó a su esposa para partir a su embajada de Londres; en realidad, para reunirse con el amor de su vida, la bella y rubia Fernanda Fitz-James Stuart Stólberg, hija del IV Duque de Berwick, que casó con el XI Duque de Híjar, del que pronto se separó y del que enviudó en 1817. Otras contradicciones también hay en la vida del personaje: marchó a Bayona con Fernando VII, pero luego fue montero mayor de José I, quien le destituyó por su ayuda a los guerrilleros patriotas, llegando a combatir contra los franceses. Murió a los 43 años de una caída del caballo, unos dicen en París y otros en Verona, el 27 de noviembre de 1822.

Bibliografía: Yriarte, 1867, p. 135; Viñaza, 1887, p. 269, n.º 142; Araujo, 1896, p. 111, n.º 175; Lafond, 1902, p. 127, n.º 101; Loga, 1903, p. 195, n.º 210; Beruete I, 1919, p. 100-103, n.º 214; Beruete, 1921, n.º 27; Beruete, 1924, p. 296-299; Mayer, 1925, p. 76, n.º 256; Herrera y Ges, 1927, p. 97, 98, n.º 7; Desparmet, 1928-50, n.º 429; Lafuente, 1928, n.º 24; Encina, 1928, p. 84; Salas, 1931, p. 177, n.º 52; Gómez Moreno, 1946, p. 37; Sánchez Cantón, 1951, p. 78, 79, 170; Lafuente, 1955, n.º 106; Martin Mery, 1956, n.º 119; Sambricio, 1956, p. 37; Sambricio, 1961, n.º XIII; Glendinning, 1963-1964, n.º 90; Held, 1964, n.º 93; Lafuente, 1964, p. 200; Trapier, 1964, p. 23, 24; Gudiol, 1970, p. 125, 129, 325, n.º 486; Gassier, 1974, n.º 808; De Angelis, 1974, n.º 417; Villa Urrutia, 1900, t. III, p. 5.

Exp.: 1928, Madrid, n.º 24; 1946, Madrid (Museo Nacional de Arte Moderno), n.º 15; 1955, Granada, n.º 106; 1956, Burdeos, n.º 119; 1961, Madrid, n.º XIII; 1963-1964, Londres, n.º 90.

CAT. 31

32 *La Condesa de Fernán Núñez*

Oleo sobre lienzo. 2,11 × 1,37 m.
Colección Duque de Fernán Núñez, Madrid.

La Condesa aparece sentada, al pie de un árbol que tiene detrás un grueso tronco retorcido, que forma una diagonal sobre el fondo. Lleva vestido negro con cintas carminosas, lazo y flecos negros, mantilla negra y un adorno de colores rojo y oro, y su cabello cae en rizos que cubren la frente; las orejas lucen gruesos pendientes y al cuello lleva una cadena de la que pende una miniatura cuadrada con retrato varonil. No es muy afortunada la actitud en la que está sentada con las piernas algo separadas, y los pequeños pies están calzados con zapato blanco y oro.

Está firmado y fechado el cuadro: «Goya f. a 1803». El lienzo lleva por detrás una inscripción que dice: «La Exma. Sra. Doña María Vicenta/Solís Laso de la Vega Condesa de/Fernán Núñez de edad 23 años/año 1803».

La retratada es Doña María Vicenta de Solís Vignancourt Lasso de la Vega, que fue por derecho propio Duquesa de Montellano y del Arco y Condesa de Fernán Núñez por su matrimonio. Era hija del V Duque de Montellano, el teniente general Don Alonso Alejo y de Doña María Andrea, Marquesa de Miranda de Auta; la familia vivía en Madrid en un viejo palacio del barrio de San Andrés. Fue en 1798 cuando casó con el Conde de Fernán Núñez, matrimonio que no fue muy feliz, ya que el afecto de los esposos anduvo alejado de los cuaces conyugales como se ha dicho en el número anterior, pues su marido, fuera de España casi siempre, dedicó sus atenciones a su amor por la Duquesa de Híjar, Fernanda Fitz-James Stuart, hija del IV Duque de Berwick y Liria. El matrimonio, no obstante, tuvo dos hijas: Casilda, que murió niña, y Francisca, que casaría con el Conde de Cervellón, Don Felipe Ossorio y de la Cueva, ocupando el palacio madrileño de la calle de Santa Isabel, que han habitado sus descendientes hasta entrado el siglo XX. Amó Doña Vicenta con afecto poco correspondido a su esposo, quien en su propio testamento consignaba que cuando se casó Doña Vicenta sabía ya que el corazón de su esposo era de otra. Cuando la infortunada Duquesa de Fernán Núñez enviudó, joven aún, volvió a casar con Don Filiberto José Mahy, teniente de Artillería; el nuevo matrimonio vivió en Francia, con casa en París y castillo en Tours, donde falleció el 4 de junio de 1840, disponiendo que fuese enterrada en Madrid, en la Sacramental de San Isidro, en el Panteón de la familia Montellano. Su hija heredaría el título de Fernán Núñez y el palacio de la calle de Santa Isabel. Debo agradecer aquí las noticias que completan la biografía del matrimonio Fernán Núñez-Montellano a mi buen amigo el académico Don José Valverde Madrid (véase su artículo *El retrato de la primera Duquesa de Fernán Núñez por Goya,* publicado en la revista «Feria de Fernán Núñez», 1975.

Bibliografía: Yriarte, 1867, p. 135; Viñaza, 1887, p. 269, n.º 141; Araujo, 1896, p. 111, n.º 176; Lafond, 1902, p. 133, n.º 166; Loga, 1903, p. 200, n.º 282; Beruete I, 1919, p. 100, n.º 215; Beruete, 1924, p. 296-299; Mayer, 1925, n.º 257; Desparmet, 1928-50, n.º 430; Lafuente, 1928, n.º 21; Gómez Moreno, 1946, p. 37; Sánchez Cantón, 1951, p. 79; Lafuente, 1955, p. 70, n.º 107; Sambricio, 1961, n.º XII; Glendinning, 1963, n.º 89; Held, 1964, n.º 94; Trapier, 1964, p. 23-24; Gudiol, 1970, p. 125, 129, n.º 487; Gassier, 1974, p. 166, 198, n.º 807; De Angelis, 1974, n.º 416; Villa Urrutia, 1900, t. I, p. 425 y t. III, p. 11, 12.

Exp.: 1928, Madrid, n.º 21; 1946, Madrid (Museo Nacional de Arte Moderno), n.º 14; 1955, Granada, n.º 107; 1961, Madrid, n.º XII; 1963-1964, Londres, n.º 89.

CAT. 32

33 *La Marquesa de Lazán*

Oleo sobre lienzo. 1,93 × 1,15 m.
Colección de los Excmos. Duques de Alba, Madrid.

La esbelta y bella joven está representada de cuerpo entero y en pie; apoyando su cuerpo sobre la pierna izquierda, adelantando con naturalidad la derecha, dejando ver su pie calzado con blanco zapato. El cabello negro y rizado cae sobre sus hombros y está sujeto por dos sencillas diademas; el traje es blanco moteado de oro, lleva un cinto dorado; el talle es alto, según la moda del tiempo, y deja al descubierto su cuello y brazos. Sobre el sillón, un largo manto de color vinoso forrado de armiño. Aunque no está firmado, se supone pintado hacia el año 1800; Gassier lo fecha hacia 1804.

La retratada es Doña María Gabriela Palafox y Portocarrero, que nació el 18 de marzo de 1779, hija de Don Felipe Palafox y Doña María Francisca de Sales Portocarrero, Condesa de Montijo, dama famosa en su tiempo, ilustrada y de inclinaciones jansenistas, que hicieron fuese encausada por la Inquisición y desterrada a Canarias. Su hija, Doña María Gabriela, casó con un primo suyo, Don Luis Palafox, Marqués de Lazán, hermano mayor de Don Francisco Palafox, el general que defendió heroicamente a Zaragoza contra los franceses. Heredó la sociabilidad y las inclinaciones de su madre; cuando su esposo ya Teniente General estaba de Capitán General en Zaragoza en 1820, llegó el movimiento constitucional y fue sustituído por Riego. La marquesa fue acusada de conspirar contra la Constitución y encarcelada. Murió a los pocos días de ser liberada el 21 de junio de 1828.

Opiniones absurdas y poco autorizadas han hecho a veces intentos de atribuir este cuadro a Esteve, cosa decididamente inadmisible; la originalidad en la presentación del modelo, la técnica pictórica y el logrado ambiente en torno a la figura hacen absurda esta hipótesis.

El cuadro fue donado en vida por la Emperatriz Eugenia, Condesa del Montijo, a su sobrino el XVII Duque de Alba, Don Jacobo Fitz-James Stuart y Falcó.

Bibliografía: Yriarte, 1867, p. 135; Viñaza, 1887, p. 268, n.º CXXXIX; Araujo, 1896, p. 115, n.º 225; Tormo, 1902, p. 217; Lafond, 1902, p. 131, n.º 150; Loga, 1903, p. 199, n.º 266; Calvert, 1908, p. 136, n.º 172; Barcia, 1911, p. 52, n.º 54; Pérez de Guzmán, 1912, p. 647; Sentenach, 1913, p. 76; Beruete, 1918, n.º 31; Beruete I, 1919, p. 64, n.º 162; Beruete II, 1917, n.º 31; Sánchez Cantón, 1920, n.º 117; Ezquerra y Pérez Bueno, 1924, p. 29; Beruete, 1924, p. 286; Mayer, 1925, n.º 330; Desparmet, 1928-50, n.º 447; Lafuente, 1928, n.º 26; Nelken, 1928, p. 312-314; Salas, 1931, p. 177, n.º 58; Soria, 1943, p. 253, n.º 62; Lafuente, 1947, p. 177; Sambricio, 1961, n.º IX; Held, 1964, n.º 97; Gudiol, 1970, p. 221, n.º 445; Lipschutz, 1972, p. 111; Gassier, 1974, n.º 811; De Angelis, 1974, n.º 419; Glendinning, 1977, p. 111; Gállego, 1979, p. 256.

Exp.: 1900, Madrid, n.º 37; 1918, Madrid, n.º 31; 1920, Londres, n.º 117; 1928, Madrid, n.º 26; 1946, Madrid (Museo Nacional de Arte Moderno), n.º 12; 1961, Madrid, n.º 9.

CAT. 33

34 *Don Pantaleón Pérez de Nenín*

Oleo sobre lienzo. 2,06 × 1,25 m.
Colección Banco Exterior de España, Madrid.

En 1900 era propiedad de Don Pedro Labat Arrizabalaga; fue adquirido posteriormente por el Banco Exterior de España, su actual propietario.

El retratado está en pie, de frente, tiene cabello rubio, como el bigote y las patillas, y lleva el uniforme de húsares de María Luisa, cuya chaqueta es roja, galoneada de plata y bocamangas azules, de pico; del mismo azul pálido es el pantalón y el dormán, orlado de piel. Las botas altas son negras con espuelas y el chacó es negro con plumero rojo; lleva el curvo sable dorado en la mano derecha, en cuya parte inferior, empezando por la contera, está la fecha y la firma: «Dn Pantaleon Perez de Nenin, por Goya 1808». El bastón de mando de ayudante, en la mano derecha; en el fondo y a la derecha, tras el personaje, se ve la cabeza de un caballo.

El doctor Glendinning nos ha proporcionado nuevos datos biográficos del personaje que aquí extractamos y que completan los escasos que se incluían en el Catálogo de 1928. Don Pantaleón, de familia hidalga, nació en Bilbao en 1779. Era su familia, al parecer, de comerciantes acomodados en la Villa del Nervión, porque personas de este apellido aparecen en las guías comerciales y almanaques de aquella villa, en los primeros años del siglo XIX. Nuestro retratado siguió la carrera militar, según consta en su expediente, conservado en el Archivo General Militar de Segovia.

Don Pantaleón tenía el grado de primer teniente del regimiento de húsares de María Luisa, en febrero de 1796. Participó en las campañas de Portugal y ascendió a ayudante mayor en agosto de 1802 con el grado de capitán. Solicitó su retiro de ayudante, en Bilbao, con la obligación de pedir licencia para ausentarse. En julio de 1807 estaba en Madrid, habiendo solicitado pasar a Bilbao por cuestión de intereses después del fallecimiento de su padre, pero cuando Goya pintó este retrato debía estar en Madrid. El despacho de su retiro se firmó en Aranjuez el 21 de febrero de 1806; por lo tanto, cuando sirvió de modelo a nuestro artista debía tener unos 28 o 29 años. Al comenzar la Guerra de la Independencia fue nombrado mayor general del ejército, formado por la Junta de Bilbao en mayo de 1808. En 1829 y 30 seguía con el grado de ayudante mayor y se ignora la fecha de su fallecimiento.

Agradecemos aquí los datos proporcionados por Mr. Glendinning, que nos permiten saber algo más de lo que en 1928 se hacía constar.

Bibliografía: Tormo, 1902, p. 217; Lafond, 1902, p. 135, n.º 185; Loga, 1903, p. 202, n.º 303; Calvert, 1908, p. 139, n.º 213; Beruete I, 1919, p. 108, n.º 243; Mayer, 1925, n.º 384; Lafuente, 1928, n.º 84; Desparmet, 1928, p. 50, n.º 464; Sánchez Cantón, 1951, p. 98; Camón, 1959, p. 5; Sambricio, 1961, n.º III; Desparmet, 1961, n.º 64; Glendinning, 1963, n.º 9; Gudiol, 1970, p. 145, n.º 548; Gassier, 1974, n.º 878; De Angelis, 1974, n.º 475; Salas, 1979, II, p. 90, 93.

Exp.: 1900, Madrid, n.º 96; 1913, Madrid, n.º 146; 1928, Madrid, n.º 84; 1959-1960, Estocolmo, n.º 145; 1961, Madrid, n.º III; 1961-1962, París, n.º 64; 1963-1964, Londres, n.º 9; 1972, Tokio, n.º 38; 1981, Hamburgo, n.º 297.

CAT. 34

35 *Retrato de Don Martín Miguel de Goicoechea*

Oleo sobre lienzo. 0,82 × 0,59 m.
Colección particular, Madrid.

Es un retrato de más de medio cuerpo, visto de tres cuartos a la izquierda. Viste de negro, corbata y chaleco blancos. Es rubio el cabello y patillas y su rostro es rubicundo; tiene una verruga en la mejilla izquierda y mira hacia un lado con mirada resuelta. En la mano izquierda lleva un papel; está firmado y fechado: «Don Martin de Goicoechea p^r Goya, 1810». Goya hizo este retrato a su consuegro en el año de la fecha, pocos años después de haberse casado Javier Goya con Gumersinda Goicoechea, hija del efigiado. Era uno de esos navarros que bajaban a Madrid para desarrollar empresas comerciales o financieras, de los que hubo notables y acaudalados personajes en la Administración del siglo XVIII, a cuyo estudio ha dedicado una monografía Julio Caro Baroja. Martín Miguel de Goicoechea, aunque no alcanzase un elevado rango dentro de esta clase, fue también comerciante en Madrid; nació en Alsasua (Navarra) el 27 de octubre de 1755.

Fue sin duda afrancesado, porque emigró a Francia después de 1814, viviendo algunos años en Burdeos, donde murió el 30 de junio de 1825, antes que su consuegro. Sabido es que Goya fue, a su muerte, enterrado en 1828 en el Panteón de los Goicoechea, en el cementerio de la Grand Chartreuse de aquella ciudad.

Se ha relatado varias veces la historia que yo recordé en mi libro sobre los frescos de Goya en San Antonio de la Florida, de la singular peripecia que Goya sufrió tras su muerte.

Martín Miguel de Goicoechea fue enterrado al morir en tumba propia en cementerio francés, y en ella se sepultó a Goya después. Cuando en 1888 se abrió la tumba de Goicoechea en aquel cementerio se halló que no había señal alguna que distinguiese el féretro del pintor del de su consuegro. Desenterrados los dos cuerpos se halló que uno de ellos carecía de cabeza, por lo que se decide llevar a Madrid los dos juntos para que, dada la dificultad de resolver la duda, al fin el cuerpo de Goya descansase en tierra española, adonde llegaron los restos en 1899, para recibir sepultura en 1900 en un panteón que el gobierno decidió levantar en el cementerio de San Isidro. Acordado posteriormente el traslado de Goya a la Ermita de San Antonio de la Florida, constituída así en panteón del pintor, los restos de ambos cuerpos se enterraban allí el 29 de noviembre de 1919, quedando la duda todavía, a estas alturas, de que si la cabeza desaparecida era la de Goicoechea o la de Goya.

En todo caso hay que recordar que en el Museo de Zaragoza y firmado por Dionisio Fierros en 1847, hay un cuadro que dice representar el cráneo de Goya. Es singular que el lienzo indicado del Museo de Zaragoza había sido propiedad de los Marqueses de San Adrián y que el Marqués, a quien pintó Goya en un magnífico retrato, hoy en el Museo de Pamplona, fue también afrancesado y residió en Burdeos. Parece, en efecto, que el cráneo de Goya fue sustraído de la tumba y que no volvió a ella, quedando en poder de los descendientes de Fierros.

Bibliografía: Viñaza, 1887, p. 262, n.º CXV; Araujo, 1896, p. 117, n.º 256; Tormo, 1902, p. 220; Lafond, 1902, p. 128, n.º 118; Loga, 1903, n.º 229; Calvert, 1908, n.º 123; Beruete I, 1919, p. 130, n.º 259; Calleja, 1924, n.º 99; Mayer, 1925, p. 5, n.º 284; Lafuente, 1928, n.º 27; Beruete, 1928, p. 75; Desparmet, 1928-50, n.º 472; Vallentin, 1951, p. 300; Sánchez Cantón, 1951, p. 103; Martín Mery, 1951, n.º 33; Camón, 1959, p. 9; Klingender, 1968, p. 136; Gudiol, 1970, n.º 551; Gassier, 1974, n.º 887; De Angelis, 1974, n.º 513.

Exp.: 1900, Madrid, n.º 126; 1928, Madrid, n.º 27; 1951, Burdeos, n.º 33; 1951, Madrid, n.º 13.

CAT. 35

36 *Juana Galarza de Goicoechea*

Oleo sobre lienzo. 0,82 × 0,59 m.
Colección particular, Madrid.

Retrato de medio cuerpo largo, sentada la modelo de frente, la cabeza ligeramente vuelta hacia la derecha. Doña Juana es una mujer no joven, pero con el pelo negro que cae en rizos sobre su frente. Tiene grandes ojos oscuros, lleva un vestido gris con encajes sobre el cuello que bajan como una solapa hasta la cintura; en la mano derecha lleva un abanico entreabierto.

El cuadro está hoy en propiedad de un descendiente del Marqués de Casa Torres, en cuya colección se catalogaba el año 1928.

Es un retrato familiar en el que Goya tiene ante sí una modelo muy diferente de las demás aristocráticas que pintaba. Doña Juana Galarza de Goicoechea era esposa de Don Martín de Goicoechea, cuya hija Gumersinda casó con Javier Goya, el hijo del pintor, en 1805. Poseemos un retrato dibujado a perfil de Doña Juana (Gassier, 841), probablemente realizado al establecerse el compromiso matrimonial de Javier Goya con la hija de Doña Juana y Don Martín Miguel de Goicoechea.

El cuadro inicia el tipo del retrato burgués femenino que Goya no prodigó; estuvo en la colección familiar de Mariano de Goya, el nieto del artista, figurando en 1828 en el inventario que se hizo de los bienes del pintor, de donde pasó a su hijo y a su nieto, figurando luego en la colección del Marqués de Casa Torres de donde pasó a su actual propietario.

Bibliografía: Viñaza, 1887, p. 262, n.º CXVI; Tormo, 1902, p. 220; Lafond, 1902, p. 196, n.º 230; Loga, 1903, n.º 230; Calvert, 1908, p. 125; Beruete I, 1919, p. 130, n.º 260; Mayer, 1925, p. 158, n.º 286; Lafuente, 1928, n.º 25; Desparmet, 1928-50, n.º 471; Martín Mery, 1951, n.º 34; Sánchez Cantón, 1951, p. 103; Camón, 1959, p. 9; Gudiol, 1970, n.º 552; Gassier, 1974, n.º 886; De Angelis, 1974, n.º 512.

Exp.: 1900, Madrid, n.º 127; 1928, Madrid, n.º 25; 1951, Burdeos, n.º 34; 1951, Madrid, n.º 14.

CAT. 36

37 *Alegoría de la Villa de Madrid*

Oleo sobre lienzo. 2,60 × 1,95 m.
Colección Museo Municipal de Madrid.

En el gran cuadro domina la matronil figura en pie que a Madrid simboliza. De tamaño aproximadamente natural, es una mujer bella de rubio cabello, de una belleza en la que la finura de los miembros y la plenitud corporal no se excluyen; mira de frente y pone su mano derecha sobre una piedra en la que aparece en color el escudo de Madrid, óvalo en cuyo campo puede verse el oso empinado hacia el madroño; la bordura es azul con las siete estrellas. Va vestida la mujer con un vestido blanco con talle alto, y porta sobre sus hombros un manto de color rosado casi rojo. La mano izquierda señala con el índice un medallón que sostienen dos figuras aladas. La cabeza de la mujer porta una fina corona sobre sus rubios cabellos. Los dos ángeles que sostienen en alto el medallón van desnudos, y el que está de espaldas ciñe su cuerpo desde la cintura con un paño azul; el que está de frente, desnudo también, ayuda a sostener el medallón por su respaldo. Este óvalo marmóreo está bordeado por una moldura dorada y en su interior lleva actualmente, en doradas letras también, la inscripción en tres líneas: «Dos de Mayo». Otros dos ángeles, en vuelo sobre el medallón, a la izquierda y uno de ellos, torso desnudo y cubierto desde la cintura con paño azul, también sopla una larga trompeta indicando ser alegoría de la Fama. A los pies de la dama que representa Madrid, un perro blanco sentado que simboliza la Fidelidad; cubre el suelo una rica alfombra. El medallón con el escudo de Madrid está apoyado en un almohadón de terciopelo de pálido azul con galones y borlas de oro en las esquinas.

Son conocidos los pasos y vicisitudes de este lienzo de larga historia como daba a entender el título del estudio que le dedicó Felipe Pérez y González titulado en su libro: *Un cuadro de... historia* (Madrid, 1910), para el que consultó las fuentes documentales que da a conocer.

El cuadro fue pintado en 1809; Madrid está ya ocupado por las tropas francesas y Napoleón ha puesto en el trono de España a su hermano José Bonaparte. Se ha constituído un Ayuntamiento de la Villa de Madrid compuesto por afrancesados, entre los que estaba un amigo de Goya, Don Tadeo Bravo del Rivero, maestrante y diputado de la ciudad de Lima, de quien el artista aragonés pintó, en 1806, un retrato de cuerpo entero y en pie con dedicatoria del pintor al modelo, lienzo que está hoy en el Museo de Brooklyn (EE. UU.), (Gassier, 854).

Por iniciativa de Bravo del Rivero, el Ayuntamiento de Madrid decidió, el 23 de diciembre de 1809, encargar a Goya un retrato *del soberano*, es decir, de José I. El rey intruso no era asequible para posar ante el pintor, y el artista, que así lo debió alegar, optó por pintar una composición alegórica de grandes dimensiones y de gran belleza, que para ser remunerado de acuerdo con la *grandeza de este cuadro*, no ha de ser pagado en menos de 15.000 reales; así parece que fue.

Pero la Guerra de la Independencia tuvo muchas alternativas, según las oscilaciones de la lucha entre españoles y franceses.

Cuando, tras la batalla de los Arapiles, el ejército francés evacúa Madrid, y el rey José con él, se acuerda cubrir el retrato del Bonaparte con la palabra *Constitución,* ídolo de los patriotas españoles liberales que pensaban en la promulgada en Cádiz en 1812.

José I vuelve a instalarse en Madrid en noviembre del mismo año 12, y entonces los múnicipes acuerdan volver al lienzo a su estado primitivo, que incluía el retrato del Bonaparte. Goya, y esto nos indica la poca simpatía que tenía por este encargo, le transmite la comisión a su ayudante Felipe Abbas, pintor del que nada sabemos. Pero vuelve a cambiar el rumbo azaroso de la guerra y el 23 de junio del año 1813, se le vuelve a ordenar a Goya que se reponga en el cuadro la palabra *Constitución*, trabajo del que se encarga un tal Dionisio Gómez.

Liberado de su cautiverio de Valençay regresa Fernando VII a Madrid en 1814, y vuelve a pintarse, no sabemos por quien, la palabra *Constitución* en el famoso óvalo. Pero en mayo la Ley de las Cortes de Cádiz es abolida

CAT. 37

por el rey, otra vez absoluto, y se ordena sustituir la palabra, ahora censurada, por un malísimo retrato de Fernando VII. Tan malo era, que el propio Ayuntamiento, años después, en 1826, cuando Goya estaba ya exiliado en Francia, encarga a Vicente López que pinte otra vez un más digno retrato del monarca.

Más en el agitado siglo XIX, con sus pendolares movimientos políticos, entre liberalismo y absolutismo, no había de detenerse esta carrera de repintes; en 1843 vuelve a ser borrado Fernando VII y a pintarse el libro de la Constitución. Todavía al final de esta cansada rotación de regímenes, diremos que en 1872, ya destronada Isabel II, el alcalde de Madrid, el liberal Marqués de Sardoal, ordena que se borren los repintes anteriores y se ponga un letrero que diga *Dos de Mayo,* que por ser un hecho histórico, no esté sujeto a las opiniones cambiantes de los hombres.

Bibliografía: Araujo, 1896, p. 108, n.º 158; Tormo, 1902, p. 220; Lafond, 1902, p. 99, n.º 4; Loga, 1903, p. 185, n.º 81; Calvert, 1908, p. 166, n.º 4; Pérez y González, 1910; Sentenach, 1913, p. 82; Beruete I, 1919, p. 114-117; Beruete II, 1917, p. 109, 110, n.º 189; Beruete, 1924, p. 311-314; Mayer, 1925, n.º 88; Desparmet, 1928-50, n.º 97; Salas, 1931, p. 177, n.º 51; Terrasse, 1931, p. 85; D'Ors, 1943, p. 258; Sánchez Cantón, 1951, p. 97, 98, 171; Vallentin, 1951, p. 284-287; Lafuente, 1953, p. 412; Lafuente, 1955, n.º 108; Martín Mery, 1956, n.º 122; Camón, 1959, p. 8; Desparmet, 1961, n.º 69; Sambricio, 1961, n.º I; Glendinning, 1958, n.º 96; Trapier, 1964, p. 31; López Rey, 1964, p. 56; Klingender, 1968, p. 136, 137; Gaya Nuño, 1969, p. 2-6, n.º 27; Wyndam Lewis, 1970, p. 28; Gudiol, 1970, n.º 555; Gassier, 1974, n.º 874; De Angelis, 1974, n.º 509; Williams Gwyn, 1978, p. 130; Salas, 1979 I, p. 82, 83; Licht, 1980, p. 196-198; Glendinning, 1981, p. 246; Canellas López, 1981, p. 367.

Exp.: 1900, Madrid, n.º 21; 1908, Madrid, n.º 256; 1955, Granada, n.º 108; 1956, Burdeos, n.º 122; 1961, Madrid, n.º 1; 1961-1962, París, n.º 69; 1963-1964, Londres, n.º 96; 1979, Madrid, n.º 1.155; 1982, Madrid, «Goya y la Constitución», n.º 3.

ALEGORIA DE LA VILLA DE MADRID
(Detalles)
Cat. 37

38 *El Lazarillo de Tormes*

Oleo sobre lienzo. 0,80 × 0,65 m.
Colección Araoz, Madrid.

El cuadro representa dos figuras: una de ellas, un hombre con cerrada barba negra y los ojos entornados, mete los dos dedos de su mano derecha en la boca de un muchacho al que está sujetando por el cuello. A la derecha, un fuego de cocina.

El cuadro, comprado en Burdeos en 1923, estuvo en la colección del Marqués de Amurrio en Madrid, de donde pasó, creo que por donación, al ilustre médico doctor Gregorio Marañón, en Madrid también. Se interpretó por su propietario entonces una escena de las prácticas para la *Curación del Garrotillo,* título que tuvo el lienzo por algunos años, es decir, la enfermedad de la difteria, que en aquellos tiempos de poco adelanto de la medicina se creía podría tratarse por cauterización de la garganta. El hombre que violentamente le abre la boca al muchacho parecía ir a proceder a esta bárbara operación en la garganta del paciente.

La aparición, en la parte inferior del lienzo, a la derecha, de la marca *X 25* ha dado la justa interpretación del asunto. Esta marca quiere decir que el cuadro se incluía en el inventario de los bienes de Goya hecho en 1812, al enviudar el pintor. Entre los cuadros que se adjudicaban a su hijo Javier Goya, en el inventario se indicaba con el número 25 el título de este lienzo como *El Lazarillo de Tormes,* lo que esclarecía el asunto ilustrado por el artista aludiendo a un pasaje de *El Lazarillo de Tormes,* la novela picaresca del siglo XVI, atribuída a varios autores sin que se haya demostrado satisfactoriamente quién la escribió. El pasaje del «Tratado primero» de esa novela, se refiere al suceso ocurrido en la villa de Escalona, en cuyo mesón el ciego dio a Lázaro un trozo de longaniza para asar, y el muchacho, tentado del apetito, sustituyó la longaniza en el fuego por un pequeño nabo que a su alcance estaba. Cuando el viejo se dio cuenta del engaño, ante la negativa de Lázaro de haber cometido el trueque, quiso cerciorarse, y abriendo la boca del muchacho introdujo su nariz en aquélla para olfatear la huella de la longaniza ingerida. Ese es el momento que el pintor describe en su cuadro, justamente incluído en el inventario de 1812 como *El Lazarillo de Tormes.*

Se sabe que en 1836 fue comprado a Javier Goya por el Barón Taylor. En 1863 salió a la venta en Londres con la Galería de Luis Felipe de Orleáns, siendo adquirido, al parecer, por el Duque de Montpensier, quien lo legó al abogado de la familia Monsieur Caumartin. En 1902 pasó a poder de Maugeau y en 1923 fue adquirido en Burdeos por el Marqués de Amurrio, quien lo regaló al doctor Marañón.

Bibliografía: Yriarte, 1867, p. 151; Sánchez Cantón, 1946, IV, p. 87; Sánchez Cantón, 1951, p. 128; Martín Mery, 1951, n.º 50; Lafuente, 1955, n.º 117; Sambricio, 1961, n.º LIX; Desparmet, 1961, n.º 87; Salas, 1964 I, p. 105, 106; Guinard, 1967, p. 326; Gudiol, 1970, n.º 585; Licht, 1970, p. 6; Gassier, 1974, n.º 957; De Angelis, 1974, n.º 484; Glendinning, 1977, p. 74; Baticle y Marinas, 1981, n.º 106.

Exp.: 1838, París, Galerie Louis Philippe, n.º 102; 1951, Burdeos, n.º 50; 1953, Basilea, n.º 35; 1955, Granada, n.º 117; 1961, Madrid, n.º LIX; 1951, Madrid (Museo del Prado), n.º 23; 1961-1962, París, n.º 87; 1981, París, n.º 106.

CAT. 38

39 *Celestina y su hija*

Oleo sobre lienzo. 1,66 × 1,08 m.
Colección Bartolomé March, Madrid.

Asomada a un balcón con barandilla de hierros, una bella mujer joven y rubia se acoda sobre el balcón, como mirando a la calle alzando los ojos con exhibición complacida de su figura; viste una bata gris con galón de oro. Detrás de la joven, en sombra, a la izquierda, una vieja de intencionada mirada picaresca lleva en sus manos un rosario de gruesas cuentas negras del que penden medallas doradas. El fondo de la habitación a que da el balcón está en penumbra y, a la derecha, pende sobre la barandilla una cortina gris.

Ya se dijo en el Catálogo de 1928, que en esta importante obra de Goya, confluyen dos temas del pintor: el de las majas al balcón, cuyo ejemplar más conocido es el que está hoy en el Museo Metropolitano de Nueva York, y el de la Celestina y su protegida, tema al que Goya era tan dado y que repitió tantas veces en la colección de los *Caprichos*. Este cuadro es el más completo e importante de este asunto dentro de la obra de Goya.

El lienzo aparece en el inventario de 1812, ya citado, como heredado por Javier Goya, aunque han sido borradas la X y el número que llevó. Pasó a poder de Don Francisco Arratia, luego a su heredero Don Luis Mc-Crohon, para ser adquirido en 1942 por la colección de Don Juan March y pasar finalmente, en 1962, a su hijo Don Bartolomé March, a quien pertenece actualmente.

Bibliografía: Desparmet, 1928-50, n.º 536 s; Trapier, 1940, p. 5; Chueca, 1946, p. 435; Sánchez Cantón, 1951, p. 102; Sánchez Cantón, 1952, p. 336-338; Lafuente, 1964, p. 204; Salas, 1964, I, p. 108; Gudiol, 1970, p. 154, n.º 574; Gassier, 1974, n.º 958; De Angelis, 1974, n.º 487; Glendinning, 1976, p. 43, 44; Angulo, 1979, p. 211, 212.

Exp.: 1846, Madrid, n.º 9; 1928, Madrid, n.º 16; 1961-1962, París, n.º 82; 1972, Tokio, n.º 39.

CAT. 39

Oleo sobre papel y madera. 0,24 × 0,32 m.
Colección Villahermosa, Madrid.

Un documento del archivo de Palacio, publicado por Don Pedro Beroqui, documentó este cuadro y su compañero de *Los fusilamientos,* ambos hoy en el Museo del Prado, así como la fecha en que se encargaron.

Fue el propio Goya quien el 24 de febrero de 1814, ausente aún Fernando VII, se dirigía a la Regencia manifestando «sus ardientes deseos de perpetuar por medio del pincel las más notables y heróicas acciones o escenas de nuestra gloriosa insurrección contra el tirano de Europa», añadiendo la petición de ayuda económica para realizar tales obras. Se accedió por el secretario de Hacienda a la petición de Goya, decidiéndose le abonase al pintor por el tiempo que esté empleado en este trabajo la cantidad de 1.500 reales de vellón, además de sus gastos, justificados por las cuentas que presentase. Recordemos que la Regencia, que desempeñó dignamente la Soberanía, en ausencia de Fernando VII, entró en Madrid presidida por el Cardenal Borbón el 5 de enero de 1814.

Esta precisión dejó sin fundamento la idea de que se habían realizado los dos cuadros en 1808 o en años posteriores, pero siempre dentro de las fechas de la ocupación francesa en España.

Se había afirmado también por los primitivos autores que escribieron sobre Goya, que el pintor había realizado muy pocos bocetos, cosa que la realidad y los documentos han demostrado ser inexacta. En todo caso existe este boceto para *El Dos de Mayo,* llamado también *La carga de los mamelucos en la Puerta del Sol.* El boceto había sido conocido desde pronto por haber estado en la colección de Don Valentín Carderera, académico contemporáneo del artista y que quiso ser discípulo del maestro de Fuendetodos. En mi monografía de 1946 sobre *El Dos de Mayo y los fusilamientos de Goya* se estudió prolijamente la composición del cuadro, hoy en el Museo del Prado, y su comparación con el boceto que ahora se exhibe. La escena del boceto ofrece escasas variantes respecto del cuadro definitivo: en el grupo de los dos mamelucos montados, apenas se distingue al que aparece en segundo término y no se ve la cabeza de su caballo. El que aparece en primer término lleva, en el boceto, un sable curvo en vez del puñal que figura en el lienzo; también falta en el boceto la figura del coracero a la derecha de la composición, y en su lugar hay otro mameluco montado. A la izquierda se ve un hombre atacando con un chuzo al caballo del mameluco que lucha contra un agresor. Además, el herido caído en primer término a la izquierda, lleva un morrión en la cabeza, que falta en el cuadro definitivo. Pero Goya supo conservar en el lienzo del Prado toda la fogosidad y el movimiento de la escena que aparece anotada en el boceto con la impulsiva ligereza de su rápida pintura.

Pérez de Guzmán se refirió a un documento o padrón visto en un archivo que afirmaba que entonces Goya tenía su residencia en la Puerta del Sol, documento que no ha sido vuelto a ver por otros investigadores del tema.

Bibliografía: Iriarte, 1867, p. 87, 136; Viñaza, 1887, p. 273-274, n.º 1; Araujo, 1896, p. 102, n.º 108; Pérez de Guzmán, 1901, p. 250-254, 262-265; Tormo, 1902, p. 217; Lafond, 1902, p. 105, n.º 3; Loga, 1903, p. 184, n.º 66; Beroqui, 1904, p. 25, 26; Starkweather, 1916, p. 77-79; Beruete I, 1919, p. 108 y ss.; Beruete II, 1917, p. 110-117, n.º 191; Gámir y Sandoval, 1924, p. 120-125; Mayer, 1925, n.º 73; Lafuente, 1928, n.º 55; Desparmet, 1928-50, n.º 224; Lafuente, 1946, p. 29 y 39; Sánchez Cantón, 1951, p. 93; Lafuen-te, 1955, n.º 110; Demerson, 1957, p. 177-185; Camón, 1959, p. 10, 15; Sambricio, 1961, n.º II, Held, 1964, n.º 224; Salas, 1965 (A.E.A.), p. 211; Baticle, 1970, n.º 44; Gudiol, 1970, p. 170, 175, n.º 621; Gassier, 1974, n.º 983; De Angelis, 1974, n.º 563; Glendinning, 1976, p. 288.

Exp.: 1900, Madrid, n.º 74; 1908, Berlín; 1928, Madrid, n.º 55; 1955, Granada, n.º 110; 1949, Madrid, n.º 82; 1961, Madrid, n.º II; 1970, París, n.º 44.

CAT. 40

41 *La hoguera*

Oleo sobre tabla. 0,33 × 0,47 m.
Colección particular, Madrid.

Unos hombres desnudos gesticulan ante una hoguera que da luz a toda la escena hasta el punto de ser el verdadero asunto del cuadro en el que el contraste de luz y sombra está dramáticamente destacado.

Goya mostró en algunos ejemplos más su inclinación a estas escenas de hombres semisalvajes agrupados, con un efecto dramático. Se entiende que es réplica de este cuadro el que, pintado sobre hojalata, se halla en el Museo del Prado por donación de Don Cristóbal Ferriz (número 740 J), en 1912. El Museo cree que es de fecha 1812.

Siendo propiedad del Conde de Villagonzalo, pasa en 1939, por herencia, a su actual propietario.

Bibliografía: Tormo, 1902, p. 221; Lafond, 1902, p. 113, n.º 103; Loga, 1903, p. 212, n.º 442; Calvert, 1908, p. 156, n.º 62; Beruete II, 1917, n.º 207; Mayer, 1925, n.º 553; Lafuente, 1928, n.º 45; Desparmet, 1928-50, n.º 200; Gómez Moreno, 1946, p. 41; Salas, 1968 (II), p. 29, 30; Gudiol, 1970, n.º 472; Gassier, 1974, n.º 925; De Angelis, 1974, n.º 412.

Exp.: 1900, Madrid, n.º 85; 1920-1921, Londres, n.º 120; 1928, Madrid, n.º 45; 1971-1972, Madrid, n.º 34; 1972, Tokio, n.º 34.

CAT. 41

42 *Baile de máscaras*

Oleo sobre lienzo. 0,30 × 0,38 m.
Colección Villahermosa, Madrid.

En un local penumbroso, a cuyo fondo hay un arco que se abre sobre una zona inundada de luz, aparecen en primer término, a la izquierda, unas máscaras a contraluz que parecen contemplar unas figuras que vienen hacia ellas; la primera, una mujer que baila extendiendo los brazos y levantando la pierna izquierda, seguida de otras máscaras que la siguen.

Pertenece este cuadro a un grupo de lienzos de pequeño tamaño, cuya mención se ha encontrado en los inventarios de Goya. Se considera realizado aproximadamente en la época posterior a 1808.

Bibliografía: Araujo, 1896, p. 102, n.º 109; Tormo, 1902, p. 221; Lafond, 1902, p. 112, n.º 9; Loga, 1903, p. 215, n.º 480; Calvert, 1908, p. 155, n.º 51; Beruete II, 1917, p. 98, n.º 171; Mayer, 1925, n.º 592; Lafuente, 1928, n.º 53; Desparmet, 1928-50, n.º 239; Lafuente, 1955, n.º 109; Camón, 1959, p. 13; Sambricio, 1961, n.º LVIII; Held, 1964, n.º 206; Salas, 1965, p. 223, n.º 266; Gudiol, 1970, p. 123, n.º 468; Gassier, 1974, n.º 972; De Angelis, 1974, n.º 552.

Exp.: 1900, Madrid, n.º 73; 1928, Madrid, n.º 53; 1949, Madrid, n.º 84; 1955, Granada, n.º 109; 1961, Madrid, n.º LVIII.

CAT. 42

43 *Fabricación de pólvora*

Oleo sobre tabla. 0,33 × 0,52 m.
Patrimonio Nacional; Palacio de la Zarzuela, Madrid.

La escena tiene lugar en un paisaje montuoso de pinar; en primer término unos obreros se afanan en diversas preparaciones de la pólvora; el producto terminado se embala en cajas que apila un hombre en mangas de camisa, en el centro; otros guerrilleros descienden por un camino monte abajo, cargando con ellas hacia su destino.

Todo el cuadro nos da la impresión de una actividad febril, en la que los guerrilleros se afanan.

La tabla lleva por detrás un letrero que dice: «Fábrica de pólvora establecida por D. Josef Mallen en la Sierra de Tardienta en Aragón, en los años 1811, 12 y 13».

Es pareja del número siguiente.

En la entonación del cuadro dominan los ocres del terreno y el verdinegro de las copas de los pinos.

Bibliografía: Yriarte, 1867, p. 145; Viñaza, 1887, p. 283, n.º XLII; Araujo, 1896, p. 102, n.º 107; Tormo, 1902, p. 223; Lafond, 1902, p. 106, n.º 15; Loga, 1903, p. 184, n.º 74; Calvert, 1908, p. 148, n.º 13; Beruete II, 1917, p. 118, n.º 196; Mayer, 1925, p. 82, n.º 81; Lafuente, 1928, n.º 29; Desparmet, 1928-50, n.º 227; Gómez Moreno, 1946, p. 35; Sánchez Cantón, 1951, p. 94; Camón, 1959, p. 10; Sambricio, 1961, n.º LV; Desparmet, 1961, n.º 62; Held, 1964, n.º 221; Borderías, 1967, p. 157-159; Gudiol, 1970, n.º 618; Pérez Sánchez, 1970, p. 44; Gassier, 1974, n.º 980; De Angelis, 1974, n.º 550; Salas, 1979 I, p. 80; Gállego, 1979, p. 256.

Exp.: 1900, Madrid, n.º 3; 1928, Madrid, n.º 29; 1939, Ginebra, n.º 34; 1946, Madrid (Palacio de Oriente), n.º 280; 1952, Venecia, n.º 26; 1953, Basilea, n.º 27; 1961, Madrid, n.º LV; 1961, París, n.º 62.

CAT. 43

44 *Fabricación de balas*

Oleo sobre lienzo. 0,33 × 0,58 m.
Patrimonio Nacional; Palacio de la Zarzuela, Madrid.

La escena tiene lugar en un paisaje en el que vemos al fondo gruesos árboles; a la izquierda, un claro en el bosque deja ver en la lejanía un panorama de montañas. Guerrilleros que se han refugiado en un lugar serrano y montuoso fabrican balas con que alimentar las armas de los guerrilleros. A la izquierda se ve a unos hombres trabajando afanosamente, y a otros, agachados junto a un fuego para fundir el metal. En el grupo de primer término, en el centro, un hombre de espaldas inclinado sobre un trabajo se afana en realizar sus tareas; la figura del hombre visto de espaldas recuerda el herrero que aparece en posición semejante en el cuadro de *La Forja,* hoy en la Galería Frick de Nueva York.

El lienzo lleva por detrás un letrero que dice: «Fábrica de balas de fusil establecida por D. Josef Mallen, en la Sierra de Tardienta, en Aragón, en los años de 1811, 12 y 13».

Esta indicación nos hace ver que el cuadro debió de ser pintado o contemporáneamente en alguno de esos años o, más probablemente, en años posteriores.

Hay que desechar la idea de que pueda ser recuerdo del viaje de Goya a Zaragoza en 1808.

Bibliografía: Yriarte, 1867, p. 145; Viñaza, 1887, p. 283, n.º XLVIII; Araujo, 1886, p. 102, n.º 106; Tormo, 1902, p. 223; Lafond, 1902, p. 106, n.º 14; Loga, 1903, p. 184, n.º 73; Calvert, 1908, p. 148, n.º 12; Beruete II, 1917, p. 118, n.º 197; Mayer, 1925, n.º 80; Desparmet, 1928-50, n.º 228; Lafuente, 1928, n.º 32; Gómez Moreno, 1946, p. 35; Sánchez Cantón, 1946, III, p. 49; Sánchez Cantón, 1951, p. 94; Camón, 1959, p. 10; Sambricio, 1961, n.º LIV; Desparmet, 1961-1962, n.º 63; Held, 1964, n.º 222; Borderías, 1967, p. 157-159; Gudiol, 1970, p. 213, n.º 619; Pérez Sánchez, 1970, p. 44; Gassier, 1974, n.º 981; De Angelis, 1974, n.º 550; Salas, 1979 I, p. 80; Gállego, 1979, p. 256.

Exp.: 1900, Madrid, n.º 4; 1928, Madrid, n.º 32; 1939, Ginebra, n.º 35; 1946, Madrid (Palacio de Oriente), n.º 282; 1952, Venecia, n.º 7; 1953, Basilea, n.º 28; 1959-1960, Estocolmo, n.º 147; 1961, Madrid, n.º LIV; 1961-1962, París, n.º 63.

CAT. 44

45 *El Duque de San Carlos*

Oleo sobre tabla. 0,59 × 0,43 m.
Colección Conde de Villagonzalo, Madrid.

Busto corto donde sólo está detallada la cabeza, grande, casi de perfil, hacia la izquierda; los ojos entornados indicando la miopía del personaje; es aguileña la nariz, un poco hundida la boca y saliente la mandíbula inferior. Sólo está esbozada su casaca oscura de cortesano con bordados dorados en el cuello, manchada ligeramente en el lienzo, como las condecoraciones.

Es un boceto sobre imprimación rojiza de la tabla, que inmediatamente nos lleva a pensar en los bocetos que hizo de los personajes reales, que pintó en Aranjuez, destinados a ser incluídos en el gran lienzo de la familia de Carlos IV, también realizados sobre una imprimación rojiza, y que tienen apenas indicados los detalles de sus ropas. Es, por tanto, el boceto para el gran retrato del Duque de San Carlos de cuerpo entero y tamaño natural, encargado por el Canal Imperial de Aragón en 1815, destinado para hacer pareja a un retrato de Fernando VII con manto real, en las oficinas del Canal Imperial de Zaragoza.

Goya cumplió con el encargo; las cuentas conservadas nos informan de que se pagó por los dos lienzos 19.080 reales, cantidad en la que se incluirían otros gastos accesorios.

Goya hizo una reducción del cuadro de Zaragoza, de cuerpo entero, pero en pequeño tamaño (0,77 × 0,60 m.), sin duda para que el Duque lo conservara en su colección. El retratado es Don José Miguel de Carvajal y Vargas, Duque de San Carlos, Conde del Puerto, que nació en Lima en 1771. Sirvió en el ejército español, llegando a altos grados, siendo amigo de Fernando VII desde que era Príncipe, motivo por el que estuvo ligado en el proceso de El Escorial, y figurando en el partido enemigo de Godoy, incurriendo por ello en la animadversión de la Reina María Luisa. Tuvo intervención en el motín de Aranjuez y siguió a Fernando VII a Francia, acompañándole durante su estancia en Valençay, firmando el tratado en nombre del rey, por el que éste accedía a las condiciones que Napoleón estipuló para la liberación de Fernando. Este envió al Duque a España para que la regencia lo confirmara y pudiera darse cuenta de la realidad política del país; las Cortes habían acordado declarar nulo todo compromiso del rey, mientras estuviera cautivo. La avanzadilla del Duque de San Carlos pudo confirmar a Fernando VII la existencia en España de un partido, opuesto a las Cortes y favorable al establecimiento del poder absoluto del monarca, lo que favoreció las inclinaciones reaccionarias de Fernando VII.

Regresado Fernando VII, el Duque lo fue todo para su amigo el rey, siendo secretario de Estado y del despacho en 1814, y como tal ayudó al restablecimiento de la Inquisición. En el ejército llegó a teniente general y desempeñó las Embajadas de París, Londres y Lisboa, siendo nombrado en 1814 Caballero de la Orden del Toisón de Oro y director perpetuo del Banco de San Carlos. Fue también miembro de la Real Academia Española y director de la Corporación, en la que realizó la depuración de los miembros que habían sido afrancesados.

Sus dotes diplomáticas no fueron muy sobresalientes y el Marqués de Villaurrutia las puso en evidencia en su libro *España en el Congreso de Viena*.

Amigo y confidente de Fernando VII siguió también los caprichos y veleidades del rey, que le depuso algunas veces de su puesto de ministro.

Murió en 1828, según parece de una indigestión de ostras.

Bibliografía: Tormo, 1902, p. 220; Lafond, 1902, p. 137, n.º 207; Loga, 1903, p. 204, n.º 328; Beruete I, 1919, p. 138, n.º 265; Beruete, 1924, p. 321; Mayer, 1925, n.º 415; Suárez Bravo, 1926, p. 221; Lafuente, 1928, n.º 37; Aragón, 1928, p. 100-101; Desparmet, 1928-50, n.º 488; Adhémar, 1941, p. 18; Sambricio, 1952, p. 28, 29; Gudiol, 1970, p. 362, n.º 634; Gassier, 1974, n.º 1543; De Angelis, 1974, n.º 589; Gudiol, 1978, II, p. 49.

Exp.: 1900, Madrid, n.º 83; 1920-1921, Londres, n.º 125; 1928, Madrid, n.º 37.

CAT. 45

46 *Autorretrato. Goya a los 69 años*

Oleo sobre tabla. 0,46 × 0,51 m.
Real Academia de Bellas Artes de San Fernando, Madrid.

El pintor aparece pintado de busto corto. Su cabeza está inclinada hacia la izquierda y nos da la impresión de mirar al cuadro que ejecuta mientras lo pinta. Tiene el cuello al descubierto y la camisola abierta sobre el pecho. Sus ojos miran con atención concentrada, de frente, y a pesar de sus años su tez es fresca y sin arrugas. La paleta que domina en el cuadro es oscura, muy frecuente en esta época de su vida; contrastan con los negros los blancos de su camisa y el color de la tez de Goya; sólo hay un leve toque de carmín en los labios.

Está firmado «F. Goya, 1815».

Está ya mencionado el autorretrato en el inventario de las obras de Goya, realizado por el pintor Antonio Brugada, en 1828.

Fue regalado a la Academia de San Fernando por el hijo del pintor, cuando en 1829 liquida con la Academia las cantidades que se le debían a su padre por el retrato ecuestre encargado por la propia Corporación, y pintado en 1808, hoy propiedad de la Academia y conservado en su Museo.

Bibliografía: Yriarte, 1867, p. 132; Viñaza, 1887, p. 254, n.º XCV; Araujo, 1896, p. 113, n.º 205; Lafond, 1902, p. 128, n.º 122; Tormo, 1902, p. 220, n.º 10; Loga, 1903, p. 197, n.º 242; Calvert, 1908, p. 115; Beruete I, 1919, p. 139, n.º 6; Sentenach, 1920, p. 166-169; Beruete, 1924, p. 321, 322; Mayer, 1925, n.º 302; Ezquerra, 1928, p. 311, n.º 12; Desparmet, 1928-50, n.º 492; Jiménez Placer, 1943, p. 24, 28; Sánchez Cantón, 1951, p. 108; Sambricio, 1961, n.º XLIII; Helmann, 1963, p. 23; Held, 1964, p. 34, 37; Castillo, 1964, p. 47; Gudiol, 1970, p. 171, 178, n.º 637; Gassier, 1974, n.º 1551; Gállego, 1978, p. 74.

Exp.: 1900, Madrid, n.º 10; 1939, Ginebra, n.º 21; 1943, Madrid, n.º 44; 1955, Granada, n.º 112; 1961-1962, París, n.º 45; 1963-1964, Londres, n.º 109; 1971, Tokio, n.º 40.

CAT. 46

47 *Fray Juan Fernández de Rojas*

Oleo sobre lienzo. 0,75 × 0,54 m.
Academia de la Historia, Madrid.

El retratado viste hábito negro con esclavina y lleva sobre su cabeza el solideo que deja ver algunos mechones del cabello canoso. Las facciones son correctas, sonrosado el rostro, y la mirada de sus ojos está llena de inteligencia y penetración. Contrasta con el negro del hábito la rosada encarnación del rostro y el tono blanco del cuello sobre el hábito.

Fray Juan Fernández de Rojas nació en Colmenar de Oreja hacia 1750 y profesó en el convento de Agustinos de San Felipe el Real, de Madrid, en 1768. Estudió en Salamanca, siendo discípulo y amigo de Fray Diego González, el agustino que representa la tendencia de la llamada escuela salmantina en la poesía del tiempo. Poeta asimismo el Padre Fernández de Rojas siguió la tendencia de esta escuela lírica en la que también se formó Meléndez Valdés. En la nomenclatura poética usada por la época era llamado Liseno. Fue poeta fecundo, aunque muchas de sus poesías permanecen inéditas.

Ingresó en la Orden Agustina, siendo profesor de Teología y Filosofía, en Toledo y en Alcalá. Debió vivir algún tiempo en Roma, donde desempeñó cargos de la Orden Agustiniana.

Al morir el Padre Risco se le designó, en 1800, para continuar la monumental *España Sagrada*. Mas su fama principal en la literatura española no se debe a sus obras religiosas o a sus versos, sino a los escritos satíricos que le otorgan un papel importante entre los escritores de la Ilustración.

Demuestran su personalidad obras como la *Crotalogía o Ciencia de tocar las castañuelas,* que trataba realmente de ridiculizar la pedantería e ignorancia de muchos escritores de su tiempo, es decir, algo análogo a la intención de *Los eruditos a la violeta,* de Cadalso. La *Crotalogía* está firmada con el seudónimo del Licenciado Francisco Agustín Florencio y se publicó en 1792 y se reimprimió en Madrid y en Valencia. Otros seudónimos utilizó en sus otras obras satíricas, en los artículos que publicaba en el *Diario de Madrid*. Mayor intención tenía aún *El pájaro en la liga,* firmado con el nombre de Cornelio Suárez de Medina, obra escrita contra un libro del abate Rocco Bonola, traducido del italiano y publicado en España en 1798, con el título de *La Liga de la Teología moderna,* que es un ataque contra los agustinos, orden muy combatida por la supuesta simpatía de la orden de San Agustín con las ideas de la Ilustración. *El pájaro en la liga* fue recogido por orden real en 1799, el mismo año de la publicación de los *Caprichos,* sacados a la luz poco antes. Una afinidad de ideas entre Fray Juan Fernández de Rojas y Goya nos explica la amistad entre el agustino y el pintor, confirmada no sólo por este retrato sino por el apunte a lápiz que hiciera el artista de la cabeza de Fray Juan en su lecho de muerte, dibujo que conserva hoy el British Museum, realizado en un papel que llevaba en el anverso un apunte del retrato de Wellington.

El Padre Fernández de Rojas dispuso en su testamento que, a su muerte, los albaceas entregasen el cuadro de Goya a la Academia de la Historia, lo que hizo en 1857 Don Pascual Gutiérrez como albacea de Don Santiago Manuel de Arteaga, sobrino del retratado. La identificación del retrato se debió al agustino Padre Macario Sánchez.

Bibliografía: Viñaza, 1887, p. 244, n.º 77; Loga, 1903, p. 317; Beruete I, 1919, p. 186, n.º 234; Beruete, 1924, p. 303; Mayer, 1925, p. 202, n.º 408; Lafuente, 1928, n.º 31; Encina, 1928, p. 85; Desparmet, 1928-50, p. 456; Adhémar, 1941, p. 12; Sánchez Cantón, 1946, II, p. 19-22; Sánchez Cantón, 1951, p. 131, 162; Glendinning, 1963, n.º 110; Held, 1964, n.º 108; Helman, 1966, p. 241-252; Helman, 1970, p. 287; Gudiol, 1970, p. 171-172, n.º 640; Gassier, 1974, n.º 1555; De Angelis, 1974, n.º 581; Salas, 1979, I, p. 92.

Exp.: 1928, Madrid, n.º 31; 1963-1964, Londres, n.º 110.

CAT. 47

48 *Marianito Goya*

Oleo sobre tabla. 0,58 × 0,47 m.
Colección Duque de Alburquerque, Madrid.

El nieto de Goya aparece de busto, sentado, casi de perfil, a la izquierda; viste una chaquetilla negra con cuello de encaje y se cubre con sombrero de copa; tiene su mano izquierda apoyada en la cintura y con la derecha empuña un papel enrollado como si fuera una batuta que levanta ante un gran libro de música abierto.

El cuadro lleva al dorso una inscripción que dice: «Goya a su nieto»; por la edad que representa el niño, unos siete años, se pintaría en 1813-14.

Mariano Goya, único hijo de Javier, fue el típico niño mimado y malacabeza, destinado a recoger la herencia de sus padres y abuelo. Casó joven con Doña Concepción Mariátegui, hija de un Don Francisco Javier, ingeniero militar y Académico de Bellas Artes de San Fernando, en 1831. Se dedicó Mariano a especulaciones arriesgadas en negocios de minas y a la compra de bienes de fincas desamortizadas. En 1859 enviudó. Liquidó su fortuna con especulaciones de Bolsa y vendió los cuadros, los dibujos y las planchas calcográficas grabadas por su abuelo, utilizando a veces como compradores intermediarios a miembros de la familia Madrazo, que a veces le sacaron de apuros, en los azares de su especulación. Lleno de deudas, se refugió en pueblos de los alrededores de Madrid; primero en Fuencarral, luego en Bustarviejo y finalmente en La Cabrera, donde fue suyo el antiguo convento de San Antonio. En su manía de grandeza, trató de adquirir en 1846, un título de Marqués del Espinar a un Don José Maestre, cuyos derechos resultaron ilusorios; a pesar de lo cual Mariano siguió llamándose Marqués toda su vida, y de opiniones liberales, fue radicalizándose como muchos fracasados, hasta llegar a llamarse finalmente republicano. Tuvo una segunda mujer, una vasca de Oñate, llamada Francisca Vildósola, de la que tuvo algunos hijos, cuyos descendientes han llegado a nuestros días con el apellido Sáez de Goya. Murió en el pueblo de La Cabrera, siendo allí enterrado, el día 8 de enero de 1874, haciéndose constar en el acta que era de edad de 68 años.

Goya dedicó a su nieto varios retratos: el primero, el que era propiedad en 1928 de los Marqueses de Genal y Larios, cuadro en que aparece de 3 a 4 años, arrastrando un cochecillo de niño; éste que ahora catalogamos y otro que se ha descubierto últimamente, pintado en 1827, que ha ido a parar a una colección de Lausanne.

El cuadro, después de pasar por diversas colecciones de Madrid y de Sevilla, pasó a la colección del Marqués de Alcañices, a la que pertenecía en 1900, estando hoy en poder de su descendiente, el Duque de Alburquerque.

Bibliografía: Viñaza, 1887, p. 256, n.º XCIX; *La Ilustración Española,* 1900, p. 309; *The Studio,* 1901, p. 161; Lafond, 1902, p. 130, n.º 141; Tormo, 1902, p. 220; Loga, 1903, p. 198, n.º 256; Calvert, 1908, p. 36, n.º 163; Sentenach, 1913, p. 85; Beruete I, 1919, p. 99, 100, n.º 217; Ezquerra, del Bayo, 1925, n.º 42; Lafuente, 1928, n.º 63; Desparmet, 1928-50, n.º 503; D'Ors, 1946, p. 201; Lafuente, 1947, p. 295-300; Sánchez Cantón, 1949, p. 85; Sánchez Cantón, 1951, p. 103; Lafuente, 1955, n.º 111; Desparmet, 1961, n.º 83; Sambricio, 1961, n.º VII; Held, 1964, n.º 112; Glendinning, 1963, n.º 112; Klingender, 1968, p. 136; W. Lewis, 1970, p. 170; Gudiol, 1970, n.º 638; Gassier, 1974, n.º 1553; De Angelis, 1974, n.º 567.

Exp.: 1900, Madrid, n.º 97; 1902, Madrid, n.º 321; 1913, Madrid, n.º 285; 1925, Madrid, n.º 42; 1928, Madrid, n.º 63; 1946, Madrid, n.º 19; 1951, Burdeos, n.º 37; 1951, Madrid, n.º 15; 1952, Venecia, n.º 22; 1953, Basilea, n.º 24; 1955, Granada, n.º 111; 1961, Madrid, n.º VII; 1961-1962, París, n.º 83; 1963-1964, Londres, n.º 112; 1979, París, n.º 12.

CAT. 48

49 *La Duquesa de Abrantes*

Oleo sobre lienzo. 0,92 × 0,70 m.
Colección particular, Madrid.

Retrato de más de medio cuerpo. La Duquesa, blanca y rubia, el cabello coronado con guirnalda de flores amarillentas; lleva en la mano un papel de música en cuyo reverso, vuelto hacia el espectador, se lee: «Dña. Manuela Girón y Pimentel, Duquesa de Abrantes, pr Goya, 1816».

La retratada es Doña Josefa Manuela Isidra Téllez Girón, hija de los Duques de Osuna, tan constantes protectores y clientes de Goya. Nació en Barcelona el día 17 de agosto de 1783. Casó en 1813 con el VIII Duque de Abrantes, Don Angel María de Carvajal, y murió en Madrid el 9 de enero de 1838.

Se sabe que el cuadro fue pagado el 30 de abril de 1816, quedando en la familia de la representada, a cuyos herederos pasó.

Es singular por la paleta usada por Goya, un poco anómala dentro de su obra.

La representada figura, de niña, en el lienzo de *La familia de los Duques de Osuna,* hoy en el Prado; es la niña que aparece dando la mano a su padre, el Duque.

Bibliografía: Tormo, 1902, p. 220; Lafond, 1902, p. 123, n.º 68; Loga, 1903, p. 191, n.º 159; Calvert, 1908, p. 129, n.º 66; Beruete, 1918, n.º 35; Beruete I, 1919, p. 141, n.º 275; Ezquerra y Pérez Bueno, 1924, p. 47; Mayer, 1925, n.º 189; Lafuente, 1928, n.º 15; Desparmet, 1928-50, n.º 498; Ezquerra, 1934, p. 42, 43; Sánchez Cantón, 1951, p. 109-110; Sambricio, 1958, p. 213, 215; Sambricio, 1961, n.º XXXI; Trapier, 1964, p. 41; Lafuente, 1964, p. 209; Klingender, 1968, p. 165; Gudiol, 1970, p. 171, 181, n.º 650; Gassier, 1974, n.º 1560; De Angelis, 1974, n.º 604.

Exp.: 1900, Madrid, n.º 110; 1913, Madrid, n.º 148; 1918, Madrid, n.º 35; 1928, Madrid, n.º 15; 1961, Madrid, n.º XXXI.

CAT. 49

Santa Isabel de Hungría asistiendo a los enfermos

Pintura al temple en grisalla. 1,69 × 1,29 m.
Patrimonio Nacional; Palacio Real, Madrid.

Dos mujeres sostienen el cuerpo de una enferma, que van a depositar en su lecho. La figura que representa a la Reina Isabel aparece en el centro con los brazos extendidos consolando a la doliente. De su indumentaria sólo sobresale el cuello en gorguera rizado, los adornos del corpiño y un joyel o medallón que cuelga de gruesa cadena sobre el pecho. A los dos lados de la Reina, siete figuras de su séquito la acompañan en el acto caritativo.

El cuadro fue descubierto por Paulina Junquera en el Palacio de Madrid en un recóndito depósito olvidado de pinturas. El cuadro está ejecutado con una técnica muy amplia y abocetada, recordándonos, a veces, las cabezas que rodean a la Reina de Hungría, a las que aparecen en torno a la barandilla circular en el fresco de la cúpula de San Antonio de la Florida.

Paulina Junquera no sólo descubrió y publicó el lienzo, sino que lo documentó en el archivo de Palacio. La grisalla de Goya formaba serie con otras cinco, llamadas en el inventario *sobrepuertas,* todas pintadas al temple en claro-oscuro o grisalla, de las que dos fueron obra de Vicente López, una de Zacarías Velázquez, una de Aparicio y otra de Camarón Meliá; todas tenían asuntos que honraban a la monarquía: los Reyes Católicos, la de Zacarías Velázquez; dos historias de San Hermenegildo, las de Vicente López; una alegoría de la monarquía coronada por las virtudes, la de Aparicio; y finalmente el asunto tratado por Camarón en que aparece la Reina Católica entregando sus joyas para la expedición de Colón a América.

Las pinturas se destinaban a decorar una habitación destinada a la Reina Isabel de Braganza, segunda esposa de Fernando VII, con motivo de las bodas del rey. La habitación estaba situada en el ala de Palacio, en que estaba el *cuarto de la Reina,* hasta muy avanzado el siglo XIX, en que las tres habitaciones de este cuarto se desmantelaron para las obras de construcción del nuevo comedor de gala, inaugurado en 1879, con motivo del matrimonio de Alfonso XII con María Cristina de Habsburgo.

A pesar de haber prescindido Goya de todos los encantos del color en esta abocetada grisalla, tiene la pintura una fuerza dramática acentuada por el contraste de luz y su sumaria ejecución, que está en el polo opuesto del estilo neoclásico. Ha sido, pues, uno de los más sorprendentes hallazgos de la pintura de Goya realizados en los últimos decenios de este siglo, y añade un ejemplo más al Goya expresionista.

Esta grisalla de Goya recuerda el cuadro que realizó para la Iglesia de Monte Torrero en Zaragoza, destruída por los franceses en 1808 y descrita por Jovellanos en 1801. Se conservan dos bocetos destinados a ella, uno dedicado a Santa Isabel de Hungría curando enfermos, el otro a San Hermenegildo, lienzos que están hoy en el Museo Lázaro Galdiano de Madrid.

La Srta. Junquera, acertadamente, recuerda también el dibujo en grisalla hecho por Goya para la pintura que había de realizarse en el Panteón de la Duquesa de Alba, en la Iglesia de los Jesuítas de Madrid, llamada del Noviciado, en el lugar que hoy ocupa el Paraninfo de la antigua Universidad Central en la calle de San Bernardo. Es de notar que Goya no pintaba para la corte desde 1800; puede considerarse, pues, la grisalla de Santa Isabel, como la última pintura que Goya realizó como tal pintor de cámara.

Bibliografía: Sánchez Cantón, 1946, I, p. 278, n.º 15; Junquera, 1959, p. 185-192; Desparmet, 1961-1962, n.º 80; Pardo Canalís, 1968, p. 364; Salas, 1968, p. 14; Gudiol, 1970, n.º 652; Baticle, 1970, n.º 48; Guinard, 1970, p. 268, n.º 4, 5; López Rey, 1970, p. 58; Pérez Sánchez, 1970, p. 44, n.º 25; Gassier, 1974, n.º 1568; De Angelis, 1974, n.º 607; Salas, 1979, I, p. 81.

Exp.: 1961-1962, París, n.º 80; 1970, París, n.º 48.

CAT. 50

51 *La última Comunión de San José de Calasanz*

Oleo sobre lienzo. 2,50 × 1,80 m.
Iglesia del Colegio de PP. Escolapios de San Antón, Madrid.

En el presbiterio de una iglesia penumbrosa, sólo iluminada por unos potentes rayos de luz, San José de Calasanz, un anciano de pelo y barba blancos debilitado por la edad se arrodilla y junta las manos para recibir la Comunión con expresión de intenso fervor, de manos del sacerdote que oficia, que acerca la Sagrada Forma a la boca del Santo. Lleva el sacerdote casulla, entonada en negros y dorados en contraste con la blancura del alba. En la oscura nave de la Iglesia, asisten a la Comunión otros sacerdotes y los niños del colegio escolapio con expresiones de ceremonia y devoción al acto religioso.

En inscripción a la izquierda del cuadro aparece la firma «Fran^{co} Goya, año 1819».

Si como dice la tradición, Goya estudió en los escolapios de Zaragoza, este recuerdo infantil debió presidir la intensa y emocionada ejecución de esta obra, acaso la única en que Goya expresó con fuerza el sentimiento religioso en su pintura. Fue Don Angel Vegue y Goldoni el que dio a conocer el texto del *Libro de Acuerdos de la Comunidad,* por el que sabemos que el 9 de mayo de 1819 acordaron los padres escolapios poner en un altar lateral «una decente pintura del S. P. Josef Calasanz», y en el libro de gastos de julio de 1819 se indica haber pagado a Don Francisco Goya 8.000 reales, a cuenta de la pintura del altar de San José. El texto del papel que Vegue publicó, atribuído al Padre Latorre, hace constar que la comunidad encargó a Goya dicho cuadro señalándole para su ejecución el plazo improrrogable de seis meses, ya que deseaba que la pintura estuviera en su sitio el día de fiesta del Santo, el 27 de agosto.

Según este texto, Goya aceptó muy complacido el encargo y pidió se le adelantara la mitad del precio estipulado de 16.000 reales, o sea 8.000. Cobrado el adelanto y terminado el cuadro, al recibir el segundo plazo devolvió de los 8.000 reales, 6.800, quedándose sólo con 1.200, afirmando que lo hacía en obsequio de su paisano el santo, José de Calasanz.

Se ha querido relacionar la composición de este cuadro, con otros de conocidos pintores italianos representando últimas comuniones de santos, aunque no creo haya ninguna relación del cuadro de Goya con ninguna de ellas, que pueda considerarse como fuente de este cuadro; el contraste de luz y sombra, la sobrenatural luminosidad de la cabeza del santo que recibe de lleno en su rostro los únicos rayos de luz que iluminan al oscuro recinto, y la atrevida y genial técnica de que Goya, en la culminación de su vida, hace gala en este lienzo, lo constituyen en una obra potente y originalísima que muestra la genialidad de este pintor de 73 años.

El trabajo de Vegue, con los documentos citados, se publicó en el libro misceláneo titulado *Temas de Arte y Literatura,* Madrid, 1928.

Bibliografía: Carderera, 1835, p. 254; Carderera, 1838, p. 632; Yriarte, 1867, p. 128; Viñaza, 1887, p. 207, n.º XIX; Araujo, 1896, p. 106, n.º 140; Lafond, 1902, p. 51, 52, 103, n.º 40; Tormo, 1902, p. 223; Loga, 1903, p. 182, n.º 45; Calvert, 1908, p. 170, n.º 39; Beruete II, 1917, p. 137, 138, n.º 241; Beruete, 1924, p. 324, 325; Mayer, 1925, n.º 53; Valenzuela de la Rosa, 1928, p. 81; Lafuente, 1928, p. 100; Desparmet, 1928-50, n.º 103; Terrasse, 1931, p. 91, 92; Sánchez Cantón, 1939, p. 40; Klingender, 1940, p. 4-14; D'Ors, 1943, p. 269; Sánchez Cantón, 1946, I, p. 305, 306; Chueca, 1946, p. 436; Gaya Nuño, 1946, p. 467; Lassaigne, 1943, p. 31; Malraux, 1950, p. 122, 163, 174; Sánchez Cantón, 1951, p. 116, 117; Monreal, 1953, p. 9-17; Benesch, 1960, p. 107; Nordström, 1962, p. 185; Trapier, 1964, p. 43; Lafuente, 1964, p. 211; Held, 1964, n.º 27; Sánchez Cantón, 1965, p. 386; Klingender, 1968, p. 184-187; Guinard, 1970, p. 265, 268, 269; Gudiol, 1970, n.º 594; Salas, 1970, p. 205, 206, n.º 100; Wyndam Lewis, 1970, p. 182; Tormo, 1972, p. 192; Gassier, 1974, n.º 1638; De Angelis, 1974, n.º 515; Glendinning, 1977, p. 29, 166, 193; Williams Gwyn, 1978, p. 168; Salas, 1979, I, p. 81, 89; Licht, 1980, p. 10, 256; Canellas López, 1981, 379.

Exp.: 1939, Madrid, p. 40.

Oleo sobre lienzo. 0,47 × 0,35 m.
Colegio de PP. Escolapios de San Antón, Madrid.

Vestido con una túnica blanca, Cristo se arrodilla extendiendo sus brazos, y adelanta su rostro hacia la aparición del ángel que sostiene en sus manos el cáliz, símbolo del próximo sacrificio de Jesús, a quien le espera el juicio y la crucifixión. Unos rayos de luz que vienen en la dirección en que el ángel se aparece caen sobre la figura del Salvador, haciendo contrastar con su fulgor la blancura de la túnica sobre la negrura de la oscura noche.

Según la tradición recogida en el escrito atribuído en la comunidad escolapia de la calle de Hortaleza al Padre Emilio Latorre, que murió anciano en la casa, Goya, después de haber entregado a la Iglesia de San Antón el cuadro de *La última Comunión de San José de Calasanz* y de haber renunciado a parte de los dineros que constituían el segundo plazo del pago de su obra, volvió a la calle de Hortaleza, con un envoltorio bajo el brazo, acudiendo a la celda del rector del Colegio Padre Pío Peña le entregó el cuadro de *La Oración del Huerto,* diciéndole: «Aquí le entrego a usted este recuerdo para la comunidad, y que será lo último que haré ya en Madrid» (Vegue y Goldoni, Ob. cit., pág. 159). El lienzo está fechado en 1819. Probaría esto que Goya, fatigado y acosado por sus problemas, estaba ya alimentando la idea de emigrar, antes de 1820, y de la nueva reacción absolutista.

Justamente escribe Gassier de esta pintura: «que este Cristo es de una espontaneidad conmovedora acentuada por el autor dé la ejecución». Se siente aquí toda «la ingenua emoción del viejo maestro, contento de testimoniar su agradecimiento a aquellos escolapios que le enseñaron los rudimentos durante su infancia en Zaragoza».

En efecto, el *bravo* bocetismo de Goya llega aquí a una *exacerbación* genial, como El Greco en su última época de *expresionismo* exaltado. Es verdad que podemos acercar esta pintura a otros bocetos del maestro dignos de ponerse a su lado como *El Prendimiento,* primera idea para el cuadro de la Catedral de Toledo, hoy en el Prado. Nos recuerda también al hombre-víctima de la desesperación que abre la serie de los Desastres de la Guerra con el título de *Tristes presentimientos de lo que ha de suceder* o al que va a ser ejecutado en el cuadro de *Los Fusilamientos del 3 de Mayo,* el que alza sus brazos en exasperada protesta ante los cañones de los fusileros franceses.

Bibliografía: Tormo, 1902, p. 223; Lafond, 1902, p. 104, n.º 55; Loga, 1903, p. 180, n.º 14; Calvert, 1908, p. 170, n.º 51; Beruete II, 1917, p. 138, n.º 243; Mayer, 1925, p. 96, 154, n.º 20; Desparmet, 1928-50, n.º 105; Valenzuela, 1928, p. 81; Terrasse, 1931, p. 92, 93; Sánchez Cantón, 1932, p. 42; Adhémar, 1941, p. 19; Klingender, 1940, p. 4-14; D'Ors, 1943, p. 260; Sánchez Cantón, 1946 I, p. 304, 305; Klingender, 1948, p. 185, 188; Desparmet, 1950, n.º 105; Malraux, 1950, p. 174; Sánchez Cantón, 1951, p. 117; Lassaigne, 1952, p. 99; Sambricio, 1959, p. 3; Nordström, 1962, p. 185; Held, 1964, n.º 28; Sánchez Cantón, 1965, p. 391; Klingender, 1968, p. 182, 187; Gudiol, 1970, n.º 696; W. Lewis, 1970, p. 182; Gassier, 1974, n.º 1640; De Angelis, 1974, n.º 616; Glendinning, 1977, p. 164, 193; W. Gwyn, 1978, p. 169; Salas, 1979, I, p. 90; Canellas López, 1981, p. 379.

Exp.: 1900, Madrid, n.º 111; 1939, Madrid, n.º 42; 1953, Basilea, n.º 34; 1951, Madrid, n.º 24; 1981, Caracas, n.º 65.

CAT. 52

Indice de expositores

Indice de ilustraciones

Exposiciones

1838   París. Galerie Louis Philippe.

1846   Madrid. Liceo artístico y literario.

1896   Madrid. Exposición de la colección de la Antigua Casa Ducal de Osuna.

1900   Madrid. Pinturas de Goya, en el Ministerio de Instrucción Pública y Bellas Artes.

1902   Madrid. Exposición nacional de retratos.

1908   Madrid. Centenario del 2 de Mayo.

1908   Berlín.

1911   Viena. Galería Mietcke.

1912   Düsseldorf.

1913   París.

1913   Madrid. Exposición de pintura española de la primera mitad del siglo XIX. Sociedad Española de Amigos del Arte.

1918   Madrid. Exposición de retratos de mujeres españolas.

1920-21   Londres. Spanish Painting. Royal Academy.

1925   Madrid. Retratos de niños en España. Sociedad Española de Amigos del Arte.

1925   París. Exposición d'art ancien espagnol. Galería Charpentier.

1928   Madrid. Exposición de pinturas de Goya. Museo del Prado.

1928   Londres. International Exhibition. Olympia.

1938   Nueva York. From El Greco to Goya. The Spanish Art Gallery.

1939   Madrid. De Barbaba da Modena a Francisco de Goya.

1939   Ginebra. Les chefs d'oeuvre du Musée du Prado.

1943   Madrid. Exposición de autorretratos de pintores españoles, 1800-1943. Museo de Arte Moderno.

1946   Madrid. Retratos ejemplares del siglo XVIII y XIX. Museo de Arte Moderno.

1946   Madrid. Exposición conmemorativa del centenario de Goya. Palacio Real.

1949   Madrid. Bocetos para pinturas y esculturas (siglos XVI-XIX). Sociedad Española de Amigos del Arte.

1951   Burdeos. Goya, 1746-1828. Galerie des Beaux Arts.

1951   Madrid. Goya.

1952   Venecia. Goya. Bienal.

1953   Basilea. Goya. Kunsthalle.

1955   Granada. Goya.

1955   Ginebra.

1956   Burdeos. De Tiépolo a Goya. Galerie des Beaux Arts.

1958   Munich. Le siècle du Rococo. Consejo de Europa.

1959   Burdeos. Découverte de la lumière des primitifs aux impressionistes.

1959-60   Estocolmo. Spanska Mästare. Museo Nacional.

1961   Madrid. Exposición Francisco de Goya. IV centenario de la capitalidad. Casón del Buen Retiro.

1961-62   París. Goya, 1746-1828. Musée Jacquemart André.

1963-64   Londres. Goya and his time. Royal Academy.

1965   Madrid. Exposición Montellano.

1970   París. Goya. L'Orangerie.

1972   Tokio. El arte de Goya. Museo Nacional de Arte Occidental.

1979   Madrid. Testimonios de su historia.

1979   París. Goya. Centre culturel du Marais.

1979   Burdeos. L'Art européen à la cour d'Espagne au XVIIIe siècle. Galerie des Beaux Arts.

1979   París. L'Art européen à la cour d'Espagne au XVIIIe siècle. Grand Palais.

1980   Madrid. El arte europeo en la Corte de España durante el siglo XVIII. Museo del Prado.

1981   París. La Galerie Espagnole de Louis Philippe. Musée du Louvre.

1981   Hamburgo. Goya. Das Zeitalter der Revolution. 1789-1830.

1981   Caracas. 40 años de pintura española.

1982   Madrid. Obras de arte en el Banco de España.

1982   Madrid. Goya y la Constitución. Museo Municipal.

1983   Madrid. Obras de arte en el Banco Exterior de España.

Adhemar 1941
ADHEMAR, J.: Goya. París. 1941.

Agueda 1982
AGUEDA, M. Y SALAS, X.: Cartas de Goya. Madrid. 1982.

Allende 1919
ALLENDE SALAZAR: Ver Sánchez Cantón.

Angelis 1974
ANGELIS, R. DE: L'opera pittorica completa di Goya. Milán. 1974.

Angulo 1979
ANGULO, D.: Murillo y Goya, en Goya, 1979, n.º 148-50.

Araujo 1889
ARAUJO SANCHEZ, Z.: Goya. Madrid. 1889.

Babelon 1964
BABELON, J.: Goya, peintre du roy, en Chastenet: Goya. París. 1964.

Barcia 1911
BARCIA, A.: Catálogo de las pinturas de la Casa de Alba. En Revista de Archivos, Bibliotecas y Museos. XVI. 1911.

Baticle 1970
BATICLE, J.: Goya. Catálogo de la exposición de L'Orangerie. París. 1970.

Baticle 1981
BATICLE, J. Y MARINAS, C.: La Galerie espagnole de Louis Philippe. 1838-1848. París. 1981.

Baudelaire 1868
BAUDELAIRE, CH.: Quelques caricaturistes étrangers, en Curiosités esthetiques. 1868.

Benesch 1960
BENESCH, O.: Rembrandt's artistique Heritage, en Goya to Cézanne. Gazette des Beaux Arts. 1960, n.º 56.

Beroqui 1927
BEROQUI, P.: Una biografía de Goya escrita por su hijo, en Archivo Español de Arte. 1927, n.º 7, t. III.

Beruete 1917
BERUETE, A.: Goya, composiciones y figuras. Madrid. 1917.

Beruete 1918
BERUETE, A.: Catálogo de la exposición de retratos de mujeres españolas anteriores a 1850. Madrid. 1918.

Beruete 1919
BERUETE, A.: Goya, pintor de retratos. Madrid. 1919.

Beruete 1921
BERUETE, A.: Spanish Painting. The Studio. Londres. 1921-1927.

Beruete 1924
BERUETE, A.: Conferencias de arte. Madrid. 1924.

Borderías 1967
BORDERIAS BOSCOS, A.: Notas sobre un cuadro de Goya: José Mallén de Almudévar, posible cabecilla de los «Guerrilleros que fabrican pólvora en la Sierra de Tardienta», en Archivo Español de Arte. 1967. XL. n.º 15-60.

Braham 1981
BRAHAM, A.: El Greco to Goya. The Taste for Spanish Painting in Britain and Ireland. Londres. 1981

Calvert 1908
CALVERT, A. F.: Goya, an account of his life and works. Londres, Nueva York. 1908.

Camón Aznar 1949
CAMON, J.: Goya. Cinco estudios. Zaragoza. 1949.

Camón Aznar 1959
CAMON, J.: Goya en los años de la Guerra de la Independencia. Zaragoza. 1959.

Camón Aznar 1980
CAMON, J.: Goya. Zaragoza. s. a. (1980).

Canellas 1981
CANELLAS LOPEZ, A.: Diplomatario de Goya. Zaragoza. 1981.

Carderera 1835
CARDERERA, V.: Biografía de Don Francisco de Goya, en El Artista. Madrid. 1835.

Carderera 1838
CARDERERA, V.: Goya, en Seminario Pintoresco. Madrid. 1838.

Castillo 1964
CASTILLO, M.: Goya, peintre de lui même, en Chastenet: Goya. París. 1964.

Cruz y Bahamonde 1813
CRUZ Y BAHAMONDE, N. I., Conde de Maule: Viage de España, Francia e Italia. Cádiz. 1813.

Cruzada 1870
CRUZADA VILLAAMIL, G.: Los tapices de Goya. Madrid. 1870.

Chastenet 1964
CHASTENET: Goya. París. 1964.

Chueca 1946
CHUECA, F.: Goya y la arquitectura en Revista de Ideas Estéticas. Madrid. 1946, t. IV, n.º 15-16.

Demerson 1962
DEMERSON, G.: Don Juan Antonio Meléndez Valdés et son temps. París. 1962.

Desparmet 1928
DESPARMET FITZ-GERALD: L'oeuvre peint de Goya. París. 1928-1950.

Desparmet 1961
DESPARMET: Goya. Exp. du Musée Jacquemert André. París. 1961-62.

Díaz Padrón 1982
DIAZ PADRON, M.: Catálogo de obras de arte del Banco Urquijo. Madrid. 1982.

D'Ors 1943
D'ORS, E.: Epos de los destinos. Madrid. 1943.

D'Ors 1946
D'ORS, E.: Goya y lo goyesco. Madrid. 1946.

Encina 1928
ENCINA, J.: Goya en zig-zag. Madrid. 1928.

Estrada 1940
ESTRADA, G.: Bibliografía de Goya. México. 1940.

Eizaguirre 1946
EIZAGUIRRE: Un chileno retratado por Goya, en Revista de Indias. n.º 26. 1946.

Ezquerra 1924
EZQUERRA DEL BAYO, J. Y PEREZ BUENO: Retratos de mujeres españolas del siglo XIX. Madrid. 1924.

Ezquerra 1925
EZQUERRA DEL BAYO, J.: La exposición de retratos de niños en España, en Arte Español, VII, n.º 7. 1925.

Ezquerra 1928
EZQUERRA DEL BAYO, J.: Iconografía de Goya, en Arte Español, n.º 9. 1928.

Ezquerra 1934
EZQUERRA DEL BAYO, J.: Retratos de la familia Téllez Girón, novenos Duques de Osuna.

Ezquerra 1959
EZQUERRA DEL BAYO, J.: La Duquesa de Alba y Goya. Madrid. 1959.

Gállego (I) 1978
GALLEGO, J.: Los autorretratos de Goya. Zaragoza. 1978. I.

Gállego (II) 1978
GALLEGO, J.: En torno a Goya. Zaragoza. 1978. II.

Gállego 1981
GALLEGO, J.: Goya, hombre contemporáneo, en Conversaciones sobre Goya y el arte contemporáneo. Zaragoza. 1981.

Galvarriato 1932
GALVARRIATO: El Banco de España y su historia. Madrid. 1932.

Gassier 1955
GASSIER, P.: Goya. Ginebra. 1955.

Gassier 1974
GASSIER, P. Y WILSON, J.: Goya. París. 1974.

Gaya Nuño 1946
GAYA NUÑO, J. A.: La estética íntima de Goya, en Revista de Ideas Estéticas. 1946. IV.

Gaya Nuño 1969
GAYA NUÑO, J. A.: La alegoría de la Villa de Madrid, en Villa de Madrid, n.º 27. 1969.

Gautier 1842
GAUTIER, T.: Goya. Cabinet de l'amateur. 1842.

Glendinning 1963
GLENDINNING, N. Y TROUTMAN, PH.: Goya and his Time. Londres. 1963-64.

Glendinning 1964
GLENDINNING, N.: Goya and England in the Nineteenth Century, en The Burlington Magazine. 1964.

Glendinning 1976
GLENDINNING, N.: Variation on a theme by Goya: Majas on a balcony en Apollo, CIII, n.º 167. 1976.

Glendinning 1977
GLENDINNING, N.: Goya and his critics. Londres. 1977.

Glendinning 1981
GLENDINNING, N.: Goya's patrons, en Apollo, CXIV, n.° 2, 1981.

Gómez de la Serna 1969
GOMEZ DE LA SERNA, G.: Goya y su España. Madrid. 1969.

Gómez de la Serna 1928
GOMEZ DE LA SERNA, R.: Goya. Madrid. 1928.

Gómez Moreno 1935
GOMEZ MORENO, M.: Las crisis de Goya, en Revista de la Biblioteca, Archivo y Museo del Ayuntamiento de Madrid. 1935.

Gómez Moreno 1946
GOMEZ MORENO, M.: Los fondos de Goya, en Boletín de la Real Academia de la Historia. 1946. V.

González Sepúlveda 1787
GONZALEZ SEPULVEDA: Diario. 1787-1802.

Gudiol 1970
GUDIOL, J.: Goya. Madrid. 1970.

Guerrero Lovillo 1971
GUERRERO LOVILLO, J.: Goya en Andalucía, en Goya, n.° 100. 1971.

Guinard 1967
GUINARD, P.: Baudelaire, Le Musée Espagnol et Goya, en Revue d'Histoire littéraire de la France, n.° 2. 1967.

Guinard 1970
GUINARD, P.: Goya et la tradition religieuse du siècle d'or, en Revue du Louvre, n.° 45. 1976.

Harris 1938
HARRIS, T.: Gasparini by Goya, en Apollo, XXVIII. 1938.

Held 1964
HELD, J.: Farbe und lich in Goyas Malerei. Berlín. 1964.

Helman 1964
HELMAN, E.: Identity and style in Goya, en The Burlington Magazine, CVI, n.° 730. 1964.

Helman 1966
HELMAN, E.: Trasmundo de Goya. Madrid. 1963.

Helman 1970
HELMAN, E.: Jovellanos y Goya. Madrid. 1970.

Herrán de las Pozas 1946
HERRAN DE LAS POZAS, A.: Pinturas y dibujos coleccionados por Agustín Herrán de las Pozas, Goya 1746-1946. Bilbao. 1946.

Herrera y Ges 1921
HERRERA Y GES, M.: El palacio de Montellano, en Boletín de la Sociedad Española de Excursiones. 1921. Segundo trimestre, año XXIX.

Herrera y Ges 1927
HERRERA Y GES, M.: La familia del VI Conde de Fernán Núñez, en Archivo Español de Arte y Arqueología, n.° 7. 1927.

Huxley 1971
HUXLEY, A.: The collected Poetry of Aldous Huxley. Londres. 1971.

Jedlicka 1952
JEDLICKA, G.: El garrotillo, en Neue Zürcher. Munich. 1952.

Jiménez Placer 1943
JIMENEZ PLACER, F.: Los autorretratos de Goya. Exposición de autorretratos de pintores españoles. 1800-1948. Madrid. 1943.

Junquera 1959
JUNQUERA, P.: Un lienzo inédito de Goya en el Palacio de Oriente, en Archivo Español de Arte, n.° 125-128. 1959.

Klingender 1940
KLINGENDER, F. D.: Notes on Goya's Agony in the garden, en The Burlington Magazine, LXXXVII, n.° 48. Julio 1940.

Klingender 1948
KLINGENDER, F. D.: Goya and the democratic tradition. Londres. 1948.

Lafond 1902
LAFOND, P.: Goya. París. 1902.

Lafuente 1928
LAFUENTE FERRARI, E.: Catálogo de la exposición de pinturas de Goya, celebrada en el Museo del Prado. Madrid. 1928.

Lafuente (II) 1928
LAFUENTE FERRARI, E.: Los tapices de Goya en la exposición del Centenario, en Boletín de la Sociedad Española de Excursiones, XXXVI. 1928.

Lafuente 1946
LAFUENTE FERRARI, E.: Goya. El dos de mayo y los fusilamientos. Barcelona. 1946.

Lafuente 1947
LAFUENTE FERRARI, E.: Antecedentes, coincidencias e influencias del arte de Goya. Madrid. 1947.

Lafuente 1949
LAFUENTE FERRARI, E.: Goya y el arte francés, en Goya, cinco estudios. Zaragoza. 1949.

Lafuente 1951
LAFUENTE FERRARI, E.: La Guerra de la Independencia y Goya, en Clavileño, n.º 8. 1951.

Lafuente (I) 1955
LAFUENTE FERRARI, E.: Goya. Les fresques de San Antonio de la Florida. Laussanne. 1955.

Lafuente 1955
LAFUENTE FERRARI, E.: Catálogo de la exposición Goya. Granada. 1955.

Lafuente 1961
LAFUENTE FERRARI, E.: Boceto para la cúpula de San Antonio de la Florida, en Arte Español, XXIII. 1961.

Lafuente 1964
LAFUENTE FERRARI, E.: Goya. L'evolution de son gènie, en Chastenet: Goya. París. 1964.

Lassaigne 1948
LASSAIGNE, J.: Goya. París. 1948.

Licht 1980
LICHT, F.: The Origins of the Modern Temper in Art. Londres. 1980.

Lipschutz 1972
LIPSCHUTZ, I. H.: Spanish painting and the French Romantics. Cambridge, Mass. 1972.

Loga 1903
LOGA, V.: Goya. Berlín. 1903.

López Rey 1947
LOPEZ REY, J.: Goya y el mundo a su alrededor. Buenos Aires. 1947.

López Rey 1964
LOPEZ REY, J.: Goya's cast of character from the Peninsular war, en Apollo, n.º 23. 1964.

López Rey 1970
LOPEZ REY, J.: Goya. Madmen and Monarchs, en Art News. New York. Octubre 1970.

Maier Graefe 1926
MAIER GRAEFE: The Spanish Journey. 1926.

Malraux 1950
MALRAUX, A.: Saturne, essai sur Goya. París. 1950.

Martin Mery 1951
MARTIN MERY, G.: Catálogo de la exposición Goya. Burdeos. 1951.

Martin Mery 1956
MARTIN MERY, G.: Catálogo de la exposición De Tiepolo à Goya. Burdeos. 1956.

Martin Mery 1959
MARTIN MERY, G.: Catálogo de la exposición Decouverte de la lumière des primitifs aux impressionistes. Burdeos. 1959.

Mayer 1912
MAYER, A.: Die Gemäldesamlung des Bowes Museum zu B. C., en Zeitschreift für Bildende Kunst, XXIII. 1912.

Mayer 1925
MAYER, A.: Francisco de Goya. Madrid. 1925.

Mayer 1934
MAYER, A.: Notes on some selfportraits of Goya, en The Burlington Magazine, LXIV, n.º 373. Abril 1934.

Mc Van 1945
MC VAN, A. J.: The Alameda of the Osunas. Notes Hispanic Society of America. 1945.

Monreal 1953
MONREAL, L.: La idea religiosa en la pintura de Goya, en Clavileño, n.º 24. Noviembre y diciembre 1953.

Nelken 1914
NELKEN, M.: Exposición de pintura del siglo XIX, en Arte Español, II. 1914-1915.

Nelken 1925
NELKEN, M.: El carácter y el estilo en los retratos de niños, en Arte Español, n.º 6, t. III. 1925.

Nordenfalk 1961
NORDENFALK, C.: Goya – tavlona. Estocolmo. 1961.

Nordström 1962
NORDSTRÖM, F.: Goya, Saturn and Melancholy. Estocolmo. 1962.

Nordström (II) 1962
NORDSTRÖM, F.: Goya, State Portrait of the Count of Floridablanca, en Kunsthistorisk Tide-Krift. Argang, XXX. 1962.

Ortega 1966
ORTEGA Y GASSET, J.: Goya. Madrid. 1966.

Pardo Canalís 1968
PARDO CANALIS, E.: La iglesia zaragozana de San Fernando y las pinturas de Goya, en Goya, n.º 84. 1968.

Pardo Canalís   **1979**
PARDO CANALIS, E.: Una visita a la galería del Príncipe de la Paz, en Goya, n.º 148-150. 1979.

Pérez González   **1910**
PEREZ GONZALEZ, F.: Un cuadro de Historia. Alegoría de la Villa de Madrid. Madrid. 1910.

Pérez de Guzmán   **1901**
PEREZ DE GUZMAN: Cómo en Madrid se juró al rey José Napoleón, en la Ilustración Española y Americana. Madrid. 1901.

Pérez de Guzmán   **1912**
PEREZ DE GUZMAN: Las pinturas del palacio ducal de Berwick y Alba, en La España Moderna. Madrid. 1912.

Pérez Sánchez   **1970**
PEREZ SANCHEZ, A. E.: Colecciones del Patrimonio Nacional. Pinturas. Goya, en Reales Sitios, n.º 25. 1970.

Pita   **1959**
PITA ANDRADE, J. M.: El palacio de Liria. Madrid. 1959.

Pita   **1980**
PITA ANDRADE, J. M.: Una miniatura de Goya, Boletín del Museo del Prado, n.º 1. 1980.

Rothe   **1944**
ROTHE, H.: Las pinturas del Panteón de Goya. Ermita de San Antonio de la Florida. Barcelona. 1944.

Ruiz Cabriada   **1946**
RUIZ CABRIADA, A.: Aportaciones a una bibliografía de Goya. Madrid. 1946.

Salas   **1931**
SALAS, X.: Lista de cuadros de Goya hecha por Carderera, en Archivo Español de Arte, t. VII, 1931.

Salas   **1950**
SALAS, X.: Miscelánea goyesca. Goya y los Vernet, en Archivo Español de Arte, t. XXII, 1950.

Salas   **1962**
SALAS, X.: Francisco de Goya y Lucientes: Nueva York. 1962.

Salas (I)   **1964**
SALAS, X.: Sur les tableaux de Goya qui appartinret à son fils, en Gazette des Beaux Arts, p. 99, t. LXIII. 1964.

Salas   **1965**
SALAS, X.: Inventario de las pinturas de Don Valentín Carderera. Archivo Español de Arte, n.º 151, p. 207, t. XXXVIII. 1965.

Salas (I)   **1968**
SALAS, X.: Precisiones sobre pinturas de Goya, en Archivo Español de Arte, n.º 161, t. XLI. 1968.

Salas (II)   **1968**
SALAS, X.: Inventario de las pinturas elegidas para el Príncipe de la Paz entre las dejadas por la viuda Chopinot, en Arte Español, p. 29, t. XXII. 1968.

Salas   **1970**
SALAS, X.: Fuentes de La última Comunión de San José de Calasanz, en Goya, n.º 205. 1970.

Salas (I)   **1979**
SALAS, X.: Guía de Goya en Madrid. Madrid. 1979.

Salas (II)   **1979**
SALAS, X.: Obras de Arte en el Banco Exterior de España. Madrid. 1979.

Salas   **1982**
SALAS, X.: Catálogo del Banco de España. Madrid. 1982.

Saltillo   **1952**
SALTILLO, MARQUES DEL: Miscelánea madrileña, histórica y artística. Primera serie. Goya en Madrid: su familia y allegados (1746-1856). Madrid. 1952.

Sambricio (I)   **1946**
SAMBRICIO, V.: Tapices de Goya. Madrid. 1946.

Sambricio (II)   **1946**
SAMBRICIO, V.: El casticismo en los tapices de Goya, en Revista de Ideas Estéticas, n.º 15, 16, t. IV. 1946.

Sambricio   **1952**
SAMBRICIO, V.: La cabeza del Duque de San Carlos, en Semanario de Arte Aragonés, n.º 4. 1952.

Sambricio   **1956**
SAMBRICIO, V.: De Tiépolo a Goya, n.º 13, p. 30-37. 1956.

Sambricio   **1961**
SAMBRICIO, V.: Catálogo de la Exposición Goya en el IV centenario de la capitalidad. Madrid. 1961.

Sambricio   **1959**
SAMBRICIO, V.: Goya y la fama romántica, en Revista de Ideas Estéticas. 1959.

Sánchez Cantón   **1919**
SANCHEZ CANTON, F. J.: Catalogue des tapisseries de Goya tissées à la manufacture royale. Madrid. 1919.

Sánchez Cantón   **1920-21**
SANCHEZ CANTON, F. J.: Catálogo de la Exposición Spanish Painting. Royal Academy. Londres. 1920-1921.

Sánchez Cantón   1928
SANCHEZ CANTON, F. J.: Goya en la Academia. Madrid. 1928.

Sánchez Cantón   1930
SANCHEZ CANTON, F. J.: Goya. París. 1930.

Sánchez Cantón   1934
SANCHEZ CANTON, F. J.: La enfermedad de Goya, en Revista Española de Arte, XII. p. 241-8. 1934-1935.

Sánchez Cantón   1929
SANCHEZ CANTON, F. J.: De Barnaba da Modena a Francisco de Goya. Exposición de pinturas de los siglos XIV al XIX recuperadas por España. Madrid. 1939.

Sánchez Cantón   1945
SANCHEZ CANTON, F. J.: La elaboración de un cuadro de Goya, en Archivo Español de Arte, t. XVII. 1945.

Sánchez Cantón (I)   1946
SANCHEZ CANTON, F. J.: Goya pintor religioso, en Revista de Ideas Estéticas, n.º 15, 16, t. IV. 1946.

Sánchez Cantón (II)   1946
SANCHEZ CANTON, F. J.: Los cuadros de Goya en la Real Academia de la Historia, en Boletín de la Real Academia de la Historia. 1946.

Sánchez Cantón   1949
SANCHEZ CANTON, F. J.: Los niños en las obras de Goya, en «Goya, Cinco estudios». Zaragoza. 1949.

Sánchez Cantón   1951
SANCHEZ CANTON, F. J.: Goya, su vida y sus obras. Madrid. 1951.

Sánchez Cantón   1952
SANCHEZ CANTON, F. J.: Las versiones de Las majas al balcón, en Archivo de Arte Español, t. XXV. 1952.

Sánchez Cantón (IV)   1946
SANCHEZ CANTON, F. J.: Cómo vivía Goya, Archivo Español de Arte, XVIII. 1946.

Sánchez Cantón   1965
SANCHEZ CANTON, F. J.: Escultura y pintura del siglo XVIII. Francisco Goya. Madrid. 1965.

Sánchez Cantón   1919
SANCHEZ CANTON, F. J.: Allende Salazar: Retratos del Museo del Prado. Madrid. 1919.

Sariñena   1928
SARIÑENA, B.: Algunas noticias sobre Goya y sus obras, en Revista Aragón. 1928.

Sentenach   1895
SENTENACH, N.: Nuevos datos sobre Goya y sus obras, en Historia y Arte. Diciembre 1895.

Sentenach   1896
SENTENACH, N.: Catálogo de los cuadros... de la antigua casa ducal de Osuna, expuestos en el Palacio de la Industria y de las Artes. Madrid. 1896.

Sentenach   1913
SENTENACH, N.: Los grandes retratistas, en Boletín de la Sociedad Española de Excursiones, año XXI. 1913.

Sentenach   1820
SENTENACH, N.: Sobre el autorretrato de Goya, en Boletín de la Real Academia de San Fernando, t. 28. 1920.

Soria   1943
SORIA, M.: Agustín Esteve and Goya, en The Art Bulletin, XXV. Septiembre 1943.

Suárez   1926
SUAREZ BRAVO, F.: Una visita al palacio de la duquesa de San Carlos, en Boletín de la Sociedad Española de Excursiones, t. 34, 1926.

Starkweather   1916
STARKWEATHER: Paintings and drawings by Francisco de Goya in the collection of the Hispanic Society of America. Nueva York. 1916.

Terrasse   1931
TERRASSE: Goya. París. 1931.

Torralba   1980
TORRALBA SORIANO, F.: Goya, economistas y banqueros. Zaragoza. 1980.

Tormo   1902
TORMO, E.: Las pinturas de Goya y su clasificación y distribución cronológica, con motivo de la exposición de sus obras en Madrid en 1900. Barcelona. 1902.

Tormo   1915
TORMO, E.: La Sociedad de Excursiones en el Palacio de Liria, en Boletín de la Sociedad Española de Excursiones. t. 23. Primer semestre 1915.

Tormo   1919
TORMO, E.: Los tapices de la casa del Rey. Madrid. 1919.

Tormo   1972
TORMO, E.: Las iglesias del antiguo Madrid. Madrid. 1972.

Trapier   1940
TRAPIER DU GUÉ: Eugenio Lucas Padilla. 1940.

Trapier 1964
TRAPIER DU GUÉ: Goya and his sitters. Nueva York. 1964.

Trapier 1955
TRAPIER DU GUÉ: Goya, a study of his portraits. 1797-99. Nueva York. 1955.

Valdeavellano 1928
VALDEAVELLANO, L. G.: Las relaciones de Goya con el Banco de San Carlos, en Boletín de la Sociedad Española de Excursiones, t. 36. 1928.

Valenzuela de la Rosa 1928
VALENZUELA DE LA ROSA: Goya pintor religioso, en Aragón. Abril 1928.

Vértice 1940
VERTICE: La colección de obras de arte en el Banco de España, en Vértice, n.º 30 y 31. 1940.

Villaamil 1870
VILLAAMIL, G.: Los tapices de Goya. Madrid. 1870.

Williams Gwyn 1978
WILLIAMS GWYN, A.: Goya y la revolución imposible. Barcelona. 1978.

Viñaza 1887
VIÑAZA, CONDE DE LA: Goya. Su tiempo, su vida, sus obras. Madrid. 1887.

Wyndhan Lewis 1970
WYNDHAN LEWIS, D.: El mundo de Goya. Madrid. 1970.

Yebes 1955
YEBES, CONDESA: La condesa duquesa de Benavente, una vida en unas cartas. Madrid. 1955.

Yriarte 1867
YRIARTE, CH.: Goya, sa biographie, les fresques, les eaux-fortes et le catalogue de l'oeuvre. París. 1867.

Zapater 1863
ZAPATER Y GOMEZ, F.: Apuntes histórico-biográficos acerca de la escuela aragonesa de pintura, recopilados por... Madrid. 1863.

Zapater 1868
ZAPATER Y GOMEZ, F.: Goya, noticias biográficas. Zaragoza. 1868.

COMISARIO:
Enrique Lafuente Ferrari

Traductor del ensayo de Pierre Gassier:
Juan I. Luca de Tena

DIRECCION TECNICA:
Santiago Saavedra
Ediciones El Viso

DISEÑO DEL CATÁLOGO:
Diego Lara

IMPRENTA:
Julio Soto, Av. de la Constitución, 202. Torrejón de Ardoz (Madrid)

FOTOMECANICA:
Cromoarte. Barcelona

FOTOCOMPOSICION:
Julio Soto

ILUSTRACIONES:
Oronoz

ENCUADERNACION:
Encuadernación Ramos, S. A., Madrid

ISBN: 84-300-9033-9
Dep. Legal: M-10.309-1983